[illegible] de l'auteur

* [illegible]
* [illegible]
* [illegible]
* [illegible]
* [illegible]
* [illegible]

L'auteur

[illegible]

* Licencié en Psychologie
* Docteur en Psychosociologie

Directeur de Recherches au CENTRE DE COMMUNICATION AVANCÉE
[illegible]

## *Autres ouvrages de l'auteur*

- *La Publicité, de l'instrument économique à l'institution sociale,* en collab. avec A. Cadet; Ed. Payot, collection « Études et Documents », Paris, 1968. (édition espagnole, 1969).
- *Publicité et Société.*
  Ed. Payot, coll. « Petite Bibliothèque Payot », Paris, 1976.
- *Psychologies et Publicités.*
  Chapitre in « La Publicité de A à Z », ouvrage collectif.
  Ed. Retz, Paris, 1976.

A PARAÎTRE

- *La psychologie en Publicité,* chapitre in *Encyclopédie de la psychologie,* ouvrage collectif. Ed. Lidis, Paris, 1977.
- *Pour une prospective sociale.*
- *Images des Années 60.*

L'auteur

Bernard CATHELAT, 34 ans.

- Licencié en Psychologie.
- Docteur en Psycho-sociologie.

Directeur de Recherches au CENTRE DE COMMUNICATION AVANCÉ.
Chargé de cours au département de Sciences Politiques de l'Université de Paris I-Sorbonne.

# LES STYLES DE VIE DES FRANÇAIS

1978-1998

Collection « Au-delà du Miroir »

dirigée par

Francis BALLE

Directeur de l'Institut Français de Presse, PARIS II,

Jean-Marie COTTERET

Professeur à l'Université de PARIS I, Panthéon-Sorbonne.

Bernard Cathelat

# LES STYLES DE VIE DES FRANÇAIS

## 1978-1998

Stanké

Dépôt légal : Bibliothèque nationale du Québec
4e trimestre 1977

ISBN : 2.86242.003.4

# LES STYLES DE VIE DES FRANÇAIS
# 1978-1998

## SOMMAIRE

Deuxième partie : « LES FRANÇAIS EN MOUVEMENT »



Troisième partie : « LES FRANÇAIS VERS L'AN 2000... »

## SOMMAIRE DES ILLUSTRATIONS

Hors-texte en couleurs : encart.

AVANT-PROPOS

# A la recherche de l'objectivité

*Qui n'a le sentiment aigu d'être à un tournant de l'Histoire? Qui n'a son analyse du monde et des autres, et ne rêve d'en faire profiter chacun? Qui n'a sa vision de l'avenir et n'est tenté de partager son optimisme ou ses angoisses?* Analyse et prospective sociales : *l'objet de ce livre est lui-même d'actualité; notre style de vie contemporain inclut son auto-analyse.*

*Est-ce par hasard que fleurit aujourd'hui une littérature « sociologique » d'essais, d'observations, d'analyses, de professions de foi, de thèses qui tous dénotent un besoin de comprendre et maîtriser une réalité multiple et éphémère? Bilans rétrospectifs, constats d'actualité et projets utopiques, interprétations rassurantes ou catastrophiques concourrent tous à combler un vide terrifiant, à maîtriser une entropie angoissante. Des travaux du Club de Rome aux scenarios d'Herman Kahn, du* Mal Français *à* La convivialité, *de Toffler à Illitch se manifeste la même quête d'une certitude, d'une orientation, d'une structure explicative du maintenant et du devenir.*

*C'est l'intérêt et la richesse de ces documents que d'être d'abord un discours personnel, une vision prophétique, une conception de parti-pris de la réalité. C'est le fait de personnalités, d'écoles ou de groupes de pression moins soucieux d'appréhender le monde tel qu'il est que de le modeler et le transformer au moule de leur idéologie. Leur subjectivité est clairement affirmée (même lorsqu'elle revêt un costume scientifique) : c'est par la passion et le parti-pris que tout prophète espère être « le sel de la terre »...*

*Le document proposé ici s'est fixé un autre but :* **l'objectivité d'une prospective sociale.** *Car il manque souvent à ces dossiers le recul de l'esprit, la patience dans l'observation et la tolérance dans l'interprétation, pour analyser la réalité sociale et en prévoir les évolutions.*

*Il n'est pas si simple de décrire* **les Styles de Vie et de Pensée des Français** *aujourd'hui sans céder aux stéréotypes, aux idées reçues, aux classifications* *sommaires... Il n'est pas facile de porter un diagnostic sur* **les courants d'évolution** *qui animent notre société, la déséquilibrent et préparent son image de demain, sans le connoter de préférences partisanes... Il est plus délicat encore de projeter des* **futurs possibles** *sans les confondre avec des utopies préférables ou des modèles abstraits de société...*

*Tel est cependant le propos de cet ouvrage : dresser le portrait de la France et des Français aujourd'hui, observer sa diversité, saisir son dynamisme, prévoir ses évolutions d'ici la fin du siècle, non dans une réflexion moraliste ni un élan militant, mais avec l'objectivité d'un constat dont chacun pourra tirer l'interprétation qu'il préfère.*

*La subjectivité se mérite, privilège du rang, de la notoriété et de la notabilité.* **L'objectivité se conquiert** *de façon plus obscure et modeste; elle est faite de patience, d'échanges et de confrontations, d'essais et d'erreurs, d'expériences et de vérifications. C'est par cette qualité d'objectivité (qui peut n'être pas exempte d'erreur, mais qui du moins ne fait pas de la partialité sa condition première) que cette recherche veut contribuer à une meilleure compréhension de l'équilibre actuel et du dynamique prospectif des* **Styles de Vie en France.**

Objectivité de patience : *ce livre rend compte de 7 années d'études et de recherches originales, progressant pas à pas de la notion, nouvelle en 1970, de « courants socio-culturels » au diagnostic de tendances en mouvement, puis à la définition de Styles de Vie concrets et enfin à la mesure de leur émergence.*

Objectivité d'expériences : *c'est d'observations et d'études empiriques, pratiques, conjoncturelles et sectorielles que s'est alimentée cette recherche fondamentale; non d'une réflexion abstraite sur « La Société » mais d'une somme d'études pratiques sur des situations sociales particulières, de l'alimentation à l'habitat, des loisirs à la culture, de la politique à la consommation, de la vie professionnelle à la vie privée...*

*Ces travaux ont pour cadre le C.C.A.* (Centre de Communication Avancé), *département de recherches d'EUROCOM, plus important groupe européen de conseil en marketing et communication. Si la recherche privée ne jouit pas toujours du loisir et de la gratuité de la recherche universitaire, elle bénéficie en revanche d'une stimulation à l'efficacité et au réalisme et d'un champ d'expériences extrêmement profitables.*

*Ce livre témoigne de l'intérêt porté à la* **Prospective Sociale** *par les dirigeants de ce groupe et dans les entreprises les plus dynamiques des secteurs privé et public, avec qui furent et sont encore menées ces études. Et nous tenons particulièrement à remercier M. J. Douce et M. B. Brochant qui, à la Direction du groupe EUROCOM, n'ont cessé d'encourager et de faciliter ces travaux.*

Objectivité des méthodes : *ces années de recherches furent consacrées à la création de méthodes psycho-sociologiques, en un domaine où seule l'observation subjective était habituelle. Les informations présentées dans cet ouvrage sont issues d'études qualitatives et quantitatives rigoureuses, associant le diagnostic psychologique, l'observation ethnographique, la consultation de panels d'experts et le sondage statistique.*

*Ces méthodes de Prospective Sociale sont présentées et discutées dans un second ouvrage :* **Pour une Prospective Sociale : Théories et Techniques.**

Objectivité d'échanges : *l'auteur est dans cet ouvrage le porte-parole d'une équipe de recherche réunie au C.C.A. depuis 1970. C'est de la créativité de ce groupe de travail qu'est né ce projet et c'est sur sa rigueur d'abord que se fonde son objectivité.*

*C'est à Christian Aznar, Mike Burke, Claude Matricon, Claude Nicolaï et à toute l'équipe du C.C.A. (L. Plettner, C. Barriere, Ch. Boigelot) qu'est dédié ce livre qui n'aurait pu voir le jour sans leur enthousiasme et leur travail.*

*Une recherche de l'objectivité pour brosser un portrait des Français et de la société française; et de l'objectivité pour décrire leur dynamisme et diagnostiquer leur devenir : telle est l'ambition de ce document dont le lecteur est laissé seul juge.*

INTRODUCTION

# Pour une prospective sociale

La France coupée en deux, les deux France : cette vision binaire de notre hexagone, est le fruit de politiciens, en mal d'élections. La réalité est plus complexe.

**De la France rurale « Utilitariste »** encore prédominante dans la première moitié du siècle, est née dans l'après-guerre une autre culture portée sur les ailes de l'expansion économique, rassurée par un progrès technologique infini et nourri du rêve américain. **Les années 40 ont vu l'avènement d'une nouvelle Culture Dominante « d'Aventure »** qui place la métamorphose permanente, la recherche du plaisir sensuel, la personnalisation marginale et l'esprit d'entreprise agressif au ciel de ses valeurs. Mai 1968 a marqué l'apogée de ce modèle social dans ses utopies premières (bien que contestant en apparence ce système) : imagination au pouvoir, libération du corps et des pensées, fraternité activiste universelle, destruction des structures traditionnelles et bien sûr révolution; mais cette révolution culturelle avortée a aussi marqué l'échec de la société « d'Aventure » dans ses effets seconds : réformisme centralisé, négociations matérialistes, peur des changements structurels...

**Les années 80 verront s'affirmer la dominance d'une culture de « Recentrage »** isolationniste, dont les valeurs sûres seront le repli passif sur soi, la sécurité physique, psychologique et matérielle, le compromis réformiste prudent et mesuré, l'ordre social, moral et gestionnaire.

Mais comment déterminer ces trois France et surtout comment prévoir leur évolution? Par l'analyse des Styles de Vie.

# 1. L'art du portrait

A qui confier son portrait? Ce souci grave fut réservé aux rois avant de devenir le lot commun avec l'invention de la photographie; de même l'art du portrait social fut longtemps le seul privilège des hagiographes officiels ou de savants historiens, avant de descendre aujourd'hui dans la rue.

**Voir, comprendre et prévoir la vie collective, les rapports des individus et de la société, sont aujourd'hui un droit commun;** et chacun ressent plus ou moins la curiosité nouvelle de pénétrer les coulisses de la culture. Le terme « culture » sera employé dans le sens de système de valeurs, d'idéologies, de modes de conduites et de schémas de relations définissant l'originalité d'une collectivité, ici la société française.

C'est le projet de ce document : il se situe au carrefour de la psychologie personnelle et de la sociologie pour saisir et décrire les **Styles de Vie;** il se situe au point de déséquilibre du présent, entre un passé acquis et un avenir inconnu pour observer **les axes dynamiques d'évolution** des mœurs et des idées et diagnostiquer leur direction.

Nous connaissons nos portraits fouillés par les psychologues : ils ont révélé la complexité et la richesse fragile de l'homme désirant. Nous connaissons les fresques brossées par les sociologues : elles ont démonté la mécanique du corps social et analysé les mécanismes du pouvoir et de l'influence (souvent à la lumière de leurs idéologies). Par l'inventaire et l'analyse des Styles de Vie dans ce document, on proposera ici **le portrait de l'existence des Français.**

**Saisir comment des psychologies individuelles si différentes peuvent vivre ensemble et se comprendre; décrire les modes de pensée et de vie nuancés qui les distinguent et les rassemblent à la fois; détecter les courants dynamiques essentiels qui les mobilisent et les horizons qui les attirent; prévoir ce que sera demain la Culture Dominante et ce que seront lcs Styles de Vie de la fin du siècle...** C'est ce qui est proposé ici pour dépasser le kaléidoscope d'anecdotes partielles et partiales qui tient aujourd'hui lieu de portrait de notre société.

# 2. Les Français défigurés

Un jour est né le sondage; et la face de notre monde s'en est sans doute trouvée bien changée. Les sociologues sont sortis des coulisses universitaires et, intronisés maîtres-sondeurs, sont apparus sur les petits écrans et dans les colonnes des journaux pour dire au peuple qui il était, ce qu'il faisait et ce qu'il pensait... Il n'est plus de semaine, de jours parfois, qui n'apporte son sondage et ne comporte son conflit de sondeurs contradictoires; il n'est guère de journalistes pour oser encore formuler une opinion sans se protéger d'un sondage; et déjà les hommes politiques marchent au sondage comme l'on marchait au canon.

Mais on a sans doute sous-estimé l'influence culturelle plus profonde de ce phénomène (dont bien sûr ce livre est aussi un exemple); voilà une société sans cesse confrontée à sa propre image : face à face schizophrénique, déréalisant et dépersonnalisant, alinénant car l'image de soi révélée par les sondeurs est éclatée, partielle, partiale et changeante, éphémère, incertaine.

Écoutons les sondeurs, comme le feront sans doute quelque jour des archéologues à venir [1] : 40 % des Français ne sont jamais allés au théâtre; 52 % se sentent plutôt des consommateurs et 23 % plutôt des producteurs;

1. Toutes les données citées sont exactes et ont fait l'objet de publications dans la presse, à partir de sondages des principaux instituts français ou de statistiques officielles.

2 320 000 adultes pratiquent la chasse et 5 000 000 la pêche; la durée de vie du Français moyen est de 72 ans; 76 % des Français se déclarent intéressés par la TV et 61 % par le cinéma; 68 % estiment que ce n'est pas à des gens comme eux de faire des sacrifices pour lutter contre l'inflation; 9 060 000 ménages ont un jardin et 1 375 000 le considèrent comme un jardin d'agrément; 65 % des personnes de plus de 15 ans sont favorables à la censure au cinéma; dans 64 % des foyers c'est l'homme qui prend la décision d'acheter une TV couleur et dans 64 % des foyers c'est la femme qui décide l'achat de livres; 45 % des Français vivent dans des villes de plus de 100 000 habitants; 14 % achètent du champagne au moins une fois par trimestre; 56 % se déclarent d'accord avec un modèle de société différent du libéralisme et du marxisme, tel que le propose M. Giscard d'Estaing dans *Démocratie Française;* l'agriculteur moyen va au cinéma 2,2 fois par an et le cadre moyen 9,7 par an; 30 % des femmes ayant deux enfants travaillent; le Français moyen dépense 400 F par an de médicaments; 42 % de l'ensemble de la population estiment que la femme doit d'abord s'occuper du foyer; 56 % des jeunes chômeurs accepteraient de quitter leur région pour trouver un emploi; pour 54 % des individus, le cinéma est une évasion de la vie quotidienne; 6 % des Français considèrent le travail comme une malédiction; 76 % comme une occasion de rencontrer des gens et 49 % comme la meilleure façon de s'occuper; dans 80 % des cas c'est la femme qui choisit la marque du café et pour 63 % c'est l'homme qui choisit le vin; la durée moyenne de travail hebdomadaire d'un ouvrier moyen est de 45 heures et d'un patron moyen de 55,8 heures...

Prévert aurait certainement apprécié ce portrait en forme de kaléidoscope de reflets fragmentaires, que diffusent les média au cours d'une année. Rien n'est faux techniquement dans ces données, mais rien n'est vrai psychologiquement ni sociologiquement : voilà le paradoxe.

**Le Français Moyen n'existe pas,** ce « Français Moyen » que définissent tous les sondages, par la réduction de chacun à la moyenne statistique ou par la révélation d'une majorité qui nie les nuances. Il n'est que la caricature technocratique d'une collectivité réduite et contrainte à l'unicité de façade.

**Le Français Partiel n'existe pas plus,** celui qui n'existerait que par ou pour le cinéma ou une élection ou une consommation ou un équipement particulier. Le portrait sociologique se trouve ainsi réduit à un fragment statistiquement moyen; qui se reconnaîtrait dans le seul portrait robot flou de son nez ou d'un orteil? La sociologie échoue dans son ambition de miroir social par le flou et l'atomisation en facettes de ses représentations.

**L'étude des Styles de Vie est d'abord le projet de réunifier l'individu qui, pour être sujet social, n'en est pas moins une personne. On définira sociologiquement les Styles de Vie comme la variété des modèles homogènes et synthétiques d'existence.** C'est dire que l'étude des Styles de Vie reconnaît et recherche la variété des personnes; c'est dire aussi que chaque Style de Vie prend en compte la totalité des situations, des expériences et des conduites de chacun pour en retenir en synthèse la structure, et non tel ou tel détail composant.

# 3. Un portrait en relief : les styles de vie

## Mais qui sont donc les Français?

L'étude des Styles de Vie n'échappe pas à la fatale obligation de caricature : tout effort de classification des personnes ou des phénomènes en familles se paie d'une perte d'information et d'une relative schématisation. Du moins, cette approche manifeste-t-elle la volonté de prendre en compte la complexité de chaque existence et la variété du corps social; ainsi chacun pourra-t-il évaluer sa situation, non en référence à une moyenne, un mode ou une médiane statistiques, mais dans une structure typologique plus proche de la réalité et plus explicative.

Ainsi voit-on apparaître une diversification de la société en micro-cultures ou familles de pensées. **Ces mentalités** constituent des communautés homogènes et distinctes, réunissant une fraction de la population dans la croyance en les mêmes valeurs, les mêmes priorités de préoccupations et de projets, le même langage, les mêmes symboles de reconnaissance, les mêmes modèles de comportement. Parmi ces mentalités, qui forment une Socio-structure, la culture dominante constitue le noyau d'attraction et le centre de gravité de tout le système social; cette sous-culture peut parfois ne pas être statistiquement majoritaire, mais ce sont ses valeurs, ses modes, ses idées et ses usages que véhiculent et imposent l'école, la TV et la presse, la publicité; c'est vers elle que tendent les aspirations des autres familles de pensée.

Dans la première partie de cet ouvrage, on décrira « 3 France », les France Utilitariste, d'Aventure, de Récentrage, c'est-à-dire trois micro-cultures particulières et concurrentes à la fois par leur mentalité et par les populations qui les composent; on mesurera leur poids sociologique actuel en référence au dynamisme passé et au devenir prospectif de chacune. Ce partage de la France en trois communautés idéologiques qui transgressent les habituelles segmentations, ne suffit cependant pas à décrire la diversité des modes de vie et de comportements : chaque mentalité se diversifie en plusieurs Sociostyles.

**Cette deuxième manifestation des Styles de Vie intéresse plus concrètement la description des individus dans leur cadre de vie et leurs activités particulières :** les Sociostyles.

Les Sociostyles sont des types de modes de vie et de pensée concrets, matérialisés ou verbalisés qui manifestent la différenciation et l'actualisation des psychologies individuelles dans la contingence de la vie sociale. Chaque Sociostyle peut être décrit comme un portrait robot, un profil type de croyances, d'attitudes, de pensées, de langage, d'activités, d'habitudes qui nuancent la Sociostructure, et par lequel des sujets sociaux donnés se positionnent en référence à la culture dominante dans le système de valeurs dynamiques.

On décrira pour chacun le modèle synthétique de pensée et de conduites où viennent prendre place les fragments d'opinions et de comportements que recueillent les sondages; on analysera la population qui compose les **11 Sociostyles actuels;** et surtout on les situera dans l'organisation de la Sociostructure.

Mais cette carte de France psycho-sociale n'a pas la stabilité d'un relevé géographique : on montrera dans la deuxième partie « LES FRANÇAIS EN MOUVEMENT ».

## Mais où vont donc les Français?

Si la Sociostructure est une photographie instantanée d'un état social, la photo est floue et révèle le mouvement que le sondage fixe artificiellement. C'est ce dynamisme qui permet d'approcher la Prospective des Styles de Vie.

Les mœurs et les idéologies changent, les modes et les loisirs évoluent, les valeurs et les habitudes s'adaptent, non de façon aléatoire et dispersée, mais selon une évolution logique.

Au moment même où l'on décrit un équilibre des Styles de Vie, il faut s'interroger sur leur déséquilibre déjà inscrit dans la réalité sociale sous forme de projets, d'inquiétudes et d'angoisses concernant l'horizon perceptible. L'étude comparative de l'équilibre actuel des mentalités et des perspectives dynamiques de changement permet d'évaluer la stabilité ou l'instabilité du système des valeurs, la solidité ou la fragilité de la culture dominante, les voies d'évolution préférentielles à terme prévisible.

Par l'analyse des Flux Culturels profonds, il est permis de déceler une logique de l'évolution de notre société. Tel sera l'objet des deuxième et troisième parties de cet ouvrage.

**En effet, les Flux Culturels sont des tendances macrosociologiques lourdes, des courants dynamiques modifiant en nature, en structure et en intensité le système des valeurs de l'ensemble de la culture.** Ils influencent directement les motivations collectives et les attentes, les idéaux et les modèles normatifs. Les Flux Culturels sont les forces sociales qui entrent en relation dialectique avec les désirs individuels pour générer une culture collective en remodelage permanent.

Le terme de Flux Culturels signifie donc que ces courants sont la matière même des mutations culturelles, quand bien même l'observation ne les saisit qu'arrêtés et l'analyse ne les décrit que statistiquement juxtaposés. On pourra donc parler de flux et de reflux socio-culturels selon une dynamique diachronique des tensions dans une aire sociale donnée. C'est dans une recherche de type historique que l'observation des Flux Culturels prend sa dimension la plus intéressante de définition d'une **identité culturelle** qui transcende les conjonctures temporelles. Cette notion fait donc référence à un mouvement social latent que l'observation ponctuelle ne saisit qu'imparfaitement.

Leur diagnostic relève à la fois de l'observation sociale rétrospective et de l'analyse psychologique dynamique des « **futurs intérieurs** » : il s'agit d'un regard interprétatif porté non sur l'avenir mais sur **le devenir** de la culture, tel qu'il se manifeste en gestation dans la mentalité de chaque sujet social.

Caractériser la France par 13 FLUX CULTURELS ÉMERGENTS, c'est orienter l'étude vers la **dynamique prospective** et les mouvements virtuels de la culture en place : c'est concentrer l'analyse sur **la propension** au changement plus que sur ses conditions actuelles. L'étude des *Flux Culturels* d'un environnement social représente donc une volonté d'interprétation de la prospective psycho-sociale, par la définition et la mesure de ses principaux courants porteurs.

Des **Flux Culturels,** on dira qu'ils constituent une boussole prospective pour une sociologie de mouvement. De la **Sociostructure Perspective,** on dira qu'elle indique les axes d'adaptation et de rééquilibrage dynamiques à court terme; et de la **Sociostructure Statique** qu'elle analyse le système de valeurs actuel et définit la culture dominante. Des **Socio-**

**styles,** on pourra dire qu'ils offrent un instrument de segmentation et de nomenclature de la pratique sociale quotidienne et privée.

Mais il faut aller plus loin.

Dans la troisième et dernière partie, « LES FRANÇAIS VERS L'AN 2000 », on proposera **deux scénarios prospectifs** pour les Styles de Vie des années 1995, hypothèses ultimes des observations actuelles sur l'équilibre 1978. Et si l'on ferme ce documentaire sur deux hypothèses concurrentes de culture dominante, donc sur deux choix de la société, c'est pour rappeler et illustrer les limites de la Prospective Sociale face au vertige futurologique.

S'il faut revendiquer le droit à une prospective sociale des besoins, des attitudes et des conduites, ce n'est pas pour y manipuler un détecteur magique de lendemains assurés de chanter. Si nous pensons pouvoir détecter les Flux majeurs qui animent l'identité de notre culture, saisir les impulsions qui la remodèlent sans cesse et décrire les modèles existentiels successifs qui en résultent, c'est pour mieux souligner qu'une réelle dialectique existe entre le fait culturel et les phénomènes technologiques, économiques, structurels, et qu'elle reste à étudier.

# 4. Si la photo est floue...

Difficile posture que celle du chercheur en prospective, curseur mobile par définition sur le fil diachronique de l'histoire, soudain arrêté pour faire le point sur l'horizon rétrospectif qui le poursuit et l'horizon perspectif qui le fuit. Il y a peut-être quelque paradoxe à s'appliquer à enregistrer des mouvements sociaux pour n'en rendre compte finalement qu'arrêtés; comme un cinéaste qui ne saurait présenter de son enregistrement qu'**une photo floue...** Il y a certainement quelque dérision à graver dans le marbre de l'écriture et à millésimer par l'édition une information mutante déjà caduque sitôt formulée.

Si la photo est floue, c'est que la réalité sociale elle-même est floue, sous les mots et les images momifiés où chacun l'enferme de crainte de la voir bouillonner. C'est le flou de la diversité et de la nuance et non le trait précis de la caricature; c'est le flou de la complexité d'une trame psycho-sociologique à plusieurs dimensions et non la netteté d'un portrait sur papier glacé; c'est le flou surtout du mouvement et non la pose composée d'une nature morte.

C'est le parti pris de brosser un tableau vivant de la culture française qui anime ce livre. On y fera le point des **Styles de Vie actuels** en France, dans leur structure organisatrice et leur diversité; on y analysera les **Flux Culturels** qui les sous-tendent et les animent; on y décrira leurs **manifestations formelles** dans la quotidienneté de leurs implications : par un regard rétrospectif on y commentera les **mutations des mentalités** et les évolutions de la culture dominante en France; on tentera d'inscrire l'actualité dans une explication historique qui lui confère un sens. Par un regard prospectif, on y diagnostiquera les **Axes d'évolution** déjà à l'œuvre qui influenceront à long terme notre civilisation; on y évaluera les **Perspectives de changement des mentalités** et des modes de vie.

L'imprévisible est la définition même du « trou noir » qu'est l'avenir; mais c'est aussi une manière commode et intellectuellement élégante de se débarrasser de la responsabilité d'assumer le devenir. Il faut apprendre à considérer le présent comme un équilibre instable, dont le déséquilibre même est dynamiquement porteur d'un nouvel équilibre en gestation. On peut regreter que des concentrations d'experts se voulant des « pionniers [1] » ne concluent qu'à « l'imprévisible », à la suite de brillants constats sur les affrontements et crises de l'Église, de l'éducation, du travail, de l'entreprise, de l'État, des relations internationales, du tiers-monde, des énergies...

1. « Riposte à l'imprévisible », 6e Symposium des Pionniers de Marbella, 1976, à Elounda Beach. LSA nº 599 *bis*, octobre 1976.

On veut affirmer ici que ces déséquilibres ne sont pas des catastrophes exceptionnelles mais des fissures naturelles, significatives d'une civilisation vivante en évolution et en remodelage permanent; on veut affirmer ici que ces déséquilibres ne sont pas « porteurs d'imprévisible », mais matière première de prospective, si l'on prend le risque de les interpréter.

Au risque de décevoir, un tel portrait pose plus de questions qu'il n'apporte de certitudes rassurantes. Si la photo est floue, c'est qu'elle veut être l'objectif constat d'un équilibre et d'un déséquilibre simultanés, ouverts aux projets, aux ambitions et aux volontés qui en modifieront l'alchimie et décideront pour quelques temps peut-être de son apparence. Mais ce n'est pas le portrait de l'imprévisible : à chacun de discerner dans le flou de l'image, le sens, le dynamisme et la portée du mouvement...

PREMIÈRE PARTIE

# LES FRANÇAIS AUJOURD'HUI

CHAPITRE 1

# Une nouvelle carte de France

Qu'est-ce que **la France aujourd'hui?** un lieu et un moment résultant d'une évolution économique, politique, technologique, structurelle, psychologique; l'apogée éphémère que nous appelons le présent : c'est la description de cette réalité psychologique et sociale qui sera développée dans cette première partie.

Il s'agit de relater la diversité des normes, des modèles, des valeurs, des attitudes, des schèmes de conduites, des personnalités de base et de statut multiples qui composent la mosaïque quotidienne des personnages et des personnalités. Il s'agit de faire apparaître de **nouvelles classes sociales,** plus importantes pour l'équilibre et plus explicatives pour le fonctionnement de la collectivité, définissant les modes préférentiels d'insertion des individus dans la réalité socio-culturelle, aujourd'hui.

Mais il faut aller plus loin pour saisir l'organisation et la structure de ces types de Styles de Vie en un ensemble cohérent de **micro-cultures françaises,** autour d'un noyau de valeurs plus dynamiques, valorisantes et motivantes, qui incarne la **culture dominante,** celle du moins de notre actualité.

On cherchera enfin à expliquer cette structure par l'identification et la mesure des **Axes directeurs** d'organisation socio-psychologique en familles de pensées et de comportements, des Courants porteurs de cette hiérarchie des valeurs et modèles, et des Flux tendanciels de cette mutation des Styles de Vie.

Cette **Sociostructure** [1] s'illustre par UNE NOUVELLE CARTE DE FRANCE qu'ont révélée sept années de recherche sur l'évolution des mentalités et des Styles de Vie.

**C'est une carte d'orientation,** organisée autour des axes les plus explicatifs des Styles de Vie contemporains et structurée vers des pôles d'attraction dominants.

**C'est une carte de rassemblement** où apparaissent les principales micro-cultures qui composent la France et réunissent des communautés de valeurs et d'attitudes.

**Mais c'est une carte de différenciation aussi,** où se distinguent des nuances de comportements, d'habitudes, d'opinions qui décrivent les Styles de Vie des Français au pluriel.

**C'est une carte de sociologie objective,** où se manifestent les écarts de modes de vie liés à l'âge, au revenu, à l'éducation, aux conditions de vie, aux classes sociales...

**Mais c'est encore, une carte de psychologie subjective,** où peuvent se manifester les tempéraments, les affectivités et les désirs des personnes, au-delà des conditions objectives de vie.

LA CARTE DES STYLES DE VIE EN FRANCE est un nouveau regard porté sur la réalité sociale. Cette Sociostructure distingue trois grandes familles de pensée et onze types de modes de vie qui décrivent la diversité de la France et des Français aujourd'hui, sur cette carte qui fixe les axes d'organisation de notre société. On peut y situer les cadres supé-

1. La « sociostructure » est le constat de diversité d'une civilisation : c'est le système d'organisation des valeurs, des attitudes et des comportements types en microcultures ou familles à un moment donné dans une société donnée (cf. introduction).

rieurs, et les agriculteurs, les hommes et les femmes, les retraités parisiens et les jeunes des villes moyennes... On peut y décrire de grandes familles de pensée, de langage et de motivation. On peut y définir le rôle des journaux, des stations de radio et de TV. On peut y observer les positionnements des produits et les images des marques. On peut y identifier des structures et des modes de fonctionnement d'institutions de natures différentes.

Cette carte des Styles de Vie est le signe que **l'avenir n'est pas un mystère.** La prospective n'est pas de la magie ni un jeu, malgré la mauvaise réputation des futurologues... La société de demain, les attitudes et les comportements des Français des années 85 sont déjà en germe dans les mentalités d'aujourd'hui.

La prospective des *Styles de Vie* est d'abord une nouvelle manière d'analyser le public. Il faut accepter la complexité des psychologies et des comportements pour dresser un portrait vivant des Français. Il faut reconnaître la diversité de la population : le « Français moyen » est une caricature statistique toujours fausse qui dissimule des diversités régionales et des types de socio-styles originaux. Il faut saisir les tendances dynamiques de l'évolution des mentalités qui tracent les contours de la société de demain.

Cette Carte est le résultat d'un relevé rigoureux et scientifique, aussi objectif qu'il est possible en sciences humaines, des attitudes, des idées et des comportements dans la population, mené régulièrement par le Centre de Communication Avancé [1]. Des sondages réguliers enregistrent les réponses à une batterie de questions-indicateurs, spécialement étalonnées et validées, auprès d'échantillons représentatifs de la population française de plus de quinze ans; la dernière enquête, dont les résultats sont publiés ici, a porté sur 4 500 personnes au printemps 1977.

1. La méthodologie d'étude fait l'objet d'une description détaillée dans *Pour une Prospective Sociale*, IVe partie.

Le traitement statistique des réponses fait apparaître, par l'analyse des correspondances, cette carte où se regroupent des constellations de valeurs, d'attitudes, d'opinions et de conduites selon les axes les plus explicatifs de la variété des Styles de Vie; et d'année en année on peut observer des variations de cette **géographie psychologique,** signe manifeste de l'évolution de la civilisation.

UN PREMIER AXE (horizontal) oppose des **valeurs d'Ordre** (discipline, permanence, transcendance, fonctionnel, modélisation...) à des **valeurs de Mouvement** (métamorphose, libéralisme, originalité, hédonisme). Cet axe est une dimension sociale classique, voire banale, en toute culture et en tout temps : il est mathématiquement le plus important pour l'analyse des Styles de Vie.

Entre ces deux pôles d'Ordre et de Mouvement s'opposent « les classiques et les modernes », « les réactionnaires et les progressistes », « les conservateurs et les pionniers », « l'entropie et la stabilité »... Et l'on observera dans la suite de l'analyse que cet axe est plus explicatif des différences socio-économiques et démographiques que des Styles de Vie psychologiques.

UN SECOND AXE (vertical) est plus fortement lié aux alternatives culturelles de Styles de Vie qu'aux classes sociologiques. Il oppose des **valeurs Positivistes** (monolithisme, réalisme, technique, fonctionnel, originalité) à des **valeurs Sensualistes** (hédonisme, symbolisme, modélisation, naturel, mosaïque). Ces pôles opposent le monde traditionnel du quantitatif, du réalisme technocratique, de la rigueur statistique, de l'objectivité expérimentale, de l'habitude bureaucratique, des grands projets et des planifications à long terme d'une part, à un nouvel univers de qualité de vie, de subjectivité, de plaisir, de sensorialité, d'images d'autre part.

Enfin, un modèle typologique de traitement informatique permet d'observer où se situent les personnes, comment se dispersent les groupes sociaux de sexes, d'âges, de métiers différents et quelles agglomérations d'individus principales en émergent. Ces agglomérations sont des communautés homogènes réunies autour d'un mode de vie : elles manifestent la diversité des Styles de Vie.

Sur cette carte, une analyse typologique fait apparaître TROIS CONSTELLATIONS ou systèmes de valeurs homogènes et exclusifs mutuellement; chacune constitue une microculture originale par sa constellation d'attitudes ou sa **Mentalité** : la France « Utilitariste », la France « de l'Aventure » et la France du « Recentrage ». Chacune de ces France particulières représente un modèle culturel, une « personnalité de base », un ensemble de valeurs, croyances, idéaux et tabous, une idéologie et un langage, des schèmes de relations institutionnelles et interpersonnelles. Il s'agit donc bien d'une **Micro-Culture organisée.** Le Style de Vie français macrosocial n'est qu'un artéfact statistique, généré par le sondage qui confond aire culturelle et frontières géopolitiques. Il est donc riche d'enseignements pour le politique, le social et l'économique, de voir se manifester 3 France, cultures vivantes et particulières, qui transcendent les clivages politiques traditionnels, qui décrivent mieux les strates socio-économiques et démographiques, mais aussi les dépassent.

Sur cette carte apparaît en première analyse, **le poids des conditions de vie objectives;** car les Styles de Vie sont d'abord le résultat de variables économiques, structurelles mais aussi biologiques. C'est l'axe horizontal qui manifeste sur cette carte l'existence de classes sociales objectives : classes d'âges, d'éducation, classes de métiers et de revenus, de cadre de vie... On y observera statistiquement (ce qui implique une schématisation) que les personnes jeunes, de milieux aisés, d'éducation secondaire ou supérieure, cadres, patrons ou professions libérales, habitants les grandes villes et surtout Paris, jouissant d'un haut niveau d'informations et de relations sociales sont plutôt attirées par le pôle de Style de Vie de Mouvement; et au contraire, selon une progression régulière, on observe une tendance d'autant plus forte aux Styles de Vie du pôle d'Ordre que les personnes sont plus âgées, moins aisées et cultivées, plus isolées en petites villes ou en milieu rural, moins informées...

Mais cette classification banale est trop sommaire; elle ne rend pas compte des nuances importantes de Styles de Vie observables au sein de chaque classe sociale. Les Styles de Vie permettent une vision moins stéréotypée de l'organisation sociale.

Une seconde analyse typologique permet de distinguer ONZE FAMILLES PSYCHO-SOCIOLOGIQUES plus explicatives des conditions objectives de vie et de tempéraments personnels à la fois. On s'attache par là à dépasser les limites restrictives des critères socio-démographiques, des segmentations économiques de comportements et des profils d'opinions de la sociographie, en les réunissant en une **synthèse de mode de vie.**

**Les Sociostyles** sont ces modes de vie particuliers définis par un portrait robot ou un schéma de vie pratique, incarné, conjoncturel, local, sectoriel, qui associe la croyance en des valeurs de références, des attitudes implicites, des modèles de comportements subconscients et des habitudes; un langage, ses images, symboles et stéréotypes; des modalités de relations à l'information, aux institutions, aux objets, à l'argent, aux symboles; des conduites organisées de vie familiale, professionnelle, commerciale, sociale, culturelle et de loisirs...

**On pourra ainsi distinguer, sur la Carte des Styles de Vie, onze familles de pensée et de comportements particulières, qui nuancent les trois micro-cultures principales.**

Cette carte n'est donc pas une vue de l'esprit, une construction arbitraire et subjective, mais un relevé sociographique de la France pris avec du recul, comparable à une carte géographique photographiée par satellite. Comme elle, ce n'est qu'un instrument d'observation; elle pose les mêmes problèmes : s'éloigner suffisamment des détails de la vie quotidienne pour saisir la structure et les lignes de force du paysage social, mais demeurer assez proche des personnes pour décrire les nuances de leur diversité.

C'est ce paysage psycho-sociologique de la France aujourd'hui qui est brossé dans les chapitres suivants à partir de trois « régions » ou micro-cultures essentielles : LA FRANCE UTILITARISTE, LA FRANCE DU RECENTRAGE, LA FRANCE DE L'AVENTURE.

# UNE NOUVELLE CARTE DE FRANCE

*Carte 1*

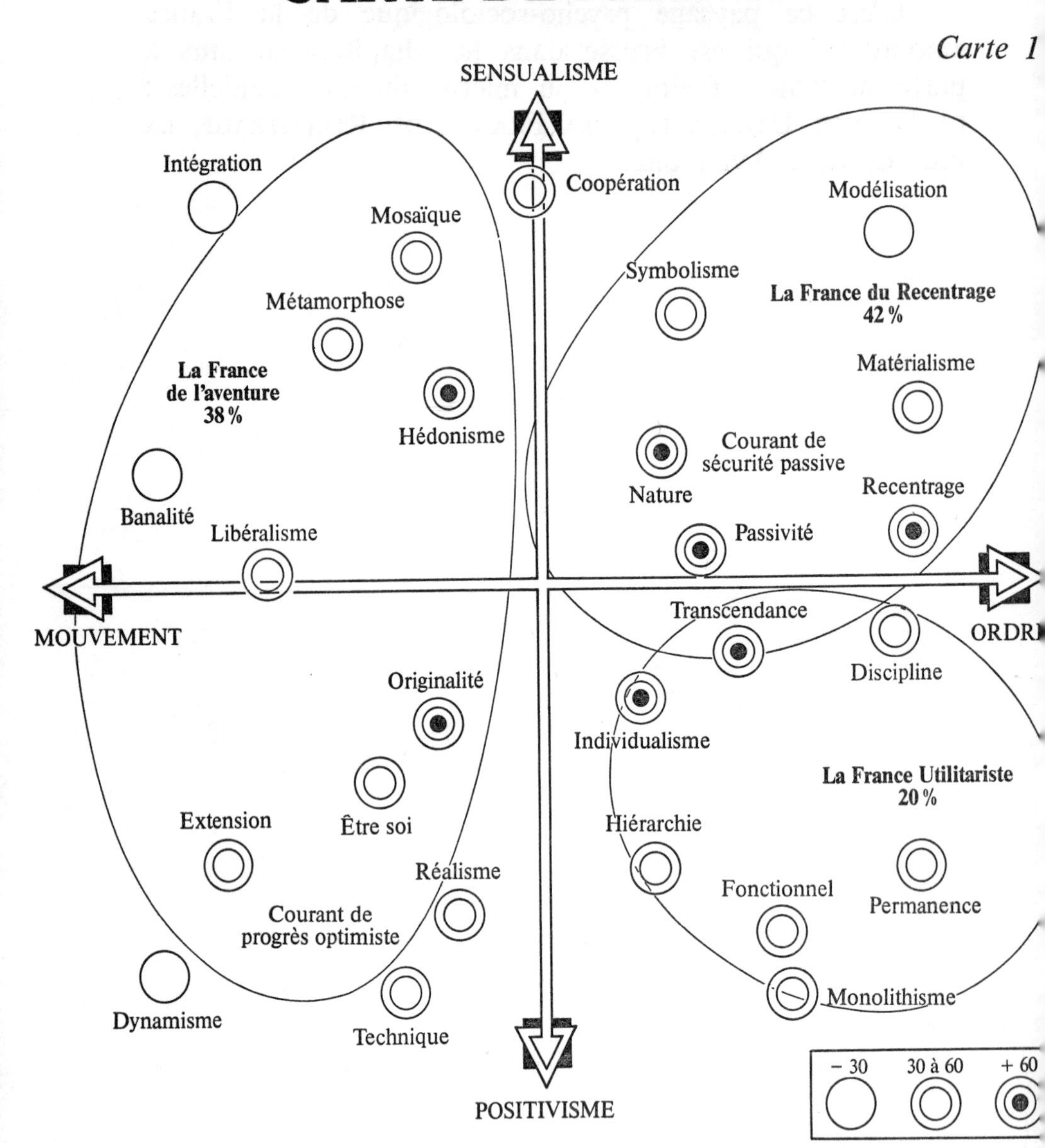


## 3 mentalités composent une France au pluriel.

2 axes décrivent cette géographie psychologique de la France en désignant 4 pôles d'attraction:

- le **Pôle d'Ordre** conservateur et matérialiste, passif et moraliste, opposé au **Pôle de Mouvement,** innovateur, jouisseur, actif et libéral.

- le **Pôle Positiviste,** réaliste, pragmatique, rationnel et utilitaire opposé au **Pôle Sensualiste,** subjectif, intuitif, sensible et artistique.

C'est sur cette carte que se dessinent 3 régions psychosociologiques : ce sont des familles de pensée, des héritages de civilisation et des modèles de société concurrentes.

CHAPITRE 2

# La France utilitariste

A lire et écouter les mass media, à regarder la publicité, à suivre la mode on pourrait croire que le 19e siècle appartient à la préhistoire, que l'avant-guerre est du passé et que ce que les futurologues nomment avec mépris « la mentalité pré-industrielle » n'est plus qu'un souvenir. Seuls peut-être les politiciens, en période électorale surtout, se rappellent encore l'existence d'une population attachée à la famille, soucieuse d'ordre, soumise aux grands principes, fidèle aux traditions, animée de l'esprit de sacrifice...

C'est pour une grande part l'intérêt des études de Styles de Vie de ne pas se laisser fasciner par la propagande de la culture dominante et de reconnaître existence et valeur à des micro-cultures minoritaires. **La France Utilitariste** existe quantitativement puisqu'elle représente un cinquième de la population. Elle existe qualitativement aussi : c'est une erreur de la définir comme rétrograde ou attardée comme le font certains sociologues obsédés par une conception monolitique et obligée du progrès; pour les individus qui la composent, cette mentalité est dynamique, vivante, attractive et motivante.

## 2.1. Les racines de l'utilitarisme

La mentalité Utilitariste constitue un héritage du 19e siècle et de la première moitié du 20e siècle où elle fut la culture dominante et officielle, jusqu'aux lendemains de la guerre mondiale.

C'est une structure mentale fortement liée à une organisation sociale hiérarchisée et autoritaire, déterministe et répressive, de faible niveau d'information et de circulation des idées. Mais elle apparaît plus encore associée à une organisation économique où la cellule familiale est tout à la fois outil, objet et finalité de production : elle relève du système d'autoconsommation tribale de la fourmi déjà vantée par La Fontaine; c'est la culture de la fourmillière.

C'est un modèle culturel fréquent pour ses valeurs essentielles dans les *cultures autarciques* [1] fermées aux influences extérieures, fortement hiérarchisées, résistantes à l'innovation et peu sensibles aux stimulations intérieures. La France Utilitariste est elle-même une micro-culture autarcique ou fermée, socialement isolée et privée de stimuli par ses conditions matérielles de vie : ce qui peut contribuer à expliquer sa longue persistance.

La mentalité Utilitariste est cependant en déclin; ayant perdu aux lendemains de la deuxième guerre mondiale son rôle d'attraction et de modèle dominant, elle n'a cessé de décroître quantitativement, d'autant plus qu'elle est peuplée pour une large part de personnes âgées. La France Utilitariste est une peau de chagrin attaquée simultanément par le vieillissement et l'érosion démographique d'une part, et l'exode vers des mentalités plus valorisées et attractives d'autre part.

Cette micro-culture qui prend ses racines dans la France agricole traditionnelle a gagné les villes avec l'exode rural et s'est maintenue dans le prolétariat urbain des débuts de l'industrialisation au 19e siècle. Elle s'y est transformée et adaptée, comme elle s'est adaptée plus tard aux conditions de vie de l'avant-guerre et comme elle s'adapte aujourd'hui encore à l'actualité : le mouvement catholique intégriste

1. Voir dans *Pour une Prospective Sociale*, la typologie des systèmes sociaux selon leur économie de l'information IIe partie, chapitre 2.

en est une manifestation moderne. C'est donc une culture vivante et non un résidu archaïque bien qu'elle ne se nourrisse pas actuellement de valeurs culturellement dynamiques.

**La France Utilitariste est animée par des valeurs actuellement récessives** fortement concurrencées par les Flux Culturels dominants [1]. Sur la carte des Style de Vie, elle est attirée par les pôles d'Ordre et de Positivisme. Elle se définit positivement par des valeurs d'individualisme, de fonctionnalité pratique et économique, de transcendance respectueuse des grands principes et institutions, de monolithisme des habitudes et de soumission passive à la hiérarchie et à l'ordre social, d'accumulation matérialiste, de traditionnalisme et de discipline morale, de rigueur de conduite. Elle s'oppose aux valeurs de jouissance hédoniste et d'épanouissement personnel, à l'agressivité et au dynamisme compétitif, à la démystification et à la vulgarisation des principes, à l'innovation et aux expériences, au laisser aller permissif. Elle reconnaît mais reste indifférente à d'autres valeurs comme le retour à la nature, l'originalité, la solidarité coopérative. Cette mentalité possède donc une originalité homogène qui en fait une micro-culture spécifique et autonome, que viendront nuancer deux modes de vie distincts.

LE SYSTÈME IDÉOLOGIQUE de la France Utilitariste est fondé sur une constellation de valeurs objectivement (et statistiquement dans les sondages) corrélées.

— **La valeur de Monolithisme** encourage la stagnation des habitudes, la pensée unidimensionnelle, le rejet de toute nouveauté et de toute différence, la fermeture de toute information dérangeante; elle développe l'uniformité, l'anonymat; elle favorise le centralisme, la propagande, l'autoritarisme... C'est une valeur propre aux *cultures autarciques*, figées et immobiles. La France Utilitariste est celle de l'obstination, des préjugés, de l'intolérance, de la xénophobie et du racisme; celle de l'uniforme, du numéro de matricule, des vacances en août, du conditionnement et des réflexes immuables;

1. Voir 2e partie, chapitre 7, ci-après.

des réglementations et du « ce qui est écrit est écrit », des maximes et des proverbes.

— **La valeur d'Individualisme** est identifiée à la culture française toute entière; elle résiste fermement à tous les chocs culturels. Elle est connotée de liberté mais sans anarchie, d'initiative mais sans aventure, d'égoïsme mais sans narcissisme, d'individualité mais sans personnalité, d'isolement mais sans solitude; c'est une valeur défensive plutôt qu'agressive. La culture Utilitariste est celle du « système débrouille », du « chacun pour soi » (« vous chantiez? j'en suis fort aise — Eh bien! dansez maintenant »), du secret du capital comme des feuilles de paye, du bas de laine, des volets clos, mais aussi de la propriété privée.

— **La valeur de Permanence** est source de stabilité, de traditionnalisme, de durabilité, de solidité, de continuité. La mentalité Utilitariste plonge ses racines dans le passé et l'histoire; elle trouve son avenir dans la stabilité et la pérennité de ce même passé. C'est la France des traditions, des fêtes votives et des commémorations, des pélerinages et des monuments, des photos-souvenirs; c'est aussi le monde des objets solides, des achats raisonnés, des investissements à long terme, de la patine et de l'inusable. On y préfère la sécurité dans la stagnation plutôt que l'aventure de l'ambition. Pour la culture Utilitariste l'ennemi est le changement quel qu'il soit (« pierre qui roule n'amasse pas mousse ») et l'éphémère est synonyme de crise; c'est une psychologie de nostalgie du « bon vieux temps ».

— **La valeur de Fonctionnalisme** domine la culture Utilitariste. Elle définit une civilisation pragmatique, celle du bricolage utilitaire et du racommodage, de l'autoconsommation; elle définit surtout une France pauvre où priment les problèmes économiques, une société laborieuse d'épargne accumulatrice, de rapport qualité-prix, de discount et de fins de série. C'est aussi un monde austère et pudique, refoulant la sensualité et la fantaisie, celui du « pur design », de la simplicité spartiate, celui des statistiques et des graphiques; un état d'esprit réaliste et « les pieds sur terre » caractérisent cette mentalité qui ne rêve pas de châteaux en Espagne.

— **La valeur de Transcendance** écrit tout en majuscules et institutionnalise tout jusqu'au mythe. C'est un monde régi par les grands principes, animé par les grands desseins, soumis au sens de l'Histoire ou à la fatalité du destin, résigné au sacrifice de l'individu à des causes plus grandes que lui, fier de son sens du devoir et de l'honneur. C'est la culture du sacré, des totems et des tabous, qui refuse toute vulgarisation de Dieu, de la Science, de l'Art, de l'Histoire, de l'État, du Travail, du Patronat, de la Classe Ouvrière, de la Révolution, de la Tradition... C'est la France des soutanes et des messes en latin, du casoar et du drapeau, des amulettes, des médailles, des portraits et des cocardes; c'est le monde du culte de la personnalité, des prophètes et des saints, des hommes providentiels et des héros.

— **La valeur de Discipline** définit le pôle d'Ordre, essentiel sur la carte des Styles de Vie. Ordre moral, puritain, austère, sévère : celui de la guillotine et de la fessée, du péché et de la pénitence, du Bien et du Mal clairement partagés; ordre social de la hiérarchie formelle, du « chacun à sa place », des obligations, des vœux, des préséances, du respect de l'aristocrate par le bourgeois et du bourgeois par l'ouvrier; ordre mental de la planification, de l'organisation : c'est la France des gestionnaires, de la direction par objectifs, du PERT, du travail chronométré; ordre physique de la bonne tenue, de la propreté : civilisation du détergent, de la blancheur aseptisée, des parquets cirés, du repassage et de l'amidon, des lits faits au carré et des placards de rangement. Le travail est une dimension fondamentale de cette civilisation (« travaillez, prenez de la peine, c'est le fond qui manque le moins »), conçu comme une fatalité, une ascèse (« comme on fait son lit on se couche ») et une rédemption (« le travail c'est la santé »), contre l'oisivité « mère de tous les vices ».

— **La valeur de Passivité** dépasse la seule culture Utilitariste et devient dominante dans toute la sociostructure. Elle demeure essentielle cependant à cette France d'humilité et de résignation où les ambitions sont découragées (« un petit chez soi vaut mieux qu'un grand chez les autres »), où l'on sait rester à sa place et se contenter de ce que l'on a, sans penser à changer l'ordre des choses; c'est une psychologie de patience, de prudence et de mesure : « patience et longueur de temps font plus que force ni que rage ».

— **La valeur de Hiérarchie** est fortement corrélée à cette psychologie passive. Dans la culture Utilitariste on respecte et on considère comme naturelle la pyramide sociale : c'est le monde des chefs et des petits chefs, des patrons de droit divin, des notables et des fonctionnaires; celui de la bureaucratie, des échelons à l'ancienneté, des galons. C'est une mentalité d'équivalence des droits et des devoirs (« noblesse oblige »).

— **La valeur de Matérialisme** encourage l'accumulation et l'épargne, la constitution « d'un bien au soleil ». C'est la culture du leg et de l'héritage, des biens et du patrimoine, de l'investissement de père de famille et des rentes, du viager et des pensions. Dans la mentalité Utilitariste, tout se chiffre et tout a un prix.

La microculture Utilitariste s'oppose donc fermement aux valeurs de mosaïque, d'hédonisme, de banalisation, de dynamisme, de métamorphose, d'intégration, de libéralisme, qui se situent à ses antipodes sur la carte des Styles de Vie. Elle apparaît indifférente, ou du moins étrangère en tant que micro-société constituée, à d'autres choix de valeurs telles que nature ou technique, extension ou recentrage, réalisme ou symbolisme, originalité ou modélisation, qui sont constitutives d'autres mentalités.

### LES FRANÇAIS UTILITARISTES

Aujourd'hui, ce système d'attitudes est significativement associé à un NIVEAU ÉCONOMIQUE BAS (qui favorise les tendances au matérialisme (43 %) au fonctionnel (62 %), au respect de la hiérarchie (70 %), à la passivité (87 %); NIVEAU CULTUREL PEU ÉLEVÉ à un (qui favorise les tendances à la permanence des traditions (78 %), au respect des grands principes transcendants (88 %)); et à une situation

D'ISOLEMENT SOCIAL (qui favorise les habitudes monolithiques (77 %), l'individualisme (90 %)). Aussi, cette mentalité est-elle dominante 26 % dans des régions à prédominance rurale et dans les villages et très faible 13 % dans les grandes agglomérations et particulièrement à Paris.

**La France Utilitariste** est surtout celle (28 %) des agriculteurs, (21 %) des ouvriers à faible revenu et moins celle (17 %) des classes moyennes et moins encore, celle (11 %) des groupes sociaux culturellement et économiquement privilégiés. C'était, il y a quelques années, la mentalité dominante et normative de la France laborieuse, dont la grande masse devait prioritairement survivre quotidiennement à la place que le sort lui avait attribué, sans projets d'avenir. C'est resté le mode de pensée des oubliés de l'expansion, qui ont le moins bénéficié de la société de consommation. Elle témoigne de structures socio-économiques et culturelles caduques, vestiges de modes d'existence dépassés. Cette mentalité est fréquente chez les personnes âgées : 35 % au-dessus de 65 ans et seulement 17 % avant 25 ans.

## 2.2. La mentalité utilitariste

**La France Utilitariste est conservatrice.** Elle ne manifeste pas de projet social nouveau et ne développe pas de volonté d'adaptation à son environnement, craignant avant tout l'aventure du progrès. Elle se définit comme un système additif : un monde clos sur ses structures et ses principes, imperméable aux incertitudes autant qu'aux utopies, figé dans la répétition quasi-automatique de schémas habituels hérités de la tradition (valeur monolithique).

Le chauvinisme, le nationalisme, le patriotisme, caractérisent *la France Utilitariste* et peuvent aller jusqu'à l'intolérance, au racisme, à la xénophobie (attitudes de rejet des immigrés, 49 %), selon les valeurs monolithiques et individualistes, appuyés sur un sentiment de supériorité (valeur de hiérarchie). La projection dans une collectivité expansionniste, impérialiste, colonialiste est souvent pour des personnes de cet univers un moyen de compenser les frustations économiques et les contraintes (la France coloniale par exemple).

Les institutions, l'État, les corps constitués, la bureaucratie, prennent une grande importance dans cette mentalité (85 % votent régulièrement). Ils incarnent à la fois la stabilité rassurante de l'environnement (valeur de permanence), l'ordre inamovible, la défense contre les risques du changement (valeur monolithique) et la justification de cet ordre (valeur de transcendance). **Les bureaucrates, les fonctionnaires et les notables jouent donc un rôle très important** pour l'équilibre de cette mentalité, incarnant le père autoritaire et protecteur à la fois; le prêtre, le savant, le professeur, le médecin, les détenteurs de pouvoir et du savoir sont respectés et suivis. Cette France a appelé de Gaulle au pouvoir pour la guider et la prendre en charge.

Les appareils d'État, d'églises, de partis ne sont donc guère menacés par cette mentalité à la fois traditionnaliste et passive. **Fondamentalement individualistes, les Français Utilitaristes** qui s'y rattachent ne contestent un ordre établi qu'au travers d'un autre ordre institué (par exemple : le Parti Communiste). A la fois par discipline, par individualisme, par passivité et par habitude, ils craignent la contestation sauvage, la révolution et l'anarchie et préfèreront un ordre contraignant à l'aventure révolutionnaire.

Fondée sur la permanence et la stéréotypie, **la France Utilitariste ne favorise pas les ambitions d'ascension sociale.** Bien que le sentiment de classe, de solidarité, d'identité y soit très faible (valeur individualiste), « rester à sa place et dans sa condition » est une norme établie : les parents projettent alors sur leurs enfants la possibilité de changer de vie par des filières institutionnelles, acceptées difficiles et malthusiennes comme les examens et les concours.

La psycohlogie Utilitariste pourrait se résumer par « chacun et chaque chose à sa place ». L'organisation, le rangement y sont des vertus. Les habitudes personnelles et les grands principes ont tendance à se confondre pour constituer une morale de l'ordre (valeur monolithique) qui prend valeur de tradition (valeur de permanence). La banalité de la vie quotidienne, ses contraintes, ses soucis deviennent des principes quasi éternels et sont ainsi valorisés. L'individu a conscience de sa petitesse et se soumet facilement à ce destin.

La passivité devant l'ordre social prend des allures de fatalisme qui limite les possibilités d'extension personnelle à un horizon très court. Mais dans cet horizon, la passivité est compensée par une morale de l'effort, du travail, de l'abnégation, du dévouement. **La mentalité Utilitariste valorise le travail** sous toutes ses formes (travail au noir) jusqu'à en faire un remède curatif (les prisons). L'oisiveté, la paresse, l'inutilité y sont des péchés et les loisirs mêmes sont suspects s'ils ne sont pas productifs : le bricolage, la chasse, la pêche servent d'alibi au plaisir, à l'évasion et au « farniente » qui n'avoue pas son nom.

Le but de la vie est de production, d'accumulation, de construction; son modèle est la fourmi de la fable, et les cigales inutiles, marginales y sont considérées comme des parasites. L'édification patiente et obstinée, pierre par pierre, d'un patrimoine qui témoignera d'une vie d'efforts et sera transmis par héritage est une norme (tendance matérialiste). La propriété privée est donc fortement idéalisée et défendue, paradoxalement dans des classes sociales qui n'y accèdent que difficilement et n'en tirent jamais de vraie richesse. De même l'épargne, l'économie, la bonne affaire sont considérées comme des symboles de cette attitude laborieuse (58 % des Français ont un livret de Caisse d'Épargne) incarnée dans l'épargne-logement, le bas de laine. **C'est par une consommation d'accumulation qu'est surtout attirée la Mentalité Utilitariste** : accumulation dans l'espace sous forme de stocks, de réserves ou accumulation dans le temps sous forme de biens durables, solides, transmissibles, inusables : on garde au grenier, on ne jette rien.

La norme de cette productivité est fonctionnelle et utilitaire. La dépense de fantaisie ou de plaisir, l'achat d'impulsion, l'investissement esthétique y sont réprouvés. La performance, l'efficacité, la robustesse, le rapport qualité-prix sont des critères préférentiels de jugement. Le bricolage, le « système D » incarnent dans cette mentalité (il y a 18 millions de bricoleurs en France) à la fois la morale de l'effort laborieux, celle de l'économie Utilitariste et celle de l'individualisme qui ne doit rien à personne. Le pragmatisme est la règle contre l'intuition, la fantaisie.

La jouissance n'a guère de place dans cette mentalité et n'est en aucun cas un but en soi. **C'est une morale puritaine rigide** qui conduit les activités économiques aussi bien que les relations personnelles : l'affectivité et l'émotion y sont refoulées et dissimulées, alors même que c'est un monde de solitude. Cette retenue s'applique aussi à l'expression de soi, où la beauté, l'élégance, la fantaisie, la personnalisation sont supplantées au profit de la tenue, de la correction, de la décence.

DANS L'ORGANISATION DES RELATIONS et des communications, *la France Utilitariste* met en avant la même rigueur et la même stabilité contre la spontanéité et l'affectivité. Les relations sociales n'y sont pas encouragées par le mode de vie individualiste et passif. **Le sentiment de solidarité est faible** (taux de syndiqués : 15 à 20 % seulement), la curiosité, le goût de l'aventure sont refoulés (76 % ne changent jamais de lieux de vacances). Les rapports entre personnes sont stéréotypés, institués, en tenant compte des statuts et des hiérarchies. Les relations privées ne doivent pas bousculer l'ordre social (15 % seulement reçoivent régulièrement des amis en dehors des grandes fêtes).

Si les institutions nationales jouent un rôle important, c'est de façon plutôt abstraite. La curiosité à l'égard des autres régions, des autres groupes sociaux, des autres pays et cultures est faible ou nulle; les informations locales sont les plus importantes pour cette mentalité et relèguent à l'arrière-plan les problèmes du monde extérieur. La tolérance étant faible, les habitudes élevées au rang de principes, *la mentalité Utilitariste* se comporte comme un filtre défensif.

C'est pourquoi la presse quotidienne et la T.V. y jouent un rôle si important pour l'information des personnes : 68 % lisent régulièrement la presse quotidienne régionale et 42 % regardent la T.V. plus de 2 heures par jour, malgré leurs contraintes d'horaires de travail.

**La famille constitue en fait le système de relations le plus important, dans sa structure traditionnelle.** La hiérarchie et le partage des tâches y sont entretenus; hommes et femmes, parents et grands-parents y assument des rôles traditionnels et stéréotypés. La famille Utilitariste est restée une cellule économique où l'organisation efficace prime sur les relations psychologiques et affectives. Le travail extérieur de la femme y est considéré comme une contrainte économique et non une possibilité d'épanouissement ou de liberté.

LE MODÈLE DE SOCIÉTÉ de *la France Utilitariste* est une organisation cloisonnée, hiérarchisée, autoritaire où chaque personne se soumet à un rôle prédéterminé et stéréotypé dans un mécanisme immuable. Elle favorise la stratification pyramidale en classes sociales étanches, à communication verticale et médiatisée, et favorise dans le même temps les relations d'échange et de coopération entre les personnes, par le mode de statuts rigides.

**La mentalité Utilitariste favorise un ordre social rigoureux et discipliné,** appuyé sur une morale puritaine et sur une idéologie de productivité quantitative et fonctionnelle. L'État, toutes les institutions ou structures, les entreprises s'y trouvent renforcées et protégées contre la contestation.

C'est le portrait d'une société forte et structurée, conservatrice et fermée à l'évolution, autoritaire et exclusive, où l'individu est avant tout sujet social productif. C'est le portrait d'un univers quantitatif, matérialiste, déterministe, immobiliste.

**Aujourd'hui la mentalité Utilitariste est un Mode de Pensée récessif** dans notre civilisation, vestige d'un contexte social passé, encore présent dans les conditions de vie socio-économiques de certaines populations.

Elle représente cependant encore 10 millions de Français. Son poids sociologique est cependant plus fort encore, puisqu'elle est forte de la tradition, du passé, de l'histoire. Les institutions politiques et religieuses, les entreprises et les dirigeants ont naturellement tendance à s'y référer, comme à un archétype d'où ils ont tiré jusqu'alors leur pouvoir et leur finalité; par exemple le consumérisme juge la consommation d'aujourd'hui selon les critères de cette **mentalité Utilitariste récessive.** On trouve encore trace de cette mentalité dans la structure sociale elle-même, ses mécanismes de pouvoir, de décision, de communication. Surtout dans le secteur public, les administrations où hiérarchie, individualisme, habitudes monolithiques se manifestent comme valeurs dominantes. **La mentalité Utilitariste est la base même de la société française depuis des décennies,** encore inscrite dans sa structure et son fonctionnement, alors même que des Français ont évolué dans leurs objectifs et leurs systèmes de valeurs, leurs motivations, leurs attitudes et leurs comportements.

## 2.3. Les styles de vie utilitaristes

Le système de valeurs de la mentalité Utilitariste supporte deux types de modes de vie et de pensée ou Sociostyles :

— LE SOCIOSTYLE LABORIEUX principalement impliqué dans des valeurs matérielles et économiques.

— LE SOCIOSTYLE CONSERVATEUR surtout attaché à des valeurs temporelles et structurelles.

Si ces deux types de Styles de Vie se réfèrent à la même famille de valeurs, d'idéaux et au même système de référence, ils diffèrent néanmoins notablement par leurs attitudes et opinions, par leurs conduites et leur langage dans les **modes de vie et de pensée quotidiens.**

**1. Les « Laborieux » (I)**

*Les Laborieux* appartiennent à la mentalité Utilitariste. Ils se caractérisent par un mode de vie de rigueur utilitaire (81 %), étroitement conditionné par des conditions de vie difficiles. Confrontés à la survie quotidienne, ils aspirent à la sécurité matérielle (60 %) et à la stabilité (76 %) qu'ils espèrent gagner par le labeur, la discipline (75 %) et la soumission à l'ordre du monde. Ils sont des laborieux en toutes circonstances.

SOCIALEMENT, ils sont conservateurs par crainte du changement, hostiles aux innovations (76 %), volontiers racistes et xénophobes (75 %). Ils ne cherchent pas à sortir de leur milieu mais à s'y installer, sans bouleverser l'ordre social qu'ils acceptent comme une réalité immuable. Ils sont passifs (92 %) et non militants, ils se lient difficilement et reçoivent peu (10 %), manifestant un faible niveau de solidarité.

POLITIQUEMENT, ils sont sensibles à la défense de la vie quotidienne, aux thèmes de sécurité de l'emploi, de garanties salariales minimales, de défense de la propriété privée. Ils sont sensibles à des chefs de type paternaliste, autoritaire et protecteur, incarnant le pouvoir sûr de lui-même (69 %), au nom des grands principes (89 %).

LEUR VIE PERSONNELLE est individualiste (91 %), centrée sur le travail et la famille, sans relations extérieures. Les habitudes, les réunions de famille (80 %) rythment leur vie sans place pour la fantaisie ni l'improvisation. La femme est ménagère, soumise au chef de famille (54 %). Leurs préférences vont à un mobilier fonctionnel et traditionnel.

LEURS LOISIRS, sont familiaux (59 %) et actifs (52 %) : jardinage, bricolage valorisés comme travaux utiles et constructifs. Ils prennent peu de vacances et n'imaginent pas le faire hors de lieux familiaux connus (73 %). Ils aiment les animaux domestiques et la campagne (60 %).

L'INFORMATION leur parvient principalement par la presse quotidienne (77 %), surtout régionale, et à un degré moindre par des magazines pratiques. Ils s'intéressent surtout aux pages distractives, aux pages pratiques et aux nouvelles locales (52 %). La lecture, le cinéma sont pratiquement absents dans leur vie. Ils regardent à la TV surtout les variétés distractives (70 %), les sports, les feuilletons (79 %), mais peu les jeux.

EN MATIÈRE DE CONSOMMATION, ce sont des accumulateurs et des thésaurisateurs pour qui la propriété de la maison revêt une valeur de réussite (77 %). Ils sont très attachés à l'utilité fonctionnelle des objets, à l'efficacité, au rendement, à la solidité (85 %), mais peu à l'esthétique ni à la mode. L'économie est le principe premier de leur consommation, souvent identifiée à la durabilité des objets. Ils n'aiment pas le crédit.

SOCIOLOGIQUEMENT, le type de mode de vie **Laborieux** ne présente pas de différence significative entre les sexes, ni les âges, mais il est plus fréquent chez les personnes de culture primaire, les agriculteurs et les ouvriers, les gens mariés, en particulier en zone rurale, dans l'Ouest, le Sud-Ouest et la région Méditerranée. **Les Laborieux sont** 7,8 % **des Français.**

### 2. « Les Conservateurs » (II)

*Les Conservateurs* appartiennent à la mentalité Utilitariste. Ils se caractérisent par leur résistance aux changements et leur inertie devant le cours de l'Histoire. Se sentant impuissants devant les transformations du monde, ils s'en défendent par la référence au passé (84 %) : ils sont les gardiens de la tradition.

POLITIQUEMENT, ils se montrent respectueux de l'ordre établi et du pouvoir en place (76 %), mais sans militantisme ni implication personnelle (77 %). Ils sont attachés à la personnalité des chefs, aux proclamations des grands principes (87 %), à l'appareil de l'État, à l'autorité des institutions. Ils sont sensibles aux thèmes de propagande du passé, de stabilité (84 %) et de continuité, de nationalisme.

Socialement, ils sont passifs et peu engagés, repliés sur eux-mêmes, non militants (77 %). Les fêtes et commémorations sociales jalonnent leur vie : ils attachent beaucoup de valeur à la conservation de leurs symboles et de leurs rites (62 %). Leurs rapports avec les autres sont de même ritualisés : ils se lient difficilement mais restent fidèles à leurs vieux amis. Ils manifestent une certaine intolérance à l'égard des marginaux et sont partisans de la sévérité avec les contestataires (67 %). Ils reçoivent peu (81 %).

Leur vie personnelle est centrée sur la cellule familiale dont ils souhaitent perpétuer le nom, le patrimoine et les traditions (75 %). Ils sont attachés à leur terroir et leurs ancêtres. Ils sont partisans d'une éducation traditionnelle, stricte, disciplinée et se montrent hostiles aux mœurs nouvelles. Ils maintiennent les statuts sexuels traditionnels : la femme au foyer. Ils sont hostiles aux vêtements fantaisistes (57 %), à la beauté originale, au maquillage quotidien.

Leurs loisirs sont également conservateurs. Ils passent leurs vacances en famille (67 %) et toujours au même endroit (79 %), de préférence au berceau familial à la campagne, voyagent peu et pas loin. Ils aiment les animaux domestiques.

L'information dominante pour eux est la T.V. (50 % : 3 heures par jour) : feuilletons (82 %), jeux, variétés distractives. Ils lisent la presse quotidienne régionale avec une préférence pour les faits divers (72 %) et annonces locales (84 %). Ils se déclarent attachés à la culture traditionnelle mais la pratiquent peu, sinon par la T.V. Ils lisent très peu, ne vont presque jamais au cinéma et au théâtre (75 %).

Ce sont des consommateurs d'habitudes, attachés à des produits connus et expérimentés, à des marques notables et renommées. De **mentalité Utilitariste,** ils se méfient des gadgets, des innovations tapageuses, des emballages voyants, des produits éphémères (96 %).

Sociologiquement, ce mode de vie et de pensée se manifeste surtout dans les catégories sociales d'agriculteurs, d'ouvriers, d'employés, chez les personnes âgées, dans les petites agglomérations. **Les français Conservateurs sont 12,5 %.**

CHAPITRE 3

# La France de l'aventure

La culture Utilitariste constitue les fondations de la civilisation française contemporaine, et le fait qu'elle apparaisse aujourd'hui, et depuis 30 ans, récessive ne doit pas dissimuler sa profonde influence. C'est notamment en contrepoint de la mentalité Utilitariste que s'est développée **une culture dominante caractéristique du monde urbain, industriel de sur-consommation.**

L'intérêt d'une radiographie sociale en termes de Styles de Vie ne réside pas en effet dans la seule identification de communautés ou de courants d'idées, mais dans l'analyse de leurs interactions et de leur équilibre. Alors même qu'elle prend le contrepied des valeurs Utilitaristes, la mentalité d'Aventure reconnaît leur existence et leur force par ses excès mêmes. La culture dominante ne saurait être un phénomène « sui-generis » et n'existe qu'en relation dialectique à d'autres familles de pensée qui l'alimentent de leur contradiction.

La France d'Aventure est devenue le modèle dominant d'attitudes et de comportements dans lequel 38 % des Français se reconnaissent aujourd'hui (mais 42 % en 1974).

## 3.1. Le courant de « progrès optimiste »

C'est au lendemain de la deuxième guerre mondiale, après le gigantesque brassage socio-culturel qu'elle a occasionné, qu'est apparu un faisceau tendanciel de « Progrès Optimiste ».

La montée de l'industrialisation, la constitution d'une classe ouvrière urbaine et d'une petite bourgeoisie n'avaient pas suffi pour démonter la culture dominante Utilitariste. **Le conflit mondial et ses conséquences, de 1940 à 1950,** ont agi à la fois comme catalyseurs de sa dissolution et comme vecteurs de nouvelles valeurs.

La guerre a vu remettre en cause les valeurs traditionnelles, tant par l'affaiblissement et la quasi destruction de leur fondement historique (la défaite de la France interprétée comme sanction d'une civilisation inadaptée) que par la démonstration de force de nouvelles valeurs (la victoire de pays superproducteurs, innovateurs, actifs). Et l'échec de la réaction Utilitariste que représentait le régime de Vichy (« travail, famille, patrie ») n'a pu que renforcer et accélérer la conscience d'une mutation nécessaire. C'est dans un traumatisme dramatique qu'a commencé la récession de la mentalité Utilitariste, bafouée dans ses valeurs les plus sacrées par les vainqueurs comme les vaincus.

Mais la guerre mondiale a aussi apporté dans les fourgons des armées des valeurs de remplacement, sous formes de technologies, de modèles d'organisation ou de simples produits (le coca-cola, le chewing-gum, le whisky, témoins et agents d'une civilisation matérielle). L'admiration due aux vainqueurs a poussé à l'imitation et l'identification à leurs Styles de Vie.

Le brassage de populations interculturel ou simplement interrégional (l'exode), la remise en cause des statuts personnels, des métiers et parfois des identités, la présence d'étrangers en occupation ou stationnement constituèrent un terrain particulièrement favorable au repositionnement culturel; et ceci d'autant plus qu'une génération de responsables politiques et sociaux prenait le pouvoir, issue d'expériences de remise en cause personnelle (la clandestinité) ou d'années de combats cosmopolites.

C'est sur le modèle américain que s'est alors engagée la reconstruction du pays, à la fois sous l'influence économique (le plan Marshall), technologique et culturelle (le jazz) des U.S.A. Un modèle de civilisation industrialisée et urbaine, de compétition productiviste et de dépense consommatoire s'est rapidement installé dès les années 1950, en rupture radicale avec les valeurs Utilitaristes.

De nouveaux idéaux et modèles de conduites sont apparus : d'abord dans les couches de population directement engagées dans la course à l'expansion, privilégiées par leur accès à ses bénéfices et aliénées aussi à l'obligation d'adhérer à ces nouvelles valeurs. L'installation progressive de **cette nouvelle culture dominante d'Aventure s'est associée à la révolution technologique** qui a marqué les 30 dernières années.

L'affaiblissement des habitudes et traditions internes et l'attraction des modèles étrangers furent accélérés par le développement des moyens d'information (en 1960 : 14 333 publications; en 1970 : 15 677 publications) et surtout des media audiovisuels, radio, photo en quadrichromie, T.V. (équipement en postes T.V. dès 1965 : 82 % des foyers); l'extension planétaire de leur champ de vision et la couverture nationale de leur influence décuplèrent le bombardement d'informations sur le public français. (En 1960 : 12 420 000 téléspectateurs; 1970 : 25 000 000.)

L'avènement d'une ère de surproduction et surconsommation, l'expansion économique, l'accroissement du pouvoir d'achat et du niveau de vie, l'accession d'un plus grand nombre à une relative abondance et à une civilisation de dépense que symbolise l'essor de la publicité entre les années 50 et 70 (entre 1949 et 1973 : le PNB a été multiplié par 3,4, et la consommation privée multipliée par 2,7) permirent le renversement des valeurs à une dimension nationale dans la vie quotidienne. Le développement du secteur tertiaire, aujourd'hui encore en pleine expansion et en passe de devenir majoritaire (50 % des Français actifs et 60 % des Parisiens), l'exode rural vers les grandes cités industrialisées, le développement urbain, le déclin de l'agriculture au profit de l'industrie, l'immigration de travailleurs étrangers provoquèrent un brassage de populations et de cultures déstructurant les habitudes, le langage, les coutumes locales, au profit d'une culture de masse plus uniforme, mais surtout nouvelle.

L'extention des moyens de communication qui favorise les voyages à l'étranger, les vacances, les transports interrégionaux en croissance de 10 % par an (entre 1961 et 1974 : les voyages à l'étranger sont passés de 2 000 000 à 5 600 000 par an), ont accentué plus récemment encore la stimulation interculturelle.

Enfin, le développement de la recherche scientifique, les innovations technologiques (T.V.), la conquête de l'espace, la production de nouvelles énergies (l'atome) ont, pour un temps, suscité l'optimisme dans le changement, identifié au progrès, et l'initiative individuelle.

Parallèlement à cet essor d'une nouvelle organisation sociale, les valeurs Utilitaristes héritées de l'avant-guerre et encore symboliques de la France « éternelle » (voir l'image de la France dans les films hollywoodiens de l'après-guerre) s'effritaient; les guerres coloniales et leur conclusion, la perte de l'empire Français, l'affaiblissement du prestige national dans le monde, la crise de confiance dans les institutions, la fin de la IVe République ont accentué encore le potentiel d'attraction du modèle américain, symbole de réussite. Le risque fut grand alors d'une explosion entre des modèles de société concurrents, l'un objectivement lancé à la conquête envahissante de la vie quotidienne et l'autre encore psychologiquement vivace. Et ce fut une fonction d'un homme politique comme le général De Gaulle que de ménager une transition culturelle tolérable : personnage mythique et incarnation vivante de la France Utilitariste, et cependant organisateur réaliste du changement, capable d'habiller la culture d'Aventure de la rhétorique transcendante de la France traditionnelle.

C'est donc **un véritable choc culturel** auquel fut soumis la France depuis la Seconde Guerre Mondiale, à la fois sur les plans économique, technologique et souvent psychologique.

De ce choc culturel est née une nouvelle culture dominante : la *mentalité d'Aventure.* Cette mutation profonde obéit à un double mouvement. Recherche du changement, de l'aventure, de la construction volontariste du futur : c'est la prééminence des progressistes sur les traditionnalistes et les conservateurs; et la recherche de la qualité de la vie, du plaisir, de la libre expression de la personnalité : les jouisseurs prennent le pas sur les laborieux.

**Cette nouvelle France est née d'un double mouvement** de déstructuration et de construction, désorientation et crise de confiance de l'après-guerre, résolu par le mirage du progrès continu. C'est initialement sur un modèle « made in U.S.A. » que s'est calquée la mentalité d'Aventure avant d'acquérir son originalité de terroir français; mais s'il est une France d'Aventure, elle participe à l'évidence largement d'une culture dominante « mondiale » perceptible dans tous les pays occidentaux industrialisés.

La constellation de ces valeurs nouvelles portées sur les ailes de l'industrialisation, de l'urbanisation et de la consommation constitue un faisceau tendanciel de grande amplitude, perceptible des années 50 jusqu'à notre époque : **le courant de Progrès Optimiste.** Le courant de Progrès Optimiste pourrait être décrit comme le négatif des racines Utilitaristes. Il se définit de façon homogène par des valeurs émergentes et dynamiques, dont on a pu constater l'essor au cours des 25 dernières années.

— **La Valeur de Mosaïque** oppose au monolithisme de la culture Utilitariste la personnalisation par la variété, le choix dans la diversité. Elle dénote une culture entropique éclatée en microcosmes de pensées, de langages et d'attitudes où la multiplicité des Styles de Vie est encouragée par principe. C'est la France du renouveau régional, des ethnies et des dialectes, de la décentralisation industrielle et administrative, de l'étalement des vacances; c'est celle du travail pluridisciplinaire, des spécialisations complémentaires, des options et des gammes; celle du prêt à porter, des accessoires, des marques et des griffes; des boutiques dans le vent, des rendez-vous « in », de la mode au pluriel; c'est une société tolérante et même attirée par les contradictions, celle des face à face polémiques, du pluralisme politique, philosophique ou religieux, de la variété des informations, de la concurrence des vedettes comme celle des marques commerciales ou des leaders politiques.

— **La valeur d'Intégration** combat l'individualisme « bien Français » de la tradition culturelle. C'est la culture des grands ensembles, des villages Levitt, des grandes villes; celle des hypermarchés, de la télévision, des bureaux en « open space » paysagers, des transports en commun; c'est la civilisation des best-sellers, des media de masse, des modes. La France de l'Aventure accepte la société de masse et ses contraintes de vie en foule, de mise en carte de l'individu, de promiscuité dont elle fait une valeur : l'animation. C'est la culture de la dynamique de groupe et des cocktails.

— **La valeur de Métamorphose** définit pour une large part le pôle de Mouvement sur la carte des Styles de Vie, s'opposant à la permanence. Au conservatisme prudent et ordonné de la mentalité Utilitariste, la culture dominante actuelle oppose une philosophie du changement et de l'éphémère, du risque et de l'aventure, de la recherche et de l'expérimentation; l'insécurité y devient une valeur : il faut savoir « se remettre en cause », symbole indispensable de la jeunesse obligatoire à perpétuité. C'est la France du progrès technique, de l'innovation permanente, de l'obsolescence des biens; des objets à jeter, de Kleenex et de Kelton; celle des voyages lointains, de la cuisine exotique, de la bio-énergie, de la créativité, de la drogue parfois; c'est la civilisation du divorce, des migrations, des déménagements, des recyclages et des changements d'emploi...

— **La valeur d'Hédonisme** encourage la recherche du plaisir sensoriel ou intellectuel, du confort, de la beauté et de l'élégance, du brio et de « la classe », du raffinement sybarite et de la simplification de la vie, contre le fonctionnalisme Utilitariste, austère et spartiate. C'est une culture dépensière, celle du chèque, de la Carte Bleue, des achats d'impulsion et du crédit ; c'est la France du spectacle, celle des vitrines, des expositions, des costumes sophistiqués ; celle de l'audiovisuel, de la T.V. en couleurs, des magazines glacés, des photos de modes, du maquillage et des cosmétiques, des costumes de couleurs ; c'est une civilisation sensualiste, celle du verre fumé, de la fourrure et des tapis, des œuvres d'art, des matières nobles, des lumières tamisées ; des appareils ménagers colorés et décorés, celle de la musique, de la bonne chair et du champagne ; c'est une France gadgétisée, celle des robots ménagers, des appareils automatiques, du presse bouton qui simplifie la vie et laisse le temps d'en jouir.

— **La valeur de Banalisation** définit une France d'Aventure démystifiée et irrespectueuse, voir cynique devant toutes les valeurs transcendantes traditionnelles : celle des prêtres en civil et de la messe en français, celle du Président de la République face à des lycéens et de l'Elysée visité en famille le dimanche, celle du livre de poche et des encyclopédies par fascicules, cette culture voit la désacralisation des institutions : État, Églises, Armée ; des rôles et de l'autorité des parents, des grands symboles patriotiques ou religieux, des philosophies et des idéologies. C'est une mentalité de jouissance immédiate, exclusivement préoccupée de « l'ici et maintenant ».

— **La valeur de Libéralisme** doit être interprétée au sens de permissivité, de laxisme, de tolérance, de laisser-aller, d'ouverture à « autre chose », d'anarchie même (et pas dans la connotation politique que l'actualité lui confère) contre les valeurs d'ordre et de discipline. C'est la libéralisation de l'avortement, la facilité du divorce ; c'est les cheveux longs, les chemises à fleurs et le rock, le débraillé ou la fantaisie de la tenue ; c'est l'émancipation des adolescents, l'éducation sexuelle, la contraception, l'union libre ; ce sont les films et la littérature érotique. Mais c'est aussi, de façon moins spectaculaire, la fantaisie, la créativité personnelle.

— **La valeur d'Etre Soi-Même** s'oppose à une définition de statut strictement matérialiste de la personne. Dans une mentalité dépensière et jouissive, elle encourage la recherche d'épanouissement personnel dans les hobbies, le sport, les loisirs, la culture, les discussions intellectuelles, les préoccupations philosophiques, l'oisiveté. « L'argent ne fait pas le bonheur »... surtout chez eux qui en ont assez!

— **La valeur de Dynamisme** est fondamentale de la culture dominante d'Aventure. C'est une mentalité d'agressivité, de combativité, de volonté de promotion et d'ambition, de compétition et de record. C'est la civilisation des concours et des tests, de la sélection, de « la lutte pour la vie », de la sanction selon la réussite, de la promotion aux performances, des primes et des salaires au rendement, de l'expansion; c'est le monde de la vitesse et de la puissance.

D'autres valeurs enfin apparaissent modérément associées à la culture d'Aventure, sans participer à sa définition fondamentale ni s'identifier totalement au courant du Progrès Optimiste :

— **la valeur d'Extension** encourageant la conquête, l'affirmation de soi, le rayonnement, la domination des autres;

— **la valeur d'Originalité** qui favorise des attitudes radicales, extrémistes, marginales, révolutionnaires;

— **la valeur de Technique** favorable au progrès scientifique et optimiste dans le caractère bénéfique de la science : c'est la France du Concorde, des centrales atomiques et des greffes du cœur, celle de l'informatique, des autoroutes et de La Défense.

Ce courant de Progrès Optimiste se manifeste depuis 30 ans en France, comme un flux profond de mutation de notre civilisation; s'il connaît parfois des périodes d'accélération ou au contraire de stagnation ou de repli apparent, on observe son dynamisme sociologique de façon constante jusqu'à une période très récente.

Ce faisceau de valeurs de **Progrès Optimiste** a généré la mentalité-type du troisième quart du 19e siècle en France, qui incarne le modèle de pensée et de comportement quasi officiel, véhiculé par la publicité, la T.V. et la presse, présenté comme la norme idéale : le jeune cadre moderne et dynamique offert dans la publicité comme modèle à tous.

La mentalité d'Aventure prend ses racines dans l'évolution technologique et économique, mais aussi et surtout dans l'ouverture culturelle. La France est passée en quelques décennies d'une structure sociale fermée, autarcique, conservatrice, à l'état de structure ouverte, bombardée d'informations nouvelles en permanence, soumis à l'influence d'autres pays et en restructuration interne permanente (2 100 000 personnes en formation permanente chaque année). Il n'est donc pas étonnant d'observer que ce sont les favorisés et les acteurs de l'expansion qui se montrent les plus attachés à ce Style de Vie qui justifie leur existence et leur condition de vie.

LES FRANÇAIS DE L'AVENTURE

Ce type d'attitudes est statistiquement corrélé : à l'accroissement du pouvoir d'achat et du niveau de vie (qui favorise les valeurs d'hédonisme (63 %), de banalité (48 %); à l'élévation du niveau d'éducation, de culture et d'information (qui favorise les valeurs de mosaïque (68 %), d'épanouissement personnalisé (61 %), de libéralisme (62 %), de métamorphose innovatrice (65 %); et aux relations sociales (qui favorisent les valeurs de dynamisme (59 %), de mosaïque (68 %).

C'est pourquoi *la mentalité d'Aventure* s'est plus rapidement développée dans les grandes agglomérations (40 %) et surtout dans la région parisienne (51 %) où elle est dominante; elle est en revanche plus faible dans les petites et moyennes villes de province (32 %) et très minoritaire en zone rurale. Les régions en mutation (Méditerranée), témoignent aujourd'hui du passage de la mentalité Utilitariste (13 %) à la mentalité d'Aventure (37 %) sous l'influence de l'urbanisation (croissance de 23 à 37 millions de citadins entre 1950 et 1975), de l'industrialisation, des brassages sociaux.

**Les attitudes d'Aventure** sont plus fréquentes dans les professions libérales, patrons et cadres (60 %) que chez les employés et ouvriers (39 %) alors qu'elles sont faiblement émergentes chez les agriculteurs (29 %). De même, les jeunes y adhèrent plus facilement (58 % de 16-35 ans) que les générations élevées dans la mentalité Utilitariste (14 % des plus de 65 ans).

C'est la mentalité des bénéficiaires de l'expansion, notamment de nouvelles classes de cadres et dirigeants des industries de pointe et du tertiaire, leaders et profiteurs de la nouvelle société. Elle est proposée à tous comme un exemple et un modèle idéal de société et de citoyen; mais c'est un modèle plus masculin : 40 % des hommes et 36 % des femmes s'y reconnaissent.

## 3.2. La mentalité d'aventure

**La France d'Aventure est progressiste** ou du moins innovatrice, curieuse et dynamique, tournée vers le futur plutôt que vers le passé, jusqu'à renier parfois ses origines et perdre ses racines. Elle se caractérise par un projet volontariste de construction de l'avenir (quelles que soient la précision de cette prospective et l'idéologie qui la sous-tend). Elle révèle un modèle social créatif, ouvert à l'évolution (valeur de métamorphose), remettant sans cesse en cause ses automatismes, à l'écoute de son environnement, prêt à en saisir les opportunités immédiates (valeur de banalité). Le non-conformisme, la liberté à l'égard des traditions (valeur de libéralisme), un certain cynisme envers les grands principes (valeur de banalité) et le souci de l'efficacité y jouent un rôle moteur.

**Cette France est ouverte à la « différence »**, voire à l'antagonisme : LE NATIONALISME chauvin s'y efface devant la conscience des dépendances internationales, la tolérance de l'étranger (construction de l'Europe); cette culture issue des évolutions industrielles voudrait être **le projet d'une civilisation planétaire.** Ce modèle de pensée et de conduite est multinational (apprentissage des langues, voyages et vacances à l'étranger), symbolisé par l'essor de l'anglais comme langue universelle des affaires. L'originalité culturelle n'est pas valorisée, au profit d'une intégration de l'individu dans un mode de vie plus large, moins marginal (les aéroports, les grands hôtels, les grandes villes sur le même modèle dans le monde) qui est le symbole du monde moderne dans son ensemble.

*La France d'Aventure* délègue volontiers le pouvoir social et politique de ses institutions locales et nationales à des organisations internationales (Parlement Européen, CEE) ou même des structures privées (sociétés multinationales) qui paraissent plus souples, plus efficientes, plus adaptées aux nécessités du changement (valeurs de banalité et d'intégration).

Les représentants du pouvoir et du savoir officiel, la hiérarchie institutionnelle y sont devenues de moins en moins respectés, au profit des TECHNOCRATES, des filières parallèles de décisionnaires effectifs. Les appareils d'État, les bureaucraties, les organisations hiérarchisées et centralisées sont contestées, alors que les chefs compétents, les meneurs d'hommes, les responsables au contraire sont valorisés.

**Évolution, révolution, ou réforme efficace sont les principes moteurs de cette mentalité** dont la contestation, l'affrontement, la dialectique, la critique sont les rouages acceptés. *Ces Français de l'Aventure* craignent l'immobilisme, la stagnation, la continuité linéaire et combattent les traditions, les habitudes, l'ordre établi. La conquête du pouvoir par chacun y est admise comme possible et souhaitable, et non réservée aux notables. L'initiative, l'effort, l'esprit d'entreprise, la volonté personnelle y sont des vertus et la réussite fait la preuve de la valeur (un cadre supérieur sur deux en France rapporte du travail à la maison). L'ascension de l'échelle sociale est fixée comme but aux personnes : la solidarité de classe ou de groupe y est faible (petit nombre de syndiqués chez les cadres : 550 000 seulement) et c'est au contraire la concurrence collective et individuelle qui est encouragée, fondée sur des rapports de force.

Cette mouvance sociale acceptée s'accompagne d'un sentiment d'insécurité, d'éphémère, qui oblige à la remise en cause personnelle, au recyclage, aux reconversions, qui ne sont pas sans danger (chômage des cadres). *La France d'Aventure* favorise donc des leaders à forte personnalité sachant communiquer, des hommes neufs et des « self-mademen » plutôt que des notables anciens; des technocrates plutôt que des théoriciens ou des penseurs, aussi bien en politique qu'en affaires, dont les profils ont tendance à se confondre.

LA PSYCHOLOGIE D'AVENTURE associe paradoxalement l'activisme, l'agressivité performante dans la conquête de progrès et la recherche du plaisir, de la personnalisation et de la liberté. L'intuition, l'initiative, la prise de risque y sont considérées comme normales aussi bien dans la vie privée que professionnelle. Les habitudes, le mode de vie, les principes et les opinions, le statut privé et professionnel sont remis en question et sujets à l'adaptation de façon permanente. **L'individu se sent en métamorphose permanente** et accepte de s'interroger sur lui-même, de se remodeler (groupes de thérapie venus des U.S.A.; succès des stages de recyclage : 160 000 personnes en 1969 et 440 000 en 1973). Refusant le déterminisme, la fatalité, il n'échappe à l'insécurité que par la fuite en avant dans la recherche de la nouveauté.

*Les Français de l'Aventure* se ressentent et s'affirment comme des leaders sociaux, ayant une vocation de recherche et d'innovation, de pionniers du progrès. A la morale de l'effort patient et de l'abnégation dans le travail qui caractérise la mentalité Utilitariste, se substitue une morale de la réussite, du standing, de l'originalité (61 % d'entre eux sont favorables aux vêtements fantaisie pour tous). Le travail n'est pas une valeur en soi, mais une voie d'accès à la consommation, au standing, au confort du niveau de vie. LE TRAVAIL est un champ de bataille plutôt qu'un horizon.

**Les loisirs sont donc valorisés,** organisés et pratiqués sur le même mode que le travail (dépenses de loisirs et culture multipliées par 5 entre 1959 et 1974) : ils sont l'occasion pour les individus de manifester leur personnalité, leur originalité, leur dynamisme. Les loisirs sont donc différents du repos, de l'inaction, du farniente : ils sont des manifestations actives de curiosité, d'apprentissage, de découverte et d'enrichissement de son mode de vie (58 % changent systématiquement de lieu de vacances chaque année). Les loisirs deviennent un secteur vital : 63 % des professions libérales, 58 % des cadres supérieurs, 48 % des cadres moyens et 33 % des ouvriers préféreraient, malgré la crise économique, une augmentation de temps libre plutôt que de salaire.

**Le patrimoine, l'héritage perdent de leur valeur** (10 % seulement), la propriété privée est moins respectée; L'ARGENT est considéré comme un moyen et non un but. La consommation est moins d'accumulation que de dépense et de jouissance : profiter de la vie dans l'immédiat, améliorer et simplifier la vie quotidienne (valeurs d'hédonisme et de banalité). L'épargne et l'économie sont entamées par les achats de fantaisie et d'impulsions, par l'appel au crédit (65 %) favorisés par le niveau de vie élevé (l'appel au crédit est à conseiller aux jeunes pour profiter plus vite de la vie, selon 73 % des professions libérales et cadres et 54 % des ouvriers; 58 % des ouvriers et 60 % des cadres ne font pas de budget prévisionnel pour leur ménage). Les produits à jeter deviennent plus communs (augmentation de consommation des produits en papier à jeter entre 1969 et 1975 : mouchoirs et serviettes multipliée par 3; torchons ménagers multipliée par 5; nappes en papier + 50 %).

Même les achats d'équipement lourd pour la maison et les acquisitions immobilières ne sont pas projetés « pour la vie », en vue de transmission d'un patrimoine : **la durée de vie des biens diminue et l'on jette facilement** les objets sans usure. La notion de performance des objets s'est donc profondément modifiée. La société de consommation, en se développant, a changé de nature : les performances hédonistes subjectives (dépenses de beauté et hygiène multipliées par 6 entre 1959 et 1974), élégance, beauté, santé, confort, mode, originalité, nouveauté prennent le pas sur l'efficacité technique, objective, de performance, et sur les bénéfices utilitaires, pratiques, fonctionnels et économiques (40 % des Français d'Aventure utilisent des mouchoirs en papier régulièrement).

En matière de consommation, *la Mentalité d'Aventure* pose un problème d'actualité, incarné dans les débats sur le consumérisme. Les valeurs de mosaïque, de libéralisme favorisent le consumérisme, appelant LA DIVERSITÉ DES INFORMATIONS, s'opposant au matraquage publicitaire monolithique, à la propagande unidimensionnelle. Les valeurs d'être soi, de métamorphose encouragent le choix libre, la recherche personnelle, s'opposant aux pressions extérieures autoritaires. Mais le consumérisme officiel s'en tient à un langage réaliste, technique, fonctionnel, économique, appartenant à la mentalité Utilitaire récessive, tout aussi impératif, autoritaire et monolithique que la publicité. Objectivement les attitudes et comportements de consommation ont changé, comme a changé la société; ils sont l'indice d'une civilisation en mouvement. Si le consumérisme dans son principe appartient à cette évolution de mentalité, son langage institutionnel n'y est pas adapté.

*La Mentalité d'Aventure* n'exclut pas LE BRICOLAGE, mais lui confère un autre sens : travail manuel d'expression artistique de sa personnalité, d'épanouissement de soi (tissage, émaux, tricot : la revue « 100 idées » par exemple), d'intégration personnalisée à une mode (revue « Maison de Marie-Claire »).

**L'affectivité, l'émotion, la recherche polysensorielle du plaisir, la fantaisie prennent place dans cette nouvelle morale.** Le puritanisme, la rigueur morale, le refoulement, la retenue sont considérés comme des vestiges du passé. Le plaisir, la liberté jusqu'à une certaine anarchie, le laisser-aller, LE SENSUALISME, la confiance en la spontanéité s'opposent à la censure, à la répression (libéralisation de l'avortement). La beauté, l'esthétique, L'ART sont valorisés surtout dans leur nouveauté et leur recherche : c'est aussi le monde de l'avant-garde et de l'anti-conformisme, du moins en paroles.

DANS LE SYSTÈME DES RELATIONS, **la France d'Aventure favorise l'ouverture aux autres,** la spontanéité des rapports et l'affectivité des contacts, le renouvellement des liens avec les personnes et les institutions : c'est une culture de masse (plus de 25 000 000 de téléspectateurs).

Les relations sociales s'y trouvent encouragées, et même stimulées par le système social. Les valeurs de mosaïque et de libéralisme favorisent la tolérance et l'ouverture d'esprit aux informations, aux mœurs étrangères. Si la solidarité est faible, la curiosité est grande; si les liens sont peu durables et profonds, ils sont multiples et divers (34 % participent à des associations ou clubs, 42 % à des voyages organisés). L'anti-conformisme est paradoxalement de règle, s'opposant au formalisme, au décorum, aux signes extérieurs de hiérarchie et aux différences de statut.

Les personnes se sentent intégrées à une communauté élargie, régionale, nationale ou même internationale au-delà de leur microcosme de vie personnelle ou professionnelle. **La consommation d'informations est donc élevée,** surtout en provenance de groupes sociaux, de cultures ou de régions lointaines. *La structure sociale d'Aventure* se comporte comme une antenne active d'informations, ouverte et disponible : les media comme la T.V., la radio, le cinéma, les magazines d'information jouent un rôle essentiel d'alimentation de cette mentalité (73 % des lecteurs de l'Observateur sont des Français d'Aventure par exemple).

LA FAMILLE traditionnelle joue un rôle moins important dans la *mentalité d'Aventure.* L'individu seul ou le couple constituent la cellule de base de la vie privée et sociale; les familles nombreuses y sont de moins en moins fréquentes (2,1 enfants en moyenne en France : taux de fécondité). La famille n'est pas éternelle et se dissout plus facilement (76 % d'accord pour le divorce; évolution du nombre de divorces : 1960, 30 000; 1970, 40 000; 1973, 51 000). Les relations avec les autres générations familiales ou les collatéraux sont de moins en moins fréquentes et régulières, en grande partie à cause de l'éclatement géographique. Les RELATIONS AMICALES remplacent les relations familiales surtout dans les grandes villes, l'isolement étant mal toléré dans cette mentalité : cocktails, réceptions, bridges... Les réceptions mondaines sont de plus en plus remplacées par des rencontres informelles, « à la bonne franquette » (45 % reçoivent régulièrement des amis chez eux en semaine).

**Dans la famille, les statuts sexuels évoluent rapidement** notamment sous l'influence du travail féminin (8 millions de femmes travaillent; elles représentent 36 % des Français actifs, mais le taux n'évolue guère depuis 1950). L'homme participe plus aux tâches ménagères et à l'éducation des enfants; en revanche, les activités extérieures de la femme, professionnelles ou sociales, se développent. Au moins en principe, les personnes de la **France d'Aventure** s'affirment favorables à L'ÉGALITÉ DES SEXES et à l'émancipation rapide des enfants. Contrairement à la mentalité Utilitariste, les parents souhaitent moins que leurs enfants leur ressemblent, sont plus tolérants à leurs contestations; élevés moins rigoureusement, les jeunes y sont à la fois moins protégés et plus autonomes.

**Le modèle de la France d'Aventure est une organisation ouverte,** disponible, libérale, où chaque personne se sent stimulée à l'initiative, au changement, dans un processus accéléré d'innovation obligatoire. Cette société reste hiérarchisée et stratifiée, mais de façon mouvante, éphémère, ouverte au passage d'un groupe social à l'autre, à la promotion rapide. Les rapports sociaux y sont favorisés sur un mode informel, affectif, amical, mais peu durables et peu impliquants, fondés sur l'échange plutôt que la réelle coopération solidaire.

La **France d'Aventure propose une société libérale et permissive** ouverte à la satisfaction des désirs, peu disciplinée ni autoritaire en apparence, tolérante aux marginaux et aux déviants, disponible aux mœurs et aux idéologies nouvelles.

En revanche, elle conduit l'individu à s'engager personnellement dans une activité d'innovation, sans lui fournir de cadre de référence stable ni structure protectrice.

*La France de l'Aventure* est devenue un modèle dominant et normatif d'attitudes et de comportement, dans lesquels 38 % des Français se reconnaissent. Son poids sociologique est accentué par l'infrastructure économique et technologique de notre société, qui ne cesse de se renforcer depuis 20 ans. Si les institutions politiques et religieuses s'y adaptent avec retard, les grandes entreprises privées, surtout multinationales, en ont fait leur norme de pensée et de fonctionnement. C'est sur ces principes que sont fondés les mécanismes de formation des grandes écoles et de recyclage, l'exercice du management, les voies de promotion sociales... Ce poids sociologique est renforcé encore par la redondance de la communication de masse, qui propose ce modèle d'attitudes comme leader, l'entretenant et le développant. C'est aujourd'hui *le système de pensée et de conduite* le plus souvent mis en avant de façon normative dans les magazines et les émissions, leaders de l'information collective.

**La mentalité d'Aventure est donc le modèle dominant actuel de la société française moderne.** Si de nombreuses études de Styles de Vie se limitent à la seule description de cette mentalité, négligeant le fait qu'elle ne constitue qu'une microculture partielle, c'est du fait même de son rayonnement dans les mass media et chez les leaders d'opinions, qui peut aveugler l'observateur. Si elle doit être reconnue comme culture dominante, il convient néanmoins de la situer dans la relativité du panorama des Styles de Vie et de l'organisation de la Sociostructure. La mentalité d'Aventure n'est pas « la » France mais « une » France; elle n'est pas « le » progrès monolithique mais une association idéologiquement homogène de Styles de Vie divers.

## 3.3. Les styles de vie de l'aventure

Cette culture dominante constitue une famille idéologique étendue quantitativement et qualitativement. On peut y distinguer des modes de pensée et de vie pratiques fort différents, qui sont l'application idéologique dans sa diversité existentielle.

Cinq types de Français participent à cette culture dominante :

— **le Sociostyle Ambitieux,** attiré par la mode et les signes extérieurs de réussite;

— **le Sociostyle Jouisseur,** tendu vers le plaisir et le confort de vie;

— **le Sociostyle Innovateur,** principalement impliqué dans les valeurs de progrès et de métamorphose;

— **le Sociostyle Dilettante,** anticonformiste et contestataire;

— **le Sociostyle Entreprenant,** le plus dynamique et réaliste, moteur de la France d'Aventure.

### 1. Les « Ambitieux » (III)

*Les Ambitieux* appartiennent à la mentalité d'Aventure. Ils cherchent à conquérir une position sociale fondée sur la consommation plus que sur un statut personnel. Leur objectif est la personnalisation (78 %); ils sont des consommateurs de standing.

POLITIQUEMENT, ils sont préoccupés par le niveau de vie, les symboles de progrès (70 %) et d'expansion, les promesses de croissance (56 %). Ils sont sensibles à l'optimisme dynamique de leaders de charme à forte personnalité moderne.

SOCIALEMENT, ils cherchent à affirmer activement (59 %) leur personnalité originale dans le système social et à s'identifier psychologiquement à une élite de la réussite. Ils aimeraient les contacts avec des milieux différents et participer à une vie mondaine (65 %). Ils suivent la mode (69 %), valorisent la beauté et l'élégance mais veulent l'adapter à leur personnalité. Ils cherchent à se présenter comme les « jeunes loups » du moment, mais n'en ont pas les moyens objectifs, souvent.

LEUR VIE PERSONNELLE est tendue vers la réussite. L'argent n'est qu'un moyen, pour eux, d'acquérir les signes extérieurs du standing; et ils attachent beaucoup d'importance à leur présentation personnelle (78 %). Ils s'affirment tolérants à la mosaïque des personnalités, des groupes sociaux : soucieux d'égalité entre les sexes (77 %), les âges, les classes sociales. Ils sont peu favorables aux familles nombreuses et aiment recevoir chez eux des amis (33 %).

DANS LEURS LOISIRS, ils recherchent des activités valorisantes, rares, mondaines; ils n'aiment pas passer le dimanche en famille (60 %). Ils aiment les voyages collectifs, bien organisés (46 %) et lointains, changeant régulièrement de destination (56 %) et collectionnant les souvenirs exotiques, preuves de leur aventure. Ils aiment la nature domestiquée chez eux, plantes et fleurs (88 %).

EN INFORMATION, ils sont faibles lecteurs de quotidiens, mais lecteurs de magazines, « Marie-Claire » 12 %, où ils recherchent les courants de la mode « Lui » (14 %), les modèles nouveaux, les informations essentielles (« Sélection »), les trucs pratiques et les objets symboles (« Parents » (12 %) « Femme Pratique » (13 %)) dont ils s'entourent. Ils apprécient à la radio France-Inter, à la T.V. les émissions de variétés (82 %).

EN CONSOMMATION, ils recherchent des objets symboles de modernisme, notamment par leur design. Ils sont sensibles au langage hyperbolique de l'excellence, aux évocations d'évasion, aux prouesses d'affirmation de sa personnalité, aux impératifs de mode. Ils s'identifient aux marques, aux griffes, aux signatures des objets qu'ils achètent et les arborent volontiers sur eux-mêmes (les initiales sur les vêtements et les bagages : Courrèges ou Vuitton...). De même, ils valorisent les boutiques, les magasins spécialisés où l'achat lui-même est valorisé, ne discutent pas les prix et font large appel au crédit (83 %).

SOCIOLOGIQUEMENT, le mode de vie **Ambitieux** se manifeste plus fréquemment chez les actifs, employés, cadres moyens et professions libérales, en ascension sociale et professionnelle, et également chez les femmes actives. C'est un mode de vie et de pensée typique des grandes villes. Il est rare chez les Français de plus de 50 ans chez les inactifs et travailleurs à temps partiel.

**Les Ambitieux** sont également des hommes ou des femmes, plus fréquemment des employés, des jeunes de 25 à 35 ans, de niveau d'études secondaires, dans les grandes villes, surtout en régions Méditerranée et Sud-Est. **Les Français Ambitieux sont** 5,7 %.

## 2. Les « Jouisseurs » (IV)

*Les Jouisseurs* appartiennent à la mentalité d'Aventure. Ils se caractérisent par une attitude hédoniste (76 %) de recherche du plaisir plus que de l'utilité; ils incarnent la mutation de la société de consommation, de l'accumulation fonctionnelle vers la dépense jouissive; ils sont des sybarites et des profiteurs.

POLITIQUEMENT, *les Jouisseurs* sont les conservateurs du progrès. Ils soutiennent activement le changement et font confiance à des leaders actifs, entreprenants et optimistes. Ils sont sensibles à la personnalité affective et sympathique des leaders. Leur préoccupation majeure reste à court terme le maintien de la qualité de la vie, de leur art de vivre.

SOCIALEMENT, ils sont plutôt repliés sur leur propre confort de vie (66 %), intégrés à la société moderne surtout par la consommation et la mode (65 %). Ils défendent la hiérarchie (63 %), l'autorité et souhaitent la paix sociale, mais avec tolérance pour les opinions différentes (69 %). Ils apprécient les innovations technologiques (48 %) et le changement mais lui fixent une finalité qualitative.

DANS LEURS LOISIRS, ils recherchent le plaisir, le dépaysement confortable, l'évasion mesurée. Ils changent fréquemment de lieux de vacances (52 %), volontiers avec des amis; ils participent à des voyages organisés (50 %) et aiment se défouler. Ils reçoivent beaucoup d'amis en semaine, et sortent beaucoup (46 %).

POUR L'INFORMATION, ils s'intéressent au cinéma, aux films à la T.V. (81 %), aux magazines (« Express » : 12 %, « Elle » : 16,5 %, « Jours de France : (16 %). Ils y recherchent l'évasion, le confort culturel et l'information minima plutôt que la réflexion. Mais ils ne dédaignent pas des lectures de délassement (l' « Équipe », « Sélection ») peu culturelles. Ils apprécient la musique, écoutent France-Culture et France-Musique.

DANS LEUR VIE PERSONNELLE, ils aiment le cadre matériel confortable (90 %) qu'ils se sont constitué, et y reçoivent volontiers (46 %). Ils s'affichent des idées modernes et libérales dans l'éducation; leur vie privée prend de plus en plus d'importance (59 %). Ils y recherchent surtout confort et simplification de la vie (66 %) et sauvegardent les relations familiales (anniversaires : 91 %).

EN CONSOMMATION ce sont des nantis, déjà bien équipés, ils recherchent moins l'accumulation des objets que le plaisir de l'achat, de l'emploi ou de la simple présence (56 %). Ils sont gros consommateurs de superflu, de gadgets, d'accessoires et de robots automatiques qui simplifient la vie et améliorent le confort. Ils se fient à leur goût et achètent souvent par impulsion et à crédit, s'intéressant beaucoup au design, à l'esthétique, à l'originalité des objets, plus qu'à leur valeur marchande. Ils sont sensibles en publicité au langage intimiste du plaisir, de la séduction, du coup de foudre, de la fantaisie, de la variété.

SOCIOLOGIQUEMENT, le mode de vie et de pensée **Jouisseur** se manifeste surtout chez les professions libérales, patrons, cadres supérieurs de haut niveau économique, principalement dans les grandes villes (70 %).

**Les Jouisseurs représentent** 10,2 % **des Français :** plus fréquemment chez les femmes, dans les tranches d'âge de 35 à 65 ans, chez des personnes séparées ou divorcées, typiquement à Paris.

## 3. Les « Innovateurs » (V)

Ce Sociostyle appartient à la mentalité d'Aventure. Les **Innovateurs** se manifestent comme des consommateurs d'idées, actifs (63 %), prosélytes, curieux (96 %), novateurs (69 %). Ils sont les aventuriers du progrès et les militants du changement.

POLITIQUEMENT, ce sont des militants, quelle que soit leur idéologie, engagés souvent dans des minorités à la recherche de nouveaux modèles de société (68 %). Ils refusent les exemples et les modèles historiques au profit des formules originales adaptées à notre époque. Ils sont sensibles au langage de l'utopie, de l'enthousiasme, des révolutions radicales. Ils s'intéressent moins aux hommes politiques qu'aux idées et aux masses qui les portent.

SOCIALEMENT, ils sont actifs et intégrés (60 %), conscients de la solidarité collective, du fait sociologique, de la culture de masse (79 %). Ils participent activement, même par la contestation, à des mouvements collectifs. Ils sont partisans du progrès, de l'innovation, ouverts aux idées nouvelles, aux recherches, aux avant-gardes (86 %). Ils reçoivent beaucoup, et plutôt des amis que la famille (69 %).

DANS LEUR VIE PERSONNELLE, ils s'affirment prêts au changement, au recyclage; ils cherchent l'aventure intérieure ou extérieure, innovent ou expérimentent de nouveaux modes de vie. Ils sont peu attachés à leur famille (40 % souhaitent un enfant unique), à leur terroir, à leur cadre actuel de vie (mobilier éphémère). Leur vie privée s'identifie à leur vie sociale. Ils militent pour l'égalité des sexes (83 %).

LEURS LOIRIRS se manifestent souvent sous forme culturelle et intellectuelle, mais aussi sportive. Ils participent à des activités collectives (48 %), mais avec un regard personnel et une réflexion individuelle. Ils écoutent beaucoup de musique (89 %) et lisent beaucoup, s'attachent plus au texte qu'à l'apparence (livres de poche).

L'INFORMATION est également un parti-pris de sérieux intellectuel et culturel pour eux. La presse d'opinion (« Nouvel Observateur » : 32 %), et d'information sérieuse (« Le Monde » : 13 %, « L'Express » : 16 %), alimente leurs réflexions sur les changements du monde (73 %). A la télévision, ils s'intéressent surtout aux films (95 %), aux débats politiques, aux grands magazines d'information, reportages sociologiques (53 %). A la radio (France-Culture), ils préfèrent les émissions culturelles (19 %). Ce sont eux qui regardent le moins la T.V. (1 h en moyenne).

LA CONSOMMATION ne représente pas un pôle d'attraction majeur de leur mode de pensée. Ils sont favorables aux produits éphémères, banalisés, plus encore aux produits réellement nouveaux (75 %), présentés comme une véritable révolution pour l'usager. Ils se méfient relativement des outrances publicitaires, mais achètent souvent par impulsion. Ils manifestent plus d'intérêt que les autres pour l'innovation technologique (66 %), mais sont attachés à l'esthétique des objets. Ils épagnent peu (22 %).

SOCIOLOGIQUEMENT, le mode de vie et de pensée **Innovateur** se manifeste chez les hommes, surtout chez les jeunes et jusqu'à 35 ans, de milieux aisés et dans les grandes villes, notamment la région parisienne. Il est pratiquement absent du monde rural.

Les Innovateurs représentent 4,4 % des Français.

### 4. Les Dilettantes (VI)

*Les Dilettantes*, appartiennent à la mentalité d'Aventure. Ils se présentent comme des profiteurs désimpliqués du progrès, ouverts à l'innovation, permissifs, comme spectateurs parasites plutôt qu'en acteurs. Ils sont des marginaux de l'intérieur de la culture.

POLITIQUEMENT, ils se comportent en spectateurs critiques, non militants, désabusés, non participants, et votent moins que les autres (51 %). Ils soutiennent volontiers les contestataires, les révolutionnaires mais intellectuellement plutôt que pratiquement. Ils sont sensibles aux thèmes de changement de structure, de métamorphose radicale (63 %); pour ces objectifs ils font plus confiance au dynamisme social qu'aux appareils et aux hommes politiques.

SOCIALEMENT, ils sont mal intégrés à la vie sociale (82 %), s'affirment marginaux, associaux, libertaires. Ils s'identifient à des courants expérimentaux d'avant-garde, défendent les idées avancées sans se lier activement et définitivement à elles. Les relations amicales ont beaucoup d'importance pour eux et ils ont tendance à se replier dans des cénacles ésotériques, se reconnaissant comme une minorité méconnue. Ils s'opposent systématiquement à la mode, participant néanmoins à des modes (seins nus sur la plage). 54 % reçoivent régulièrement des amis chez eux les soirs de semaine.

LEUR VIE PERSONNELLE est tournée vers la recherche, l'expérimentation, l'aventure sur un plan intellectuel. Ils sont moins attachés aux structures familiales durables (31 %) et réprouvent l'éducation traditionnelle. Ils se veulent les chercheurs et leaders de nouveaux modes de vie et manifestent systématiquement leur anti-conformisme par des signes d'originalité (vêtements de couleurs : 68 %), et de marginalité (vivre nu chez soi). Leur vie privée est valorisée par rapport à leur profession qu'ils considèrent comme simple gagne-pain.

LEURS LOISIRS sont passifs (grasse matinée : 77 %), culturels et hédonistes (67 %). Ils se montrent réticents aux activités collectives (12 % seulement) craignant l'ambrigadement et le conformisme. Ils aiment la lecture et la musique (France-Musique et France-Culture). Leurs voyages sont dirigés vers des pays lointains, des cultures étrangères, à la recherche d'expériences nouvelles.

Pour eux, L'INFORMATION doit être culturelle et intellectuelle. Ils recherchent des compte-rendus d'expérience, des analyses critiques, des réflexions sociologiques dans les magazines (« l'Express » 11 %, « Nouvel Observateur » 7,5 %, « Le Monde » 15 %). Ils sont les plus gros consommateurs de cinéma. Ils manifestent du mépris pour le « conformisme » et la « superficialité » de la T.V. et disent n'y regarder que les films de qualité (ciné-club) et choisir sévèrement leur programme (émissions littéraires et scientifiques).

Leur attitude face à LA CONSOMMATION est ambiguë : ils critiquent violemment la société de consommation et la publicité, mais y sont néanmoins intégrés par leur situation socio-économique. Ils recherchent des produits d'avant-garde (69 %), des innovations qui contestent les consommations traditionnelles (fauteuils Sacco). Ils sont sensibles aux images d'originalité (44 %), de progressisme, de scandale (Levi's), de démythification des objets (mouchoirs en papier, montres Kelton, assiettes en carton (43 %). Ils se montrent peu attachés à la propriété (on prête sa voiture).

**Les Dilettantes** sont plus significativement présents en région Parisienne chez les hommes, les cadres supérieurs et les personnes de moins de 35 ans, les célibataires, les couples sans enfant; mais ce mode de pensée et de vie n'est significativement pas lié au niveau d'éducation et aux revenus : on le trouve aussi en milieu ouvrier ou rural. 10,3 % des Français sont des Dilettantes.

### 5. Les « Entreprenants » (VII)

*Les Entreprenants* se situent aux frontières de la mentalité d'Aventure et d'attitudes de Positivisme moderne. Ils se présentent comme des personnes sur-actives, dispersées en de multiples activités, à la poursuite du pouvoir et de la performance. Ils sont des activistes (67 %).

POLITIQUEMENT, ils se veulent dégagés des idéologies, sans parti-pris affectif ni émotionnel. Ils admirent les technocrates (75 %) de l'économie, de la communication, de la sociologie et respectent les leaders efficaces, les gestionnaires compétents quelle que soit leur appartenance et soutiennent les hiérarchies pour leur efficacité. Ils sont partisans d'un certain libéralisme, non par principe moral mais par souci d'efficacité. Ils sont sensibles à l'analyse économique, aux chiffres et aux statistiques, à la politique internationale. Ils assimilent volontiers la politique au management et la propagande à la publicité.

SOCIALEMENT, ils sont des individualistes peu intégrés partisans de la hiérarchie, à la recherche de la réussite et du pouvoir. Leurs relations avec les autres sont fondées sur la force, la domination. Leurs critères de jugement sont la performance, l'efficacité. Ils participent à des activités collectives (31 %), mais pour des raisons utilitaristes de relations, valorisant également les liens amicaux (27 %) et les mondanités (30 % seulement).

LEUR VIE PERSONNELLE est orientée vers l'activité professionnelle ou sociale (62 %) plutôt que vers la vie familiale. Leur plan de carrière est le baromètre de leur réussite. Ils s'affirment ouverts aux idées nouvelles et avec un certain anti-conformisme aux innovations (64 %), surtout technologiques (75 %), mais les jugent de façon utilitariste (55 %) et réaliste (76 %). Ils ont confiance en eux-mêmes.

LEURS LOISIRS sont aussi centrés sur leur activité socioprofessionnelle. Ils sacrifient volontiers leur repos, leurs vacances, leurs loisirs au travail, au recyclage (séminaires, congrès). Ils lisent peu, écoutent peu la musique, vont moins au cinéma et au théâtre (23 % : une fois par mois au moins) par manque de temps, mais les valorisent cependant. Ils aiment beaucoup les sports et la compétition (53 %).

L'INFORMATION est pour eux utilitaire, fonctionnelle. Ils consomment beaucoup d'information, surtout à travers la presse, mais y sélectionnent leurs centres d'intérêt (« l'Équipe », l' « Expansion », « l'Observateur »). Pour cela, ils préfèrent les « digests », les articles courts, les résumés clairs, les informations brèves et directes (l' « Express » :

16 %, « Selection » 11 %). Ils vont peu au cinéma (en moyenne 1 fois tous les 2 mois) et regardent peu la T.V. (en moyenne 1 heure par jour).

Ils sont faibles CONSOMMATEURS par eux-mêmes. Ils consomment par famille interposée. Ils sont sensibles aux produits modernes, fonctionnels, originaux, éphémères, aux objets et gadgets technologiques; en publicité leur modèle est le cadre moderne et dynamique qui réussit.

**Les Entreprenants représentent 7 % de la population.** Le sociostyle *Entreprenant* est significativement caractéristique des hommes plutôt que des femmes, à Paris et dans les grandes villes du Sud-Ouest et du Sud-Est, chez les cadres, patrons et professions libérales, de 20 à 35 ans, souvent mariés.

CHAPITRE 4

# La France du recentrage

En marge de la lutte d'influence entre la France Utilitariste et le courant de Progrès Optimiste vers l'Aventure, s'est développée et maintenue une troisième microculture : le système de valeurs du Recentrage.

Il ne constitue pas, comme on pourrait le penser, une classe psychologique moyenne, indéterminée entre les valeurs d'Utilitarisme et d'Aventure, mais bien une famille de pensée originale, homogène autour de ses propres valeurs. Si cette micro-culture est celle de la France moyenne, elle n'est pas une mentalité moyenne mais un modèle psychologique et social autonome qu'il convient de prendre en compte comme une alternative culturelle à part entière.

## 4.1. Le courant de sécurité passive

De la mentalité Utilitariste a divergé un autre faisceau tendanciel d'évolution, antérieurement au courant de Progrès Optimiste, à la recherche d'une qualité de vie paisible et équilibrée.

Il faut historiquement rechercher les racines de la culture de Recentrage dans **la constitution en France d'une classe moyenne** de petits possédants aisés et dans la naissance de la bourgeoisie. Cette mentalité caractérise en effet la psychologie de personnes bénéficiant d'un niveau de vie aisé sans avoir oublié les angoisses du besoin, et voulant jouir de leur argent sans toutefois le gaspiller.

Sur la carte des Styles de Vie, cette constellation de valeurs demeure très attirée par le pôle d'Ordre : elle marque le passage d'une psychologie de la « quantité de la vie » (pôle Positiviste) à la « qualité de la vie » (pôle Sensualiste), avec l'enrichissement, l'éducation et le pouvoir; mais cette évolution diverge nettement du faisceau de Progrès Optimiste par son conservatisme fondamental. Les valeurs Utilitaristes s'y transforment et passent au second plan, mais elles n'y sont pas ouvertement reniées et combattues. Pour la mentalité Utilitariste, la France d'Aventure incarne un choix déchirant, une révision complète du mode de pensée, une révolution des habitudes; **la France du Recentrage** au contraire apparaît comme une voie logique de progression sociale, accessible et raisonnable.

Par sa seule constitution de fond, la France du Recentrage correspondrait au stéréotype péjoratif de « **l'état d'esprit petit-bourgeois** », ostentatoire mais conformiste, réformateur mais prudent, jouisseur mais économe, épris de confort mais puritain, à la recherche de relations mais égocentrique. Et de fait, c'est bien dans la petite et moyenne bourgeoisie, chez les commerçants, chez les employés et ouvriers aisés que cette mentalité plonge ses racines.

Cette microculture apparaît cependant, depuis peu, moins monolithique et stéréotypée et surtout moins rétrograde, enrichie de valeurs « modernes » et alimentée d'un flux de population nouvelle, plus jeune, active, venue de milieux plus aisés et cultivés. Et depuis 1968 notamment, la **Mentalité de Recentrage** traditionnelle dans les classes moyennes s'est développée dans toutes les couches de la société comme un nouveau modèle de vie, enrichie de nouvelles notions apportées par « **les démissionnaires de l'Aventure** ». Chez les bénéficiaires (cadres, professions libérales) de l'expansion, chez les jeunes traditionnellement disponibles au changement, chez les habitants des grandes cités actives, des signes indiscutables de fatigue et de doute concernant le progrès, de refus même de l'insertion dans le cadre social et de participation à l'expansion se manifestent dès aujourd'hui.

**La culture de Recentrage est récemment majoritaire** (42 %) **et doit être observée et suivie comme un modèle d'attraction pour l'avenir sans doute** [1]. Elle se caractérise par un ensemble de valeurs spécifiques qui constituent LE COURANT DE SÉCURITÉ PASSIVE. On peut le décrire par des valeurs principales, actuellement émergentes et dynamiques.

— **La valeur de Naturel** s'oppose de façon critique à la foi dans le progrès technologique qui apparaît comme une valeur marginale de la culture dominante d'Aventure. Elle encourage à la simplification de la vie, à la recherche d'une qualité de l'environnement, à la protection de la nature à travers des symboles de retour aux sources; mais elle encourage surtout une attitude critique ou méfiante à l'égard de la science et de la technique. C'est la France de l'écologie et des campagnes anti-atomiques, de la protection des forêts et des sites, de la bicyclette et de la voiture électrique; plus banalement c'est celle du bois blanc, du tissage, de la faïence brut (« le style Habitat »), celle des « aliments naturels » et diététiques, des détergents bio-dégradables, des matériaux recyclables. C'est la France qui craint le pétrole sur les plages, le béton dans les villes et l'atome dans les campagnes, et qui cherche à retrouver un équilibre de vie au rythme de la nature dans sa maison de campagne ou en vacances.

— **La valeur de Coopération** est antagoniste de la valeur de hiérarchie de la mentalité Utilitariste. Elle se caractérise par une recherche d'insertion dans un cadre de vie à dimension humaine, harmonieux et protecteur, fait de relations chaleureuses et solitaires (« on a toujours besoin d'un plus petit que soi »), de prise en charge affective et matérielle : c'est la France des clubs et des associations, du Club Méditerranée, des syndicats et des collectifs de défense. Mais

1. Cette prospective sera développée ci-après dans la 2e partie (chapitre 9).

c'est aussi une civilisation de tables rondes et de négociations, de directoires collégiaux et de politique contractuelle, de la concertation et du dialogue : la France du Recentrage craint les conflits, les rapports de force et de violence, et leur préfère le compromis. C'est une mentalité égalitariste et solidaire, fraternelle et participative.

— **La valeur de Recentrage** constitue le thème dominant de cette mentalité, (qui lui emprunte sa dénomination). Elle pousse au repli sur soi, au narcissisme et à la passivité, à la désimplication et au désengagement, à la vie privée au foyer, au repli sur le petit cercle d'amis. C'est la France qui recherche des racines et un abri dans des conduites, des attitudes ou des rêves de retour à la province, de maison individuelle, d'aménagement du foyer, de vie de couple...

— **La valeur de Symbolisme** s'oppose au positivisme, au réalisme et à l'esprit scientifique et fonctionnel, par la promotion du rêve, de la sentimentalité, de la subjectivité, du mysticisme, de l'introspection et de la méditation. C'est la France des romans-photos et du courrier du cœur, de la presse sentimentale, des romans « à l'eau de rose », mais aussi la France de la musique pop, de la poésie; c'est la culture des nouvelles sectes religieuses, du yoga, de zen, de la drogue. Elle développe un mécanisme de défense et de compensation par le rêve contre la réalité du monde.

— **La valeur de Modélisation** génère une mentalité conformiste, aspirant à la prise en charge pédagogique, au conseil, à l'identification à des modèles standardisés. C'est la culture des guides pratiques, des fiches-cuisines, des encyclopédies « en 10 leçons », des magazines spécialisés, de la publicité, des carnets d'adresse, des panoplies de mode.

La France du Recentrage est influencée aussi de façon marginale par certaines valeurs de la mentalité Utilitariste : matérialisme, discipline et à un degré moindre permanence. Elle apparaît peu sensible à d'autres valeurs comme le fonctionnel ou l'hédonisme, le monolithisme ou la mosaïque, la transcendance ou la banalité. Il s'agit donc bien d'une microculture originale et non d'un profil moyen entre les autres mentalités.

## Les Français du Recentrage

C'est cependant le Style de Vie le moins clairement corrélé avec une classe sociale ou un âge ou une région précis : de plus en plus on y trouve des individus de toutes origines et de toutes activités. Aujourd'hui les **Français du Recentrage** sont plus nombreux dans les classes moyennes : employés, fonctionnaires, petits commerçants (44 %); mais y adhèrent de plus en plus nombreux des cadres et professions libérales qui abandonnent la mentalité d'Aventure et surtout 40 % des ouvriers qui délaissent la mentalité Utilitaire. La **France du Recentrage** est nettement celle des villes moyennes (46 %) qui représentent aujourd'hui un idéal d'équilibre recherché ou souhaité par beaucoup d'habitants de grandes villes et de parisiens.

C'est la mentalité de l'équilibre, de la mesure et de la pondération, entre les contraintes austères d'un monde Utilitaire et l'agitation folle d'un univers d'Aventure. Le pouvoir d'attraction de cette **France du Recentrage** est particulièrement net chez les populations en mutation, à la recherche d'une nouvelle société et d'un nouvel équilibre de vie, chez les inactifs (femmes au foyer, jeunes entre les études et le travail, chômeurs...) (47 %), dans les régions en pleine évolution (Méditerranée (50 %), elle est moins forte chez les hommes (37 %), que chez les femmes (41 %).

C'est donc la France de la sagesse qui refuse la course à l'argent, au pouvoir et au standing, qui se méfie du progrès à tout prix, qui ne veut pas perdre sa personnalité dans l'anonymat des métropoles inhumaines, qui préfère **la qualité de la vie** à l'expansion infinie.

Cette France est, aujourd'hui, de plus en plus dynamique; elle réunit déjà 42 % des Français et il faudra compter avec elle dans les 10 années à venir. Devant les dangers du progrès (centrales atomiques), les excès de la technocratie centralisée (régionalisme), les nuisances de la vie moderne (pollution, bruit, foule), l'inhumanité du cadre de vie (urbanisme), cette France préfère se replier sur **un mode de vie calme et paisible, ordonné et sage.** L'émigration des campagnes vers les villes se ralentit : taux de 1 % en 1954 et de 0,3 % en 1975. La migration commence à s'inverser au profit des campagnes (+ 0,2 %).

Et si les échecs de la **France d'Aventure** se confirment, si la conjoncture économique ne se redresse pas, si la course au niveau de vie devient plus difficile, si l'avenir demeure incertain, les déserteurs de l'expansion et de l'Aventure seront de plus en plus nombreux.

## 4.2. La mentalité de recentrage

**La France du Recentrage** n'est ni progressiste ni conservatrice, elle est mesurée, calme, prudente et patiente. Son projet de société n'est pas de se projeter dans le mouvement de l'Histoire ni de se soumettre aux contraintes de l'environnement, mais de retrouver une identité (valeur de recentrage), un équilibre intérieur (valeur de modélisation), une philosophie profonde (valeur de symbolisme).

Elle considère la mentalité d'Aventure comme une fuite en avant désordonnée, dangereuse, brillante mais illusoire et frivole : *les Français du Recentrage* lui préfèrent un modèle de société plus stable (valeur de modélisation) au service de l'homme (valeurs de naturel et coopération). Ils refusent de remettre sans cesse en cause leurs Modes de Pensée et de Vie sous la pression des événements, ils préfèrent la réflexion à l'action immédiate, la réforme progressive au bouleversement, l'adaptation mesurée aux innovations radicales et l'arrangement aux conflits.

*La France du Recentrage* est ouverte aux autres, tolérante et coopérative, mais soucieuse de préserver sa personnalité originale et de participer sans s'intégrer. **Son idéal est la communauté à taille humaine,** juste équilibre entre l'individualisme solitaire et la civilisation de masse anonyme (villes moyennes, espaces verts, métropoles d'équilibre : 2/3 des Français refusent de sacrifier les forêts aux autoroutes) sauvegardant la nature et l'environnement. Les symboles d'identité originales (langue régionale, culture ancienne, style d'habitat...) prennent de plus en plus d'importance, en réaction contre l'anonymat d'une culture moderne universelle, jusqu'à un certain isolationnisme (53 % opposés à l'aide au Tiers Monde).

**La France du Recentrage est jalouse de son pouvoir communautaire** qu'elle refuse d'abandonner à des institutions centrales lointaines et anonymes (pouvoir régional ou communal). Les organes intermédiaires de discussion, de décision et d'exécutif confiés à « des gens de chez nous » prennent de plus en plus d'importance, pour protéger les citoyens contre la bureaucratie et la technocratie centrale. Les institutions, les appareils, les organisations sociales et politiques seront donc appelés à se décentraliser, à aller au devant des *Français du Recentrage* sur leur lieu de vie et de travail, pour mettre en place les structures-relais. Les notables locaux y joueront un rôle de plus en plus important, moins par leur situation hiérarchique acquise (comme dans la mentalité Utilitaire) que par leur dévouement, leur représentativité communautaire, leur responsabilité effective (syndicalisme par exemple). Au contraire; les spécialistes et technocrates « parachutés » y sont reçus avec réserve jusqu'à leur intégration effective. La **France du Recentrage se méfie des hiérarchies,** des bureaucraties lourdes, des organisations complexes et réclame des circuits courts permettant à chaque communauté locale de s'exprimer et de dialoguer en direct avec le pouvoir central.

Dans *la Mentalité de Recentrage*, le changement pour le changement, l'innovation gratuite, la réforme à chaud inspirent beaucoup de méfiance : on leur préfère **des évolutions progressives et mûrement réfléchies.** S'il faut choisir, les Français du Recentrage préfèreront les imperfections de l'ordre habituel aux aléas d'une révolution trop rapide. Les innovateurs agressifs, les prophètes excessifs, les hommes seuls, les conquérants autoritaires effraient. On préférera de plus en plus LE DIALOGUE, l'accord, la négociation, l'association aux lentes concurrences, aux compétitions, aux conflits. LA SOLIDARITÉ y est importante et valorisée, ainsi que le libre débat, la tolérance, le respect mutuel, la courtoisie.

**La France du Recentrage fera donc confiance aux hommes de rassemblement,** aux *leaders* pondérés, aux négociateurs habiles et souples, aux responsables éprouvés plutôt qu'aux fonceurs, aux hommes d'action ou aux personnalités brillantes mais isolées. Elle préférera des chefs patients et obstinés à réaliser un projet unique et concret aux innovateurs papillonant d'une utopie à une autre.

LA PSYCHOLOGIE de Recentrage est celle de la sécurité, à la fois dans la vie privée et dans les relations avec les autres. La grande peur de la violence (76 % des Français inquiets) qui se manifeste dans toutes les couches de la population depuis quelques années, exprime ce profond besoin de paix et de sécurité. **Les Français du Recentrage sont non-violents** et supportent mal la violence des marginaux; aussi demandent-ils à la société de les protéger avec fermeté (peine de mort) contre eux. Leur attitude répressive manifeste leur inquiétude, leur vulnérabilité et leur passivité.

Ils refusent de plus en plus la loi de la jungle, que ce soit dans la vie sociale ou la vie professionnelle. La compétition, la victoire sur les autres, la concurrence sauvage perdent leur valeur stimulante et même font peur. A la morale de l'effort (mentalité Utilitaire) ou de l'efficacité (mentalité d'Aventure) verra-t-on se substituer **une nouvelle morale, celle de l'équilibre, de la mesure, du confort?**

Dans cette morale, le **Français du Recentrage** recherche dans LE TRAVAIL l'harmonie entre profession et vie familiale, entre intérêt financier et intérêt psychologique; le choix de la profession et des conditions de travail prennent autant d'importance que le salaire (la moitié des Français n'ont pas choisi leur métier par vocation). L'activité professionnelle n'est plus une aliénation fatale (mentalité Utilitariste) ou un champ de bataille (mentalité d'Aventure) : on lui demande de plus en plus d'être une activité intéressante (14 % des Français estiment manquer de liberté dans leur travail), psychologiquement enrichissante par les contacts qu'elle favorise, par l'initiative qu'elle permet (refus du travail à la chaîne).

**Les loisirs, comme le travail, sont jugés par les Français du Recentrage en terme de qualité de vie.** Ils préfèrent les loisirs calmes, paisibles, le contact de la nature, le retour à une vie simple. Le farniente (valeur de recentrage), le vrai repos, l'oisiveté ont une signification de ressourcement (63 % font la grasse matinée; et au-dessus de 35 ans, 2 sur 3 mettent des pantouffes, sitôt rentrés chez eux), que ce soit de façon solitaire ou dans une communauté simple et amicale (le Club Méditerranée : 480 000 clients en 1975). La découverte d'horizons nouveaux et exotiques importe moins que la redécouverte et la récupération de soi. Les vacances relaxantes supplantent les loisirs actifs, le repos physique devient plus important que la culture intellectuelle. La civilisation des loisirs est portée par cette vague de Recentrage (résidences secondaires : 46 000 en 1954; 100 000 en 1967; 500 000 en 1975). L'ARGENT est une garantie et une sécurité : les personnes de cette mentalité dépensent de façon moins spontanée que dans la mentalité d'Aventure, mais épargnent dans un but précis (par exemple : épargne-logement) d'amélioration de leur qualité de vie.

Dans le repli sur soi narcissique, on voit se manifester depuis plusieurs années **un retour au mysticisme de la France de Recentrage.** La récupération par la mode et le standing du mouvement hippie, des philosophies orientales, du yoga et du zen ne doivent pas dissimuler la recherche profonde d'équilibre et de paix qu'ils symbolisent. La vogue des nouvelles sectes religieuses (secte Moon, dévots de Krishna, Enfants de Dieu) dans la jeunesse, qui est devenue un phénomène social, montre ce besoin d'absolu, d'idéal, de métaphysique (valeur de symbolisme). Le renouveau de recherche mystique ou religieuse se propose aujourd'hui comme une alternative aux recherches sensorielles, affectives de mentalité d'Aventure : il devient plus important de s'explorer soi-même que d'explorer le monde (42 % seulement changent de lieu de vacances).

**La vie privée prend une grande importance** dans la France du Recentrage : la maison individuelle (75 % des Français la souhaitent) est le symbole de l'enracinement et de l'équilibre de la personne. La famille, le foyer, la communauté d'amis, le cercle des relations, la collectivité proche constituent le cadre de vie où l'on recherche sécurité, protection et épanouissement (68 % passent le dimanche en famille; pour un Français sur deux, le plus mauvais moment de la journée est le lever et le départ au travail, et le meilleur moment est la soirée en famille).

**La construction et la défense de ce cocon, de ce nid, est un souci majeur de la psychologie de Recentrage.** Et c'est dans ce contexte que se développe LA CONSOMMATION, (63 % jugent très important le style de l'aménagement de leur foyer). Le standing compte moins que le confort, l'esthétique moins que la personnalisation : « **être bien dans sa peau et bien chez soi** » est l'idéal d'une vie privative (54 % mettent régulièrement des fleurs chez eux). L'équipement du foyer devient un chapitre essentiel de dépense (multiplié par 6 entre 1959 et 1974; les achats électro-ménagers ont doublé entre 1970 et 1974). De même, on recherche moins une voiture puissante, rapide et belle, que sûre, confortable et habitable.

Le style et l'originalité du mobilier, la mode du vêtement passent au deuxième plan, au profit du confort. Les *Français du Recentrage* aiment les choses durables, moins par souci d'économie et d'amortissement que par attachement affectif pour les objets familiers, bien rodés dans lesquels on se reconnaît comme en un miroir. Le courant en faveur des objets simples, des matières brutes, des formes rustiques, que ce soit dans l'alimentation, le vêtement ou l'habitat, se développe. Il symbolise un désir de retour aux sources et au terroir, contre une vie trop compliquée, artificielle, dénaturée (72 % des Français craignent les conséquences des technologies modernes pour leurs enfants) : le naturel devient une nécessité, même pour les objets et produits industriels.

Dans cette mentalité encore, **la consommation a changé de nature :** l'art de vivre en harmonie avec les objets familiers développe une demande de confort et de dépouillement, de fiabilité et de simplicité à la fois. Dans l'économie familiale, la sécurité devient un thème dominant, soit sous forme d'investissement dans des objets de qualité plus fiable, soit en concurrence avec la dépense : l'épargne a progressé de 145 % entre 1960 et 1970.

*La France du Recentrage* est profondément sensible, affective, mais avec prudence, sans ostention. Elle est à la recherche d'une vie intérieure sans exhibition, d'un équilibre entre l'évasion dans l'utopie et le rêve régressif. La liberté y est conçue comme une affirmation de la personnalité dans le respect des autres.

DANS LES RELATIONS, la France du Recentrage encourage les relations intenses mais restreintes à un petit cercle communautaire. Les Français du Recentrage ne se font pas facilement des amis mais les gardent longtemps; leurs rapports sont formels, peu démonstratifs mais durables et profonds (26 % reçoivent régulièrement des amis chez eux en semaine).

**Les relations sociales sont harmonieuses,** tolérantes, fondées sur un principe de coopération et de non ingérence à la fois. La solidarité y est plus grande que dans les autres mentalités, mais sans embrigadement, ni conditionnement. Il convient de se montrer cependant correct, présentable, conforme pour se voir accepté. En revanche, la marginalité, l'originalité excessive, l'anticonformisme, qui dérangent l'équilibre communautaire, y sont rejetés. Les formes extérieures de « bons rapports » reprennent de l'importance (vœux de nouvel an, saluer les commerçants); la familiarité est mesurée; la correction, la retenue, la décence, le bon goût et le bon ton, vont parfois jusqu'à un certain formalisme. C'est le monde de la respectabilité.

**Les Français du Recentrage sont à la recherche d'une communauté,** d'une famille qui les protège, les prenne en charge, club, syndicat, famille, quartier, associations diverses, mutuelles, cercles professionnels jouent ce rôle à des degrés divers. Le renouveau de corporatisme, notamment dans certaines professions libérales, participe à cette mentalité de prise en charge mutualiste.

Les media d'information jouent un rôle important; mais les Français du Recentrage y recherchent surtout leur propre image, se défendant contre l'irruption trop brutale d'informations dérangeantes. **La télévision joue à cet égard, un rôle essentiel** (55 % regardent plus de 3 heures par jour la télévision), par son caractère intimiste, son langage banalisé et surtout par le comportement d'absorption calme qu'elle a créé. Dans le foyer, la télévision a remplacé la cheminée, pôle d'attraction et prétexte de réunion pour la famille.

Malgré l'apport d'informations lointaines par la télévision, *les Français du Recentrage* ne se sentent que peu concernés par les événements du monde et se concentrent surtout sur leur environnement immédiat, local ou régional. La presse quotidienne régionale, avec ses pages et ses rubriques locales est le miroir de cette mentalité centripète, (58 % des lecteurs parmi les Français de Recentrage).

**La famille est le cercle de relations privilégié.** La vie familiale est défendue contre la dispersion, comme contre l'invasion, et n'est pas remplacée par les relations mondaines ou professionnelles. Les fêtes, anniversaires, sont des occasions (88 % tiennent au sapin de Noël) de réunions familiales qui reprennent de l'importance. Dans les grandes villes, on observe un repli sur le cercle de famille et d'amis au détriment des sorties et des relations mondaines. Au sein de la famille, les statuts sexuels évoluent moins rapidement que dans la mentalité d'Aventure. Si l'homme participe plus qu'autrefois aux travaux du ménage et à l'éducation des enfants (66 % des Français du Recentrage), l'émancipation féminime se traduit moins par la recherche d'une activité professionnelle. L'éducation des enfants reste stricte et disciplinée, sévère même.

**Le modèle de société de Recentrage est une organisation structurée,** à taille humaine, protectrice et stable, où chaque personne se sent en sécurité matérielle et psychologique. Cette société affirme une identité et une personnalité durables, qui permet aux individus de s'identifier à une communauté d'idées et de mœurs.

**La France du Recentrage propose une société humaine,** chaleureuse, coopérative et non-violente, vouée à la qualité de la vie simple et naturelle. Elle demande aux personnes d'y adhérer avec solidarité, en acceptant ses modèles de vie et de pensée comme des racines pour leur sécurité. La province et les petites villes plus humaines y redeviennent des pôles d'attraction : de 1962 à 1968, le solde migratoire de la région parisienne était positif de + 0,5 % par an; il s'est exactement inversé depuis 68, avec l'amorce d'un retour vers la province.

## 4.3. Les styles de vie du recentrage

La France du Recentrage est un modèle de pensée et de vie très dynamique, qui regroupe actuellement 42 % des Français et exerce un fort pouvoir d'attraction pour les années à venir. Son poids sociologique est pénalisé par l'organisation sociale dont le système éducatif forme les enfants à une mentalité d'Aventure. Cette France manque encore de leaders et de jeunes, mais commence à les attirer. Bien qu'elle soit en divergence avec toute l'organisation sociale (centralisme administratif, entreprises multinationales, mass media, consommation de masse, urbanisme...) elle représentera une alternative de civilisation d'autant plus attirante que l'expansion économique sera en difficulté. Cette mentalité est celle de la contestation du monde moderne économique et technologique de l'expansion d'une part, et celle du simple progrès de qualité de vie personnelle d'autre part, ainsi qu'il apparaît dans les Sociostyles qui la nuancent.

### 1. Les « Moralisateurs » (VIII)

Ce Sociostyle se situe aux frontières des mentalités Utilitaristes et de Recentrage. Il manifeste principalement des attitudes répressives d'hostilité au changement qu'il identifie au laisser-aller, à l'anarchie. *Les Moralisateurs* sont des militants de l'ordre.

POLITIQUEMENT : bien que déclarant de « pas faire de politique », ils votent régulièrement (92 %). Ils se montrent partisans de l'ordre, favorables à un État fort, à des institutions stables. La loi et l'ordre sont leurs thèmes de sensibilité (74 %), qu'ils incarnent volontiers dans la personnalité d'un chef autoritaire, garant d'une société disciplinée. Ils restent très attachés aux grands principes, à une philosophie (79 %).

SOCIALEMENT : ils manifestent ouvertement des opinions réactionnaires et militent pour le maintien des traditions (76 %). Ils s'affirment partisans d'un ordre moral (73 %) hostiles aux minorités (62 %), aux étrangers, aux innovateurs, aux révolutionnaires, aux jeunes... Ils dramatisent le conflit des générations. Ils attachent une grande importance à la correction formelle (71 %) du langage (vœux de nouvel an : 81 %), du costume, du mode de vie. Ils sont partisans d'une répression énergique de la délinquance (peine de mort). Ils prennent des responsabilités dans des activités sociales.

LEUR VIE PERSONNELLE manifeste un fort individualisme (73 %), est strictement organisée sur des principes moraux immuables, laissant peu de place à la mode (62 %) et à l'aventure individuelle, que ce soit dans le travail ou la vie familiale. Leur éducation est sévère, fondée sur l'autorité naturelle des parents. Ils sont attachés aux symboles et aux réunions de famille (arbre de Noël : 90 %).

LEURS LOISIRS : sont de même passifs et formalisés. Ils sortent peu, vivent repliés sur leur foyer (87 %), passent leurs vacances souvent au même endroit, proche de la nature et des animaux (64 %). Ils n'aiment pas paresser et se lèvent tôt (76 %). Ce sont eux qui aiment le moins les voyages organisés (2 %).

POUR L'INFORMATION, ils font surtout appel à la presse quotidienne (66 %), s'intéressent surtout aux faits divers (88 %), petites annonces, nouvelles locales (94 %), aux magazines familiaux (« Clair Foyer », « Écho de la Mode »), ou aux journaux des faits divers (« France-Dimanche »). Ils défendent une culture traditionnelle, consacrée et officialisée, et critiquent toute recherche d'avant-garde. A la T.V., ils aiment les émissions distractives (74 %) : jeux, feuilletons, variétés, sports, mais non les informations. 62 % ne vont presque jamais au cinéma.

LEUR CONSOMMATION traduit leur recherche d'accumulation (77 %); ils sont sensibles aux produits efficaces, aux modes d'emploi rigoureux, au langage de performances (détergents, désodorisants). Ils se méfient de la consommation de plaisir, des achats d'impulsion (83 %), des produits de personnalisation, des objets nouveaux et de mode, des produits éphémères.

SOCIOLOGIQUEMENT, le type *Moralisateur* se manifeste de façon dominante en milieu ouvrier et agriculteurs, secondaire chez les employés et petits commerçants, principalement chez les personnes de 35 à 65 ans. C'est un mode de pensée et de vie typique des petites villes de province. La région Nord surtout, et partiellement la région Ouest y trouvent leurs types essentiels 7,6 % **des Français sont des Moralisateurs.**

## 2. Les « Paisibles » (IX)

Ce type appartient à la mentalité de Recentrage vers la Sécurité Passive. *Les Paisibles* ont pour objectif principal de se faire accepter et prendre en charge par l'environnement et la collectivité dans une vie protégée et « sans histoire ». Leur désir de sécurité se traduit par le mimétisme et l'identification à leur communauté proche. Ils sont les caméléons des modes de vie, repliés sur leur vie très privée.

POLITIQUEMENT ils sont peu actifs, favorables à l'ordre (75 %) et à la stabilité, au changement dans la continuité.

Leurs préoccupations sont l'atténuation de tous les conflits et luttes, la recherche de compromis par la négociation, la coexistence pacifique, l'égalité. Ils sont très sensibles aux symboles, au langage, à l'attitude plus qu'aux actes.

SOCIALEMENT, ils recherchent la participation symbolique à un groupe constitué, établi qui les protège et les définit (81 %). Ils craignent la violence (64 %), la compétition et préfèrent les relations de tolérance mutuelle (71 %). Ils se lient peu profondément (28 %), mais participent avec facilité aux ambiances collectives et suivent les leaders. Ils vivent avec sérieux (61 %). Mais ils sont peu sociables et peu actifs, et préfèrent le repli sur leur cocon personnel.

L'essentiel de LEUR VIE PERSONNELLE est fondée sur un objectif de quiétude (95 %). Ils sont favorables aux familles nombreuses et unies. Ils adoptent spontanément les modèles de pensée et de conduite (75 %) en honneur dans leur cadre de vie. Ils limitent volontairement toute initiative originale personnelle (style unique de mobilier : 63 %), de crainte d'apparaître marginaux, que ce soit dans leur travail ou dans leur vie familiale. Leur mode de vie est fait d'absorption plus que d'expression, Respectueux des valeurs traditionnelles, mais avec un désir d'évolution progressive et mesurée. La femme ne travaille pas (idéalement) et son travail n'est pas valorisé.

DANS LEURS LOISIRS, ils participent parfois aux clubs, voyages organisés, activités collectives; mais leur motivation majeure est de rester dans un cocon protecteur plutôt que d'explorer le monde. Ils aiment surtout passer le dimanche en famille (67 %), près de la nature (69 %).

POUR L'INFORMATION, la télévision joue un rôle important de baromètre à suivre (feuilletons, variétés, théâtre); la presse quotidienne (46 %) les intéresse également, principalement les faits divers et pages sportives, ainsi que les magazines familiaux (« Femme d'Aujourd'hui »), les magazines de faits divers (« Ici-Paris »), les magazines T.V. (« Télé-7 jours »), la presse du cœur. Ils recherchent une vision sécurisante, pédagogique et normative de leur environnement immédiat (50 %) et répugnent à l'information inquiétante et provocante, d'avant-garde. Ils vont rarement au cinéma; 69 % regardent plus de 3 heures par jour la T.V.

EN CONSOMMATION, ils sont très sensibles aux leaders d'opinions, aux prescripteurs et préconisateurs. Ils recherchent des produits — signes d'appartenance à un groupe social, des produits de normalisation (désodorisants d'atmosphère : 75 %) et consomment des panoplies symboliques d'objets. La publicité joue un rôle pédagogique important pour eux, si elle est sécurisante, narcissique, dédramatisante. Par la consommation, ils se batissent un cadre de vie qui est un cocon de sécurité (81 %).

SOCIOLOGIQUEMENT, c'est un type rare, chez les jeunes, chez les femmes actives, dans les C.S.P. de haut niveau, surtout en région parisienne. Le type Paisible est plus féminin, plus souvent chez les ouvriers de niveau culturel primaire, surtout dans les petites villes, en particulier dans la région Méditerranéenne, chez les personnes âgées mais aussi chez les jeunes de 15 à 20 ans. **Les Paisibles sont 7,2 % en France.**

### 3. Les « Exemplaires »

*Les Exemplaires* appartiennent à la mentalité de Recentrage. Ils cherchent principalement à acquérir un statut stable (73 %) et valorisant dans la sécurité (63 %) d'un univers à leur dimension. Ils sont des équilibrés, soucieux avant tout de la qualité de la vie et leur intégration harmonieuse à l'environnement social.

POLITIQUEMENT, ils sont favorables aux thèmes de débat libre, de coexistence, de coopération (51 %), de participation, et au maintien de la hiérarchie et de l'ordre (72 %). Ils sont sensibles à la personnalité de leaders entraînants auxquels ils peuvent s'identifier. Ils restent attachés aux traditions et aux valeurs qui sont les racines de leur communauté (62 %).

Socialement, ils recherchent une installation harmonieuse, personnelle. Leur but est de se voir reconnaître un statut et accorder une place par les autres (62 %). Ils participent donc volontiers à des activités collectives. Ils cherchent à tisser autour d'eux un réseau de relations qui leur sert de miroir et dont ils ne sortent pas, à la recherche d'une appartenance à une communauté et des racines culturelles. Ils aiment apparaître comme spécialistes d'un sujet qui leur confère un statut.

Leur vie personnelle, repliée sur soi (75 %), et narcissique, s'enracine dans un univers restreint de relations sociales (cartes de vœux) et familiales (arbre de Noël : 90 %). Ils s'identifient aux leaders de leur groupe en limitant prudemment leurs initiatives et leurs innovations, sans excès en fantaisie (72 %). Dans ce microcosme, les apparences (décoration de style : 67 %) et les conventions (familiarité avec les commerçants) jouent un rôle important de communication : ils attendent de leur famille qu'elle témoigne de leur intégration (propreté : 70 %; aménagement fonctionnel du foyer; maquillage et rasage quotidien : 70 %). Ils sont favorables à l'égalité des sexes (65 %).

Dans leurs loisirs, ils adhèrent peu aux activités organisées (34 %), mais passent beaucoup de loisirs chez eux (69 %), devant la T.V. Ils aiment la grasse matinée (77 %); ils aiment beaucoup la nature (89 %); ils reçoivent peu (28 %).

En information, ils apprécient la T.V. (68 % plus de 3 heures par jour), surtout les films (91 %), feuilletons (73 %), théâtre (86 %), variétés (84 %). Dans la presse quotidienne, ils recherchent les normes et valeurs propres à leur univers local (81 %). Ils apprécient la presse du cœur (« Nous Deux ») et les magazines T.V., feuilletant plutôt que lecteurs réguliers.

En consommation, ils sont sensibles à la publicité symbolique de standing mesuré sans ostentation et de bon ton, aux recommandations de vedettes ou de leaders. Ils recherchent des produits symboles sociaux de promotion et des marques valorisantes, mais néanmoins traditionnelles et rassurantes par leur bon goût. Ils ont aussi tendance à consommer au-dessus de leurs besoins objectifs (66 %) et de leurs moyens pour valoriser leur image de soi. Ils apprécient qu'on leur parle comme à des connaisseurs.

LE SOCIOSTYLE EXEMPLAIRE REPRÉSENTE 17 % DE LA POPULATION. Les *Exemplaires* sont plus nombreux chez les femmes, les jeunes de 15 à 35 ans, les employés et ouvriers de culture primaire ou secondaire, chez les célibataires, dans les petites villes, particulièrement dans l'Est et l'Ouest de la France. C'est le type majoritaire en France.

### 4. Le Sociostyle « Flottant » (XI)

Ce sociostyle occupe une position centrale sur la carte des Styles de Vie et occupe le point d'équilibre de la Sociostructure. Il se situe, avec une propension forte vers la France de Recentrage, au carrefour des différentes mentalités. Ce sont des personnes psychologiquement ou sociologiquement en mutation, en recherche, aux frontières de valeurs différentes. Ils peuvent selon les circonstances, se mobiliser utilement sur des valeurs innovatrices et manifester des modes de pensée et de conduites utilitaristes, régressives ou hédonistes. Ils sont les déracinés des modes de vie.

POLITIQUEMENT, les Flottants sont très sensibles à la tolérance et aux notions d'égalité, de communauté, de rassemblement, de solidarité. Se sentant mal intégrés, ils font confiance aux mouvements et hommes de rassemblement.

SOCIALEMENT, ils sont insatisfaits et recherchent un statut et un rôle. Ils se sentent souvent en insécurité et réagissent activement à l'environnement. Ils valorisent donc les jalons matériels et symboliques qui leur permettront de se situer (mobilier de style : 69 %) et participer activement à des associations et activités collectives (37 %).

DANS LEUR VIE PERSONNELLE, les Flottants sont attachés aux structures traditionnelles de famille (dimanche en famille : 68 %, sapin de Noël : 83 %, Anniversaire : 71 %), mais ouverts à l'égalité des sexes (76 %), à la coopération des groupes sociaux, au partage des responsabilités.

Dans leurs loisirs, ils aiment la vie de plein air, les animaux (76 %), la nature (85 %), les activités physiques. Ils apprécient les activités collectives, sorties amicales, sports d'équipe (48 %), clubs. Leur préférence se porte sur des activités calmes, reposantes, paisibles (pas de voiture nerveuse).

Pour leur information, les Flottants se manifestent par une consommation moyenne de tous les média, cinéma, magazine et presse quotidienne avec un intérêt marqué pour la radio, où ils recherchent une compagnie et un reflet sécurisant d'eux-mêmes, et la T.V., (89 % regardent 2 heures et plus par jour la télévision).

En matière de consommation, ils sont favorables au crédit (77 %) et incarnent la mutation mesurée de mentalités accumulatrices et utilisatrices vers des mentalités dépensières et jouisseuses.

Sociologiquement, les *Flottants* se retrouvent de façon dominante dans des villes moyennes en expansion.

**Les Flottants représentent 10 % de la population.** Leur rôle d'arbitres peut être déterminant en matière électorale surtout, où ils se montrent très sensibles à l'image et au style du candidat, plus qu'à son idéologie (bien que le type de Style de Vie Flottant ne puisse être confondu avec « l'électorat flottant »).

**Les Flottants** sont plus souvent des femmes, des personnes de moins de 25 ans et célibataires, des agriculteurs et des ouvriers, habitant surtout en province et plus particulièrement dans le Nord, le Sud-Est et Sud-Ouest. Tous les groupes socio-professionnels comportent des Flottants, mais beaucoup moins chez les agriculteurs et les professions libérales.

CHAPITRE 5

# La France au pluriel

« Des goûts et des couleurs on ne peut discuter tant ils sont nombreux et changeants. » La sagesse populaire, à qui l'on attribue facilement les maximes qui la conditionnent, est pétrie de Styles de Vie : il n'est pas de goût moyen ni de couleur uniforme, mais une gamme de nuances, certes organisée autour de valeurs dominantes, mais néanmoins originales.

**C'est l'enseignement premier de la psychologie des Styles de Vie : il faut écrire la France au pluriel;** non seulement le pluriel des tempéraments et des personnalités, non seulement le pluriel des conjonctures passagères, mais le pluriel des cultures et des communautés de pensée. Démonstration si évidente qu'elle en paraîtrait dérisoire, si ce bon sens n'était chaque jour contredit par la sociologie appliquée.

Aux statistiques sur le « Français moyen » (cet ectoplasme mathématique), aux évaluations du fait majoritaire (cet arbre qui cache la forêt), aux segmentations partielles (ces fragments de vie amputée), la typologie des Styles de Vie répond par une description plus fine, plus nuancée, plus complète et plus explicative de l'existence sociale. Et la valeur de cette classification réside dans sa double dimension de sociologie objective et de psychologie subjective. La carte des Styles de Vie ne représente pas un univers imaginaire et fantasmatique d'aspirations idéales et d'attitudes immatérielles, mais bien le reflet réaliste des conditions de vie.

# 5.1. La France des classes

On a déjà signalé que l'axe majeur de cette carte psychosociale de la France (l'axe horizontal entre les pôles d'Ordre et de Mouvement) représentait les différences de mentalités et de conduites induites par des **conditions de vie** passées ou actuelles différentes. On peut y observer que les groupes d'âges s'y répartissent logiquement de gauche à droite, donc des valeurs de Mouvement vers le pôle d'Ordre, des plus jeunes aux plus âgées; de même le niveau culturel et l'aisance financière apparaissent objectivement corrélés à cette dimension des Styles de Vie : des plus riches aux plus pauvres et des plus éduqués aux moins cultivés, les mentalités glissent des valeurs de Progrès Optimiste d'Aventure vers les valeurs de Sécurité Passive du Recentrage et finalement, pour les moins favorisés, vers l'Utilitarisme. En revanche, la différenciation des sexes ne s'y manifeste pas de façon très significative (machistes et féministes en tireront l'interprétation de leur goût; on peut avancer que les sexes ne constituent pas aujourd'hui de véritables classes sociales spécifiques).

Si ces conditions de vie ne conditionnent pas fatalement (car la statistique caricature le centre de gravité d'une classe sociale sur la carte) le Style de Vie des personnes, elles pèsent lourdement sur sa constitution pour une majorité. **Les Styles de Vie n'apportent pas la contradiction au concept de classes sociales, mais une définition** (au sens optique) **plus fine et complexe,** par la prise en compte de variables plus nombreuses couvrant tous les aspects de la vie psychique et matérielle.

Les Styles de Vie apportent aussi une définition plus nuancée de ces classes, observant les variations de psychologies et de comportements au sein même de ces cadres contraignants. Ce n'est pas parler de **la France au pluriel** que de décrire des classes d'âges, de sexes, de professions, d'éducations, d'habitats, pour alors ne parler que par stéréotypes « du » prolétaire, « du » retraité, de « la » femme, « du » cadre... Car l'insertion des individus dans la réalité socio-culturelle, si elle n'échappe pas à ces contraintes objec-

# LA FRANCE DES CLASSES

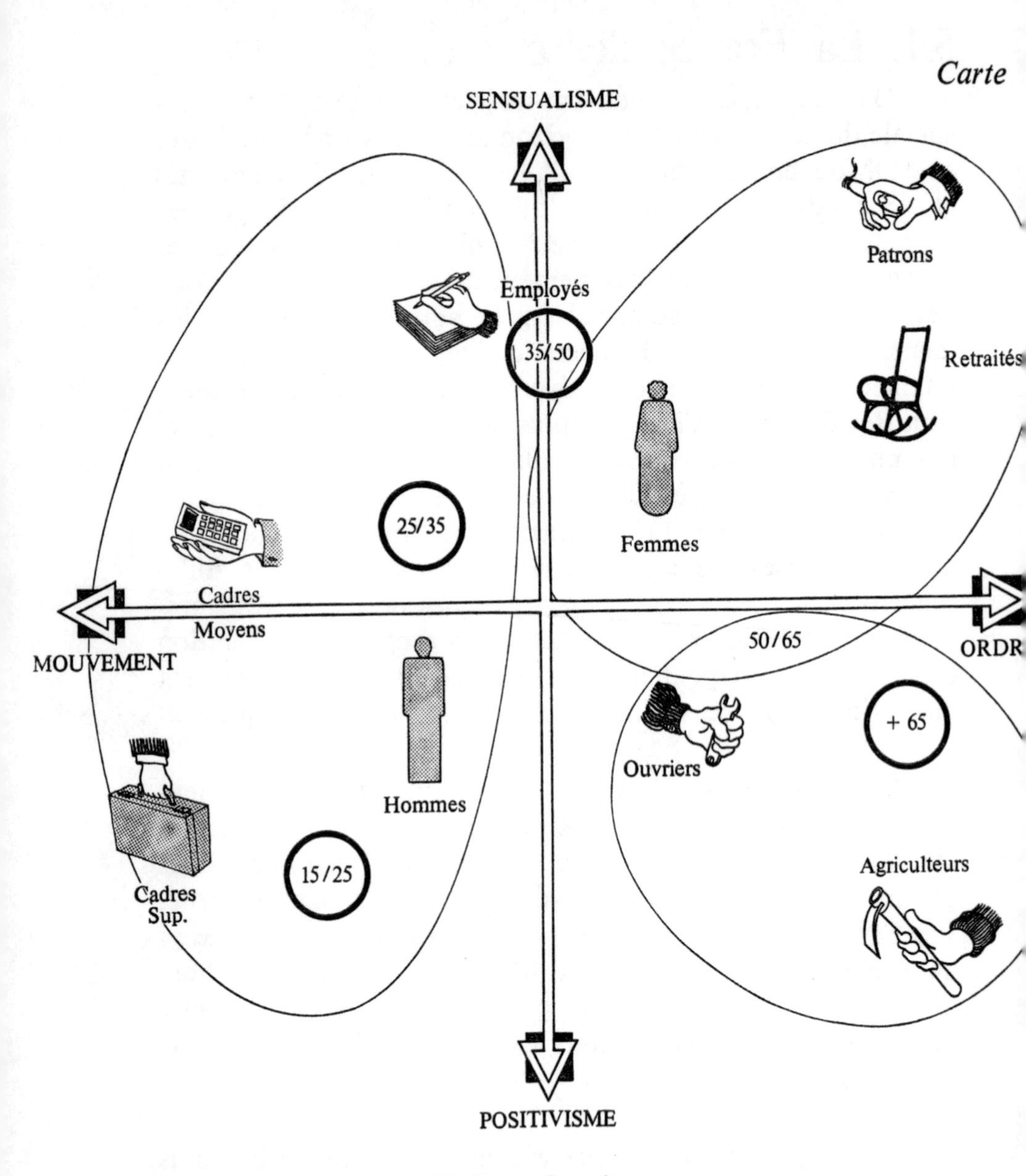


**La logique des conditions de vie.**

La Mentalité d'Aventure est la Mentalité plus typique des jeunes, aisés et cultivés, des hommes, exerçants des métiers d'initiative: ce sont les favorisés de l'expansion depuis 30 ans.

Les Français Utilitaristes, héritiers d'une civilisation rurale de l'avant-guerre, sont plus souvent âgés, de niveau économique et culturel bas: ils sont les oubliés de l'expansion.

La France du Recentrage est la France moyenne des ouvriers qualifiés et des employés, des petits cadres et petits patrons, des femmes au foyer.

# LA FRANCE DES RÉGIONS

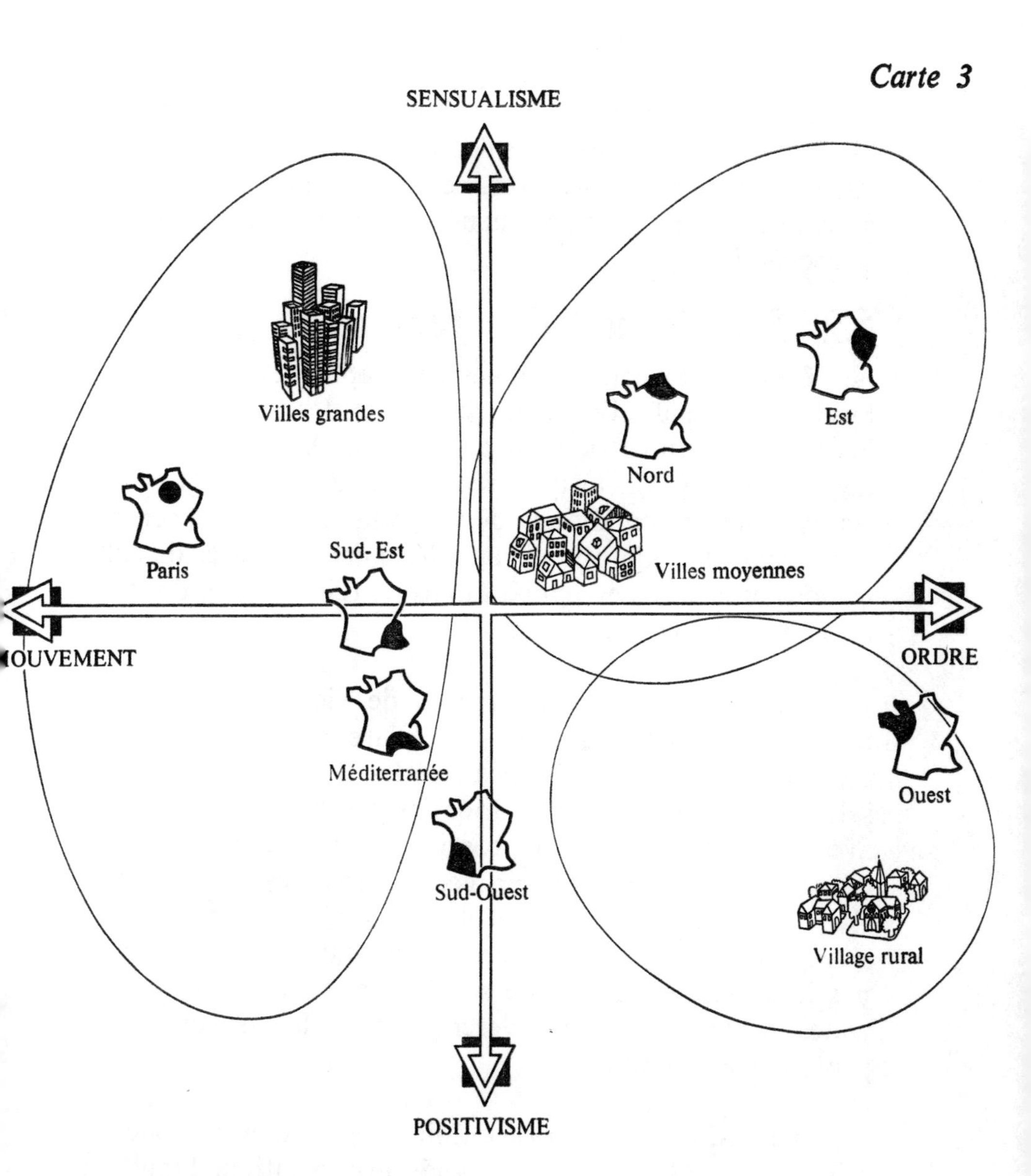


## Géographie et Sociologie.

La France utilitariste est encore prédominante dans les villages et les très petites villes, dans l'Ouest et le Centre. C'est la mentalité des régions isolées et sous-développées industriellement, peu urbanisées.

La Mentalité d'Aventure et typiquement parisienne, imitée dans les grandes agglomérations et dans des régions comme le Rhône Alpes.

La France du Recentrage est typique du Nord et de l'Est, et prédominante dans les villes moyennes.

tives, conserve l'énergie du désir et la souplesse de la psychologie individuelle. La typologie des Français proposée ici, invite donc à la nuance des stéréotypes, des moyennes et des majorités; et si cette classification apporte elle-même ses stéréotypes et ses caricatures, ce sont aujourd'hui celles qui apparaissent les plus respectueuses de la réalité psychologique et sociale à la fois.

## 5.2. La France des régions

C'est au niveau des zones géographiques que se manifeste avec le plus d'évidence le pluriel des Styles de Vie et le caractère culturel de leurs différences. Dans la constitution de mentalités et Sociostyles régionaux se conjuguent en effet les variables de conditions de vie actuelles (richesse, emploi, type d'activité, migrations, natalité...) et les vestiges de cultures locales encore perceptibles dans les folklores, les dialectes, l'architecture, les coutumes.

Bien des enquêtes de modes de vie succombent à la tentation du parisianisme et déclarent comme courants socioculturels universels des modes limitées à quelques salons bien fréquentés; et tous les individus en désaccord avec ces valeurs dites « de progrès » sont qualifiés de « retardataires », sans même se voir reconnaître de valeurs propres [1]. Paris est une culture; Paris détient actuellement et depuis quelques décennies la culture dominante; mais Paris n'est pas la France. Cette vérité révélée depuis peu aux technocrates centralisés mérite description et les *Styles de Vie* peuvent y contribuer [2].

1) **Le phénomène parisien** doit être jugé à sa valeur : minoritaire en France par son poids de population, il multiplie son influence par son rayonnement de capitale et de centre de décisions politiques et économiques, ainsi que par son

1. Voir dans l'ouvrage annexe *Pour une Prospective sociale*, le panorama des théories et enquêtes de modes de vie en France et dans le monde.
2. Le Centre de Communication Avancée, outre ses enquêtes nationales représentatives de toutes les régions, a réalisé plusieurs sondages régionaux sur les Styles de Vie, notamment dans l'Ouest, à Paris et en Alsace. C'est sur ces données que se fonde cet exposé.

pouvoir d'information, la quasi totalité des media et des directions pédagogiques s'y trouvant concentrée.

**Paris constitue en France une sous-culture particulière,** presqu'exclusivement définie par la mentalité d'Aventure à laquelle se rattachent 50 % de ses habitants (majorité importante) et par rapport à laquelle se définissent les minorités marginales. La position a-normale de Paris apparaît clairement sur la carte des Styles de Vie, par rapport aux autres régions. Les Sociostyles les plus typiques y dépassent largement la moyenne nationale : 15 % de Jouisseurs (+ 5 %), 14 % de Dilettantes (+ 4 %), 12 % d'Entreprenants (+ 5 %).

Le courant de Progrès Optimiste prend ses racines dans la Région Parisienne et quelques très grandes agglomérations comme Lyon, Bordeaux, Marseille, Strasbourg (encore que de façon plus modérée). Des nuances même sont observables entre Paris-ville, où s'épanouissent mieux les Dilettantes et la banlieue où se développe plutôt le Sociostyle Jouisseur.

Il est possible, au niveau d'une ville, Paris cité ici à titre d'exemple technique, d'entrer dans le détail des modes de vie et de pensée : plus que dans les sondages nationaux, les Styles de Vie se montrent quotidiens et pratiques. Ainsi une majorité de Parisiens se montre hostile à l'urbanisme moderne, au Front de Seine (93 %), à la Tour Montparnasse (82 %), à La Défense (75 %); mais cette réaction de rejet est nettement moins marquée chez les Parisiens de mentalité d'Aventure.

Pour leurs loisirs, les Parisiens d'Aventure préfèrent le Quartier Latin, les quais de la Seine (22 %), les Halles; les Parisiens du Recentrage préfèrent au contraire les Champs Élysées, l'Opéra, les grands boulevards... Pour le shopping, la mentalité de Recentrage est plus attirée par la Rive Droite et la mentalité d'Aventure par la Rive Gauche...

Les Styles de Vie ne se limitent pas à de grandes attitudes générales ou opinions abstraites : ils s'avèrent être la manière de vivre dans ses moindres détails concrets.

Les valeurs dominantes typiquement parisiennes sont l'Hédonisme : 73 % (+ 12 % sur la moyenne nationale), la Métamorphose : 65 % (+ 17 %), le Libéralisme : 65 % (+ 18 %), la Mosaïque : 59 % (+ 10 %) et la Banalisation 47 % (+ 19 %).

La description de la société Française ne doit donc pas se laisser éblouir par l'éclat du soleil parisien, qui n'est que le rayonnement de la culture dominante. Mais ce serait une égale erreur que de négliger comme aberrante la mentalité parisienne : Paris détient le pouvoir de la mode, de l'information, de la recherche, de la formation, mais plus encore de la production et de la planification, et donc détient les moyens de promouvoir et de défendre son Style de Vie.

**Paris est aussi une girouette :** la concentration des personnes, le brassage des techniques et des cultures, l'inflation d'information et de rencontres, le carrefour international en font une Culture Ouverte, entropique et explosive mais très sensible aux influences et disponible au changement. Observer Paris, c'est observer le pouvoir et la sensibilité à la fois qui dominent aujourd'hui la Sociostructure française.

2) **La réalité des provinces.**

Mais la géo-culture en France est plus diverse que ne le laisse apparaître la publicité et les magazines de la capitale; des personnalités régionales, actuelles et pas seulement folkloriques, existent et se développent selon des modèles différents.

Si l'analyse mathématique tend à opposer, sur la carte des Styles de Vie, Paris à la province en général, cependant des caractères régionaux se dégagent de la moyenne nationale :

— *Le Nord* par son sens de l'intégration (25 %) et de modélisation conformiste (37 %), son matérialisme (48 %), son attirance pour le symbolisme (59 %) et la transcendance (80 %), son respect de la hiérarchie (66 %) et de la technique (49 %), sa passivité (81 %);

— *l'Est* par son individualisme (92 %), son conformisme (42 %), son symbolisme (56 %), sa tolérance à la mosaïque (54 %), sa discipline (60 %) et son recentrage (67 %) passif (82 %);

— *le Bassin Parisien* et le Centre (excepté l'agglomération Parisienne) par son monolithisme (41 %), son désir de retour à la nature (68 %) et de discipline (35 %);

— *l'Ouest* par son respect des valeurs transcendantes (83 %) et du fonctionnel (51 %), de la coopération solidaire (47 %) de la nature (72 %), sa passivité (80 %);

— *le Sud-Ouest* par son individualisme (87 %), son sens des traditions et de la permanence (62 %), son monolithisme (41 %), son recentrage (69 %) et son dynamisme relatif (32 %);

— *le Sud-Est Rhône-Alpes* par son originalité (79 %), son matérialisme (49 %), sa tendance à la métamorphose (52 %) et à l'hédonisme (64 %), son attirance pour la coopération (46 %), son désir d'expansion (52 %);

— *la Méditerranée* par son individualisme (88 %) et son traditionalisme (60 %), sa tolérance à la mosaïque (54 %) et sa recherche d'hédonisme (65 %), sa foi en la technique (43 %) et son besoin de recentrage (69 %).

Ces personnalités sont relatives à l'émergence [1] moyenne nationale des valeurs étudiées : on a ici mis en valeur les écarts significatifs de 5 à 10 % par rapport à la moyenne. **La personnalité régionale** est bien sûr plus complexe : il faut la définir par une structure idéologique de valeurs et non seulement par ses attitudes marginales. Il était cependant urgent de prouver que l'émergence nationale moyenne n'est que la résultante statistique des réalités diverses et divergentes.

1. Émergence : mesure statistique de la proportion de population favorable/défavorable à une valeur, sur une échelle d'attitudes. Voir *Pour une Prospective Sociale*, IIIe partie, chapitre 2.

**Ainsi plusieurs modèles d'évolution culturelle régionale apparaissent-ils.** L'Ouest et le Bassin Parisien, régions agricoles marquées par l'exode vers les villes, demeurent fortement rattachées aux racines de la mentalité Utilitariste; le Nord et l'Est, anciennement industrialisés et ouverts aux influences européennes, évoluent selon un modèle d'Ordre, de l'Utilitarisme au Recentrage prudent; la région Rhônes-Alpes, au Sud-Est, en pleine et récente expansion, paraît suivre le modèle d'Aventure parisien; et d'autres régions comme le Sud-Ouest de la Méditerranée apparaissent en déséquilibre flottant, déjà déracinées de l'Utilitarisme, hésitant entre la culture dominante d'Aventure et le Recentrage. Ces observations sur les régions doivent en effet être nuancées, non seulement par les conditions de vie des diverses classes sociales, mais aussi par l'implantation géographique et le type d'habitat.

La pratique de la sociologie des Modes de Vie est d'autant plus réaliste qu'elle est conjoncturelle, locale et sectorielle : c'est en effet au niveau de micro-cultures que l'on peut saisir avec le plus de précision des Sociostyles typiques d'attitudes, de langage, de conduites. Alors la définition du Style de Vie s'éloigne de la moyenne statistique du « Français moyen » pour s'incarner dans une trame socioculturelle pertinente.

**Les Styles de Vie ne sont en effet que des lieux et moments de la culture,** leur mouvement est diachronique, inscrit dans le temps historique, animé par des FLUX CULTURELS qui en expliquent les Socio-structures éphémères. C'est ce phénomène de mutation permanente des Styles de Vie qui fera l'objet de la deuxième partie.

1. Flux Culturels : courants dynamiques d'évolution dans le temps, des valeurs, des modèles, des modes de pensée et de conduites. Voir *Pour une Prospective Sociale*, III^e^ partie, chap. 2.

DEUXIÈME PARTIE

# LES FRANÇAIS EN MOUVEMENT

CHAPITRE 6

# Mouvements des années 70

## 6.1. Déséquilibre et mouvement

Dans la première partie de cet ouvrage, on a défendu et illustré un art ou une technique de *photographie sociale :* la conception et les techniques des Styles de Vie apportent à la sociologie un meilleur piqué, une plus grande profondeur de champ, une gamme de nuances plus étendue, un meilleur rendu du relief, comme disent les preneurs d'images.

Mais, telle qu'on l'a illustrée dans ce premier exposé, l'image est fixe; et à trop perfectionner l'art de la photographie, on risque de se laisser prendre au piège de la nature morte. On connaît la beauté spectaculaire de ces images du soleil sur l'horizon, captées à la seconde près; mais que disent-elles de l'aurore et du Crépuscule? Devant ce pur spectacle, satisfaisant en soi, on en vient à oublier le lever ou le coucher du soleil...

Il faut donc rappeler l'objectif premier de la psychosociologie des Styles de Vie : diagnostiquer et mesurer les flux et les directions de la Prospective Sociale incarnée en modes de pensée et de conduites.

**Les Styles de Vie sont la manière dont les individualités s'habillent à la mode des stéréotypes sociaux.** Ce n'est pas la dimension quasi éternelle des psychologies des profondeurs où chaque individu apparaît cloué à ses racines d'enfance; ce n'est pas la dimension historique des sociologies où les atomes sociaux apparaissent conditionnés aux grandes phases de civilisation; c'est la perception complémentaire d'une évolution quotidienne, d'un mouvement vulgaire et banal, presque insensible, par lequel ces personnalités éternelles s'adaptent aux convulsions discrètes de leur environnement.

Les Styles de Vie ne parlent pas de la logique psychique de chaque individu, mais ils reconnaissent son énergie désirante dans le dynamisme de l'adaption; les Styles de Vie ne parlent pas du sens historique des grandes révolutions, mais ils reconnaissent son flux dans la modélisation des adaptations individuelles. **La conception des Styles de Vie illustrée ici s'attache à saisir les lignes de forces dynamiques de la contingence.** C'est refuser d'accorder la primauté à la seule « machine désirante » de l'inconscient personnel (tout serait psychologique?) ou au seul déterminisme historique (tout serait social, économique, technologique...?); c'est observer la réalité sous l'angle existentiel des rapports entre les individus et la collectivité; c'est décrire l'évolution culturelle comme une relation dialectique entre les désirs privés multiples et les contraintes monolithiques de l'environnement; c'est rechercher dans le rapport psycho-sociologique la clef des équilibres successifs qui font que les individus parviennent à survivre en société et que la culture parvient à survivre en eux.

Avec la conception des Styles de Vie comme *modes synchroniques et diachroniques d'acculturation du désir*, ou encore comme schémas en mutation permanente d'insertion des psychologies individuelles dans la réalité collective, la psychologie sociale acquiert une dimension temporelle [1].

Le film des Styles de Vie incarne donc le projet et l'ambition de **voir la société d'un autre œil : comme un équilibre**

1. Voir introduction; voir aussi : *Pour une Prospective Sociale, Théorie et Technique*, 1re partie, chap. 2.

**instable,** où sont perceptibles à chaque instant les aspirations des personnes et les contraintes de la collectivité; comme **une instabilité dynamique** où sont perceptibles les axes d'évolution de cet équilibre par lequel survit une culture.

LA FRANCE D'AUJOURD'HUI, somme de l'Histoire passée, est aussi le lieu et le moment précurseurs de l'avenir, structure déjà déséquilibrée par son mouvement d'adaptation et travaillée en profondeur par des flux de mutations. C'est le diagnostic du mouvement par le déséquilibre dans la réalité sociale contemporaine qui est l'objet de cette seconde partie.

**Le présent révèle déjà le changement.** Le besoin de stabilité, le désir de sécurité, la certitude de notre identité nous rendent sourds et aveugles aux transformations quotidiennes de notre mode de vie; ce n'est que longtemps après, l'histoire ayant momifié le mouvement, que l'on pourra dire « de mon temps... ». L'observation périodique mesure cependant des transformations objectives dans cet équilibre des valeurs et des Styles de Vie; la Socio-Structure change dans son organisation, dans la hiérarchie de ses micro-cultures et dans le poids de ses Sociostyles [1]. Un regard sur l'actualité récente (1974-1977) exposera les directions et la portée de cette évolution, dans les pages qui suivent. Ce changement s'effectue sous l'influence de flux et de reflux culturels (chapitre 7).

**La vie quotidienne est le théâtre du changement** qui affecte de façon presque insensible les modes de pensée et les habitudes de chacun. Si les grands bouleversements, les crises spectaculaires (mai 68) fournissent des repères historiques rassurants, ils masquent aussi les altérations et mutations de valeurs plus discrètes qui constituent la réalité profonde de la Prospective Sociale (chapitre 8).

1. Le CCA réalise des enquêtes périodiques de Styles de Vie auprès d'échantillons représentatifs de la population française, par des méthodes standardisées autorisant la comparaison des Socio-Structures et le suivi des Flux, d'année en année.

# SOCIO-STRUCTURE DE LA FRANCE 1974

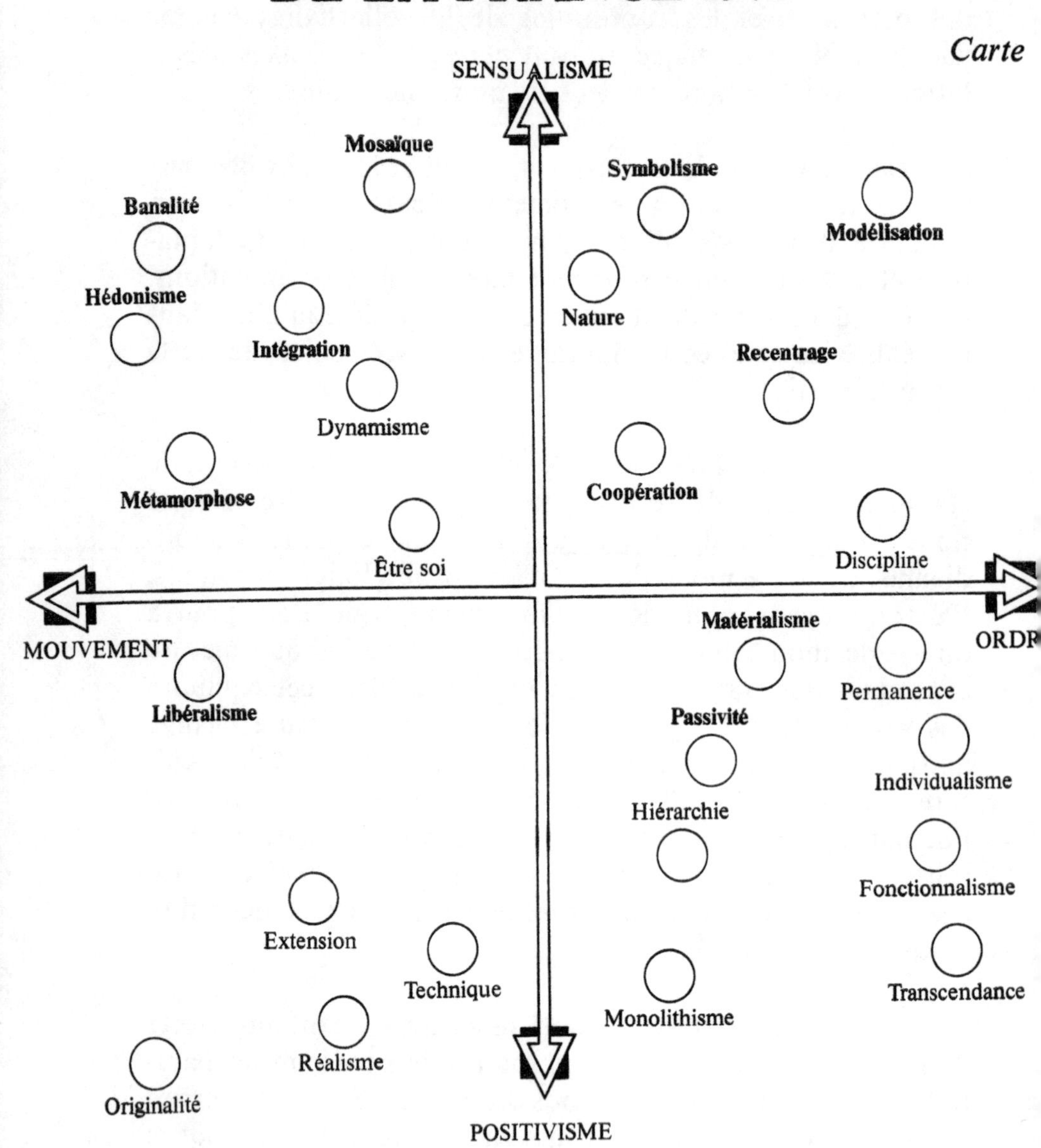


## La réussite de la France de l'Aventure.

En 1974, la Mentalité d'Aventure est dominante (42 % des Français) incarnée dans des valeurs de Métamorphose innovatrice, d'Hédonisme jouisseur, de Libéralisme des mœurs, de Mosaïque personnalisatrice.

Elle sert de modèle à l'ensemble des Français, malgré l'importance des valeurs matérialistes, conformistes et passives caractéristiques des autres mentalités.

# SOCIO-STRUCTURE DE LA FRANCE 1977

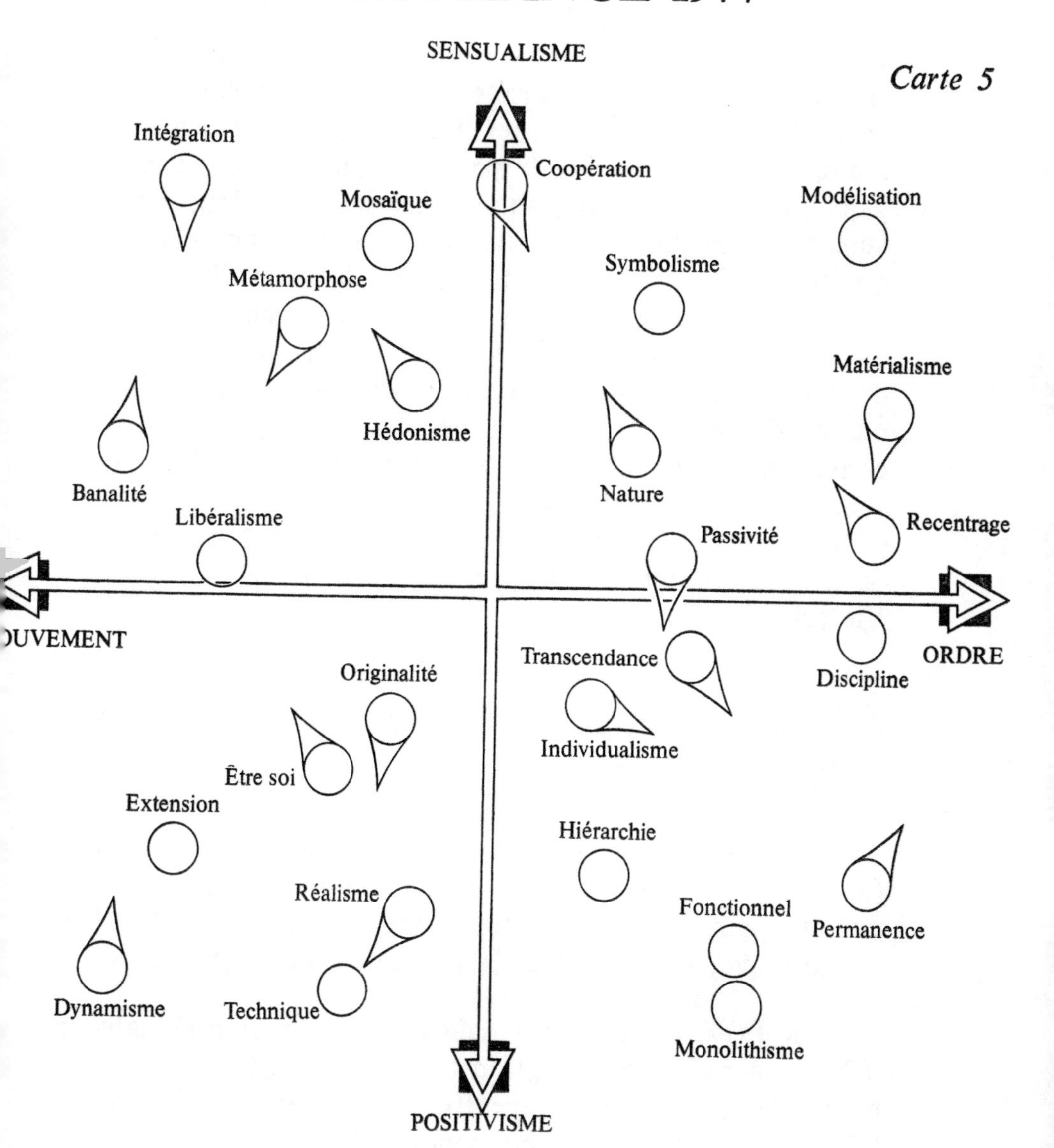


## Le regain de la France du Recentrage.

En 1977, les valeurs dynamiques et libérales de la Mentalité d'Aventure régressent; et ses valeurs hédonistes, innovatrices et d'épanouissement personnel s'essoufflent. C'est la France du Recentrage qui devient dominante (42 %), portée par l'essor des valeurs d'Individualisme de Transcendance, de Passivité et de Recentrage, de Nature...

**Le présent est en gestation de l'avenir.** On peut y observer et mesurer les déséquilibres actuels générant des perspectives futures. Les Styles de Vie définis aujourd'hui sont instables et leur organisation est agressée par de multiples variables : la Socio-Structure se voit sans cesse remise en cause par les psychologies individuelles et leurs désirs, par les stimuli d'alternatives culturelles [1], par les changements technologiques, économiques, politiques... Les insatisfactions et préoccupations des groupes sociaux sont les symptômes du déséquilibre; et les aspirations, les projets, les rêves, les objectifs des personnes sont les symptômes du mouvement potentiel et de ses directions préférentielles. A l'instabilité des Styles de Vie répond la propension des individus à les critiquer ou les défendre, à s'y enfermer ou les abandonner pour converger, fût-ce utopiquement, vers d'autres ou de nouvelles valeurs. On peut alors prévoir des AXES PERSPECTIFS de l'avenir proche, qui expriment et animent les courants de pensée dominants à la recherche de nouveaux Styles de Vie (chapitre 9).

## 6.2. Le changement de hiérarchie des valeurs 74-77

**En 1974, les valeurs dominantes étaient :** le recentrage (58 %), le matérialisme, la consommation (55 %), la passivité, la paix (54 %), la modélisation conformiste (53 %), la mosaïque, la différence, la personnalisation (52 %).

**En 1977, les valeurs dominantes sont :** l'individualisme (82 %), la passivité (77 %), la transcendance (72 %), l'originalité (69 %), le recentrage (62 %), le retour à la nature (62 %), l'hédonisme, la jouissance (62 %).

Parmi les valeurs déjà installées, **les plus dynamiques** sont donc : la passivité (+ 22 %), l'hédonisme (+ 19 %),

1. Voir dans « Pour une prospective sociale » la description des stimuli culturels moteurs du changement : « Endo-Stimuli », « Ecto-Stimuli » et « Exo-Stimuli » caractéristiques des Cultures Ouvertes, IIe partie, chap. 2.

et le naturel (+ 10 %); **des valeurs demeurent stables** : le symbolisme, le sentimentalisme, la subjectivité (— 0,3 %), la mosaïque, la variété personnalisée (— 3,0 %), la métamorphose, l'innovation (+ 2,0 %), la coopération, la solidarité (— 3,0 %), le libéralisme, la permissivité, la tolérance (+ 2,5 %), et le recentrage (+ 4,0 %) [1]. **Mais des reflux importants** se manifestent sur des valeurs jusqu'alors dominantes : de l'intégration vers l'individualisme (— 22,0 %), de la modélisation vers l'originalité (— 21,5 %), de la banalisation vers la transcendance (— 18,0 %), du matérialisme vers l'épanouissement psychologique (— 14,0 %).

Ces évolutions, indicatives de flux ou de reflux, concernent une période de trois années marquée par d'importants problèmes économiques et politiques. Il convient donc de faire la part des évolutions conjoncturelles et de ne pas interpréter ces changements de façon littérale en termes de prospective à long terme. Plus l'observateur est proche des phénomènes analysés et impliqué dans leur déroulement, plus difficile est l'analyse et plus grand est le risque de confondre risées et lames de fond.

**On constate cependant que les valeurs constitutives de la France d'Aventure, culture dominante depuis 1950, marquent une stagnation ou un recul, au profit des valeurs de la mentalité de Recentrage, désormais majoritaire.**

### Le changement d'organisation de la socio-structure

Plus importante à noter est l'évolution des constellations de valeurs qui dessinent la carte des Styles de Vie en France. Celle-ci est par nature en changement permanent : on peut observer dans cette étude une évolution notable dans une structure qui, néanmoins, demeure fondamentalement la même de 1974 à 1977.

1. Il faut interpréter avec la plus grande prudence les variations quantitatives d'attitudes et de comportements, compte tenu des limites de confiance statistiques : on considère ici comme stables les valeurs dont la variation est inférieure à ± 5 %. La psycho-sociologie n'est pas une science exacte; et on peut espérer qu'elle ne le deviendra pas.

Les deux axes essentiels de la Socio-Structure des Styles de Vie restent les mêmes, mais changent légèrement de signification et donc de valeur psychologique pour expliquer les modes de pensée des différents groupes sociaux. **Le premier axe oppose les valeurs d'Ordre aux valeurs de Mouvement** (axe horizontal). En 1974, il était essentiellement discriminant des notions de discipline et de permanence, opposées aux valeurs de libéralisme et de métamorphose; il opposait plutôt les conservateurs et les innovateurs. En 1977, il distingue plutôt les valeurs actives et entreprenantes aux modes de pensée passifs et isolationnistes; ce sont plutôt les passifs et les conquérants qui s'y opposent. Ce premier axe reste fortement associé aux classes d'âges, de professions et de revenus, d'habitat, de culture.

**Le deuxième axe, oppose le Positivisme au Sensualisme** (axe vertical). En 1974, il opposait principalement les valeurs de réalisme et de technique aux valeurs de nature et de symbolisme; il distinguait plutôt les états d'esprit objectifs et subjectifs. En 1977, il discrimine surtout les valeurs fonctionnelles des valeurs hédonistes; il est plutôt explicatif de soucis quantitatifs ou qualitatifs de modes de vie. Malgré ces nuances de contenu, ces deux axes peuvent être considérés comme stables.

**Cette carte de la France des Styles de Vie est remodelée en permanence** par la corrélation de valeurs organisées [1] autour de ces axes. Leur position dans cette galaxie psychologique indique leur fonction dans cet univers : **les valeurs centrales** constituent le centre d'attraction, le patrimoine idéologique commun plus ou moins partagé par l'ensemble de la culture; **les valeurs périphériques** (géométriquement éloignées du centre et attirées par les pôles extrêmes) constituent des constellations particulières caractéristiques de modes de vie originaux et de micro-cultures spécifiques.

Des valeurs jusqu'alors marginales et minoritaires apparaissent plus communes en 1977, dans l'ensemble des groupes

1. Les enquêtes du CCA en distinguent 26, selon 13 Flux bipolaires, qui apparaissent sur les cartes présentées ici. (Voir chapitre suivant)

sociaux; leur capacité discriminante est plus faible et leur pouvoir normatif s'accroît : elles entrent dans **la Personnalité de Base française,** investies d'une notoriété, d'une notabilité et d'une normalité nouvelles. Ces valeurs sociologiquement majoritaires pourraient décrire, s'il existait, le Français moyen, abstraction faite de ses Styles de Vie particuliers : ainsi l'intérêt porté au naturel, à l'écologie, à la protection de la qualité de vie, est devenu commun; l'individualisme et la différenciation des personnalités en mosaïque; la recherche de valeurs et de principes transcendants; ou encore la passivité, mais aussi la valorisation de l'originalité. Ainsi se dessine ce que décrivent déjà les sondages, le « patchwork » peu cohérent d'une France médiane en laquelle nul ne se reconnaît totalement, mais à laquelle chacun participe. Une simple observation de la propagande politique en confirme l'actualité [1].

**D'autres valeurs au contraire tendent à se marginaliser, plus spécifiques de Styles de Vie originaux** : la fonctionnalité et le monolitisme (déjà en 1974 typiques de la mentalité utilitariste); la banalité, la démystification, repoussée par la transcendance qui redevient une valeur commune; les valeurs d'extension et de dynamisme, l'esprit d'entreprise, de compétition, l'ambition, de plus en plus marginales à mesure que la passivité devient majoritaire et plus partagée. Ces valeurs sont, non seulement en déclin quantitatif sur les années d'observation, mais surtout en marginalisation culturelle : elles seront d'autant plus définissantes pour des Socio-Styles typiques.

Ces données de sociologie d'actualité des Styles de Vie démontrent la réalité de mutations qualitatives sur de courtes périodes; peu sensibles et spectaculaires, ni dans le vécu psychologique des personnes, ni dans l'observation macroculturelle, elles n'en modifient pas moins en profondeur le système de référence de l'ensemble de la population. **Si les**

1. Campagne d'affiches du RPR, en août 1977 : « Oui à la France du bon sens » (valeur d'individualisme et de passivité), » Oui à la France libre » (transcendance), « Oui à la France fraternelle » (coopération et nature), « Oui à la France qui entreprend » (originalité)... voir ci-dessous, chap. 8.

**Styles de Vie en France évoluent, c'est parce que l'organisation structurale qui les sous-tend se modifie de façon dynamique.**

LE CHANGEMENT TYPOLOGIQUE DES STYLES DE VIE

Certains groupes sociaux sont particulièrement affectés par cette réorganisation permanente des valeurs en une structure d'ensemble en équilibre instable. On peut l'observer régulièrement au travers des variations des Socio-Styles et des Mentalités : si la carte de France change dans sa géographie psycho-sociologique, les régions et les agglomérations de modes de vie et de pensée épousent ce changement.

**La France au pluriel des mentalités** évolue dans sa hiérarchie autour de la culture dominante. En 1974, la France de l'Aventure était dominante (42 %), attirant les couches sociales les plus jeunes, cultivées, actives; elle supplantait les mentalités de recentrage (36 %) et Utilitariste (22 %).

En 1977, la France de l'Aventure réunit 38 % de la population de plus de 15 ans; la France du Recentrage 42 % et la France de l'Utilitarisme 20 %. Quel sera le poids relatif sociologique de ces trois France dans 10 ans?...

Les Français au pluriel des Styles de Vie peuvent en 1977 comme en 1974 être personnalisés dans leur existence sociale en onze Socio-styles ou modes de pensée, de langage et comportement; mais déjà se dessinent des variations quantitatives et qualitatives :

— en 1974 : 10 % de Français « Laborieux »; ils sont en 1977 7,8
— 12 % de « Conservateurs »; ils sont 12,5 %;
— 6 % de « Moralisateurs »; ils sont 7,6 %;
— 6 % de « Paisibles »; ils sont 7,2 %;
— 14 % de « Exemplaires »; ils sont 17 %;
— 7 % « d'Ambitieux »; ils sont 5,7 %;
— 12 % de « Jouisseurs »; ils sont 10,2 %;
— 5 % « d'Innovateurs »; ils sont 4,4 %;
— 10 % de « Dilettantes »; ils sont 10,3 %;
— 8 % « d'Entreprenants »; ils sont 7,1 %...
— 10 % de « Flottants »; ils sont encore 10 %.

**Le sable de l'actualité est mouvant...** Il ne s'agit pas de bouleversements fondamentaux ni de crise culturelle dont l'Histoire gardera mémoire, mais de petits glissements qui sont un instant de l'évolution. S'il faut du recul pour percevoir la dérive des continents, il en est de même pour saisir les tournants culturels; et les cataclysmes sont aussi rares qui bouleverseraient les cartes géographique et psychosociale. Qu'on n'attende donc pas des études de Styles de Vie de spectaculaires pronostics de révolutions : ces crises ne sont que le symptôme de changements potentiels déjà accumulés et le germe de transformations encore longues à venir. C'est pourquoi on donnera ici la priorité à UNE PROSPECTIVE SOCIALE DES FLUX CULTURELS CONSTANTS ET PROFONDS sur la prévision des anecdotes et des accidents exceptionnels de surface.

Si les années 70 montrent une culture en évolution, c'est qu'elle est animée de courants dynamiques de longue amplitude. Des « révolutions » comme mai 68, des « crises » comme l'inflation actuelle, des « échéances » comme les élections de 1978 influent évidemment sur les changements de Styles de Vie; mais la matière sur laquelle s'exerce leur influence est une dynamique socio-culturelle pré-existante, que l'on peut décrire comme une organisation structurale de valeurs, et que l'on peut expliquer comme un ensemble de FLUX CULTURELS en mouvement.

CHAPITRE 7

# Treize flux culturels

## 7.1. Les lames de fond du changement

Il faut dépasser le constat de variété des mentalités et Styles de Vie pour analyser le mouvement qui explique leur différenciation et leur dynamisme. Des valeurs décrivent la carte psycho-sociologique de la France; leur organisation distingue des micro-cultures originales; leurs constellations définissent des Sociostyles particuliers : ces valeurs sont la manifestation dans la réalité quotidienne de lames de fond de civilisation.

**Les Flux Culturels sont des tendances dynamiques qui modifient sur une longue période la hiérarchie des valeurs, les modes de pensées et d'expression, les habitudes de comportements dans une culture de façon différenciée selon les types de personnes [1].**

Les Flux Culturels ne sont pas « le changement » mais seulement **les axes virtuels de l'évolution,** c'est-à-dire les directions préférentielles selon lesquelles le changement social peut intervenir de la façon la plus économique : dans un contexte socio-culturel particulier, les Flux représentent le meilleur compromis possible entre les aspirations des individus et les contraintes de la société et de l'environnement. Ils se manifestent donc comme des propensions au change-

1. Voir *Pour une Prospective Sociale*, IIIe partie, chap. 2.

ment, des voies préférentielles d'expression des Styles de Vie. On présentera ici TREIZE FLUX CULTURELS, définis et régulièrement suivis par le CCA depuis 1970 [1].

Les Flux Culturels ne sont pas « un avenir » monolithique et uniforme; la société n'est pas une mécanique rigide glissant sur un rail unique. **L'ensemble des Flux inventorie les alternatives de l'évolution;** et ce pluriel des tendances explique le pluriel des Styles de Vie à chaque instant. Certains Flux sont fortement corrélés et forment un courant homogène; d'autres tendances sont paradoxales, divergentes ou contradictoires. La Socio-Structure les réunit en faisceau, mais ils divergent pour indiquer des devenirs concurrents. On distinguera ici DEUX COURANTS CULTURELS principaux.

Les Flux Culturels ne sont pas « le progrès », dans une conception linéaire et déterministe de l'Histoire; ils sont **un moment de l'évolution entre des pôles d'attraction.** Et c'est selon un mouvement cyclique sur ces axes que se déroule le plus souvent l'évolution. Le terme de Flux implique aussi le Reflux : c'est pourquoi on les définit comme DES AXES BIPOLAIRES. On a indiqué dans le chapitre précédent certains reflux observés sur des tendances dynamiques depuis des années.

Les Flux Culturels ne sont pas conjoncturels; ce sont **des tendances historiques de longue portée.** Aussi les mesures périodiques (comme celles qui sont citées ici) ne doivent-elles pas conduire à des interprétations hâtives : ce n'est qu'à l'observation de mesures répétitives sur une longue période (plus de 5 ans) que peut sérieusement être modifiée la définition d'un Flux Culturel.

Les Flux Culturels enfin ne sont pas toujours des manifestations sociales matérielles ni des familles de pensées majoritaires. Les Flux sont **des tendances naissantes ou en**

1. D'autres organismes de recherche décrivent 26, 32 ou 36 courants socio-culturels : leur description et leur analyse critique sont présentées dans *Pour une Prospective Sociale*, Ire partie, chap. 1.

**gestation** qui concrétisent le projet d'une prospective sociale. Leur définition première est le dynamisme tendanciel, tel qu'on peut l'observer dans la psychologie des personnes ou dans les signes discrets de la vie sociale. On distinguera donc nettement LE DYNAMISME des Flux, qui relève de l'interprétation du potentiel d'avenir de certaines valeurs, et L'ÉMERGENCE des mêmes Flux, qui est la mesure d'adhésion sociale formulée en pourcentages et décrite en types de populations.

Les Flux Culturels sont les fils de chaîne de la Prospective Sociale, sur lesquels la trame conjoncturelle de l'actualité vient tisser la réalité. Les Flux n'ont donc pas d'existence propre, sinon comme supports de la Socio-Structure : c'est pourquoi dans la première partie, ils ont été présentés comme 26 valeurs psycho-sociologiques composant la carte de France des Styles de Vie, avant d'être ici repris sous forme de **13 Flux Culturels réunis en deux Courants porteurs principaux qui sont les vagues de fond du probable.**

## 7.2. Les flux de progrès optimiste

On a décrit dans la première partie la France d'Aventure générée et portée par un courant de valeurs associées, rejetant l'idéologie Utilitariste à la recherche d'une mentalité nouvelle. **C'est le courant de Progrès Optimiste composé de six Flux Culturels de métamorphose, de libéralisme, d'hédonisme, de mosaïque, de banalisation et d'intégration.**

Ces tendances ont installé une nouvelle culture dominante depuis la Seconde Guerre mondiale; leur degré d'émergence n'a cessé d'augmenter jusqu'aux années 1975 et leur dynamisme ne s'est stabilisé ou atténué que récemment. Ces Flux Culturels décrivent la profonde mutation de la France rurale, économiquement et culturellement sous-développée, lancée pendant 30 ans à la conquête du « rêve américain », portée par le progrès technologique, l'expansion économique, l'élévation du niveau d'instruction, l'urbanisation, l'inflation d'informations...

Ces Flux Culturels marquent une banalisation des Styles de Vie français, au moins dans la culture dominante : ces valeurs dynamiques peuvent être observées dans **les Styles de Vie dominants de tous les pays industrialisés d'Occident.** Ils sont les témoins d'une influence certaine de la société américaine [1] dont les valeurs ont été exportées avec les produits, les records, la politique...

Le Courant de Progrès Optimiste paraît depuis quelques années se ralentir ou même s'affaiblir; les années 1968-70 ont marqué son apogée et vu s'amorcer son déclin; les années 80 verront sa suprématie entamée par une nouvelle culture dominante (présentée dans les chapitres suivants). La grande « révision de vie » américaine (après la Lune, le Vietnam, les hippies, Watergate...) désoriente ce courant culturel, alors même que la crise économique, les choix politiques et la mentalité des générations nouvelles le critiquent et le mettent en doute.

Ce sont donc des Flux sociologiquement dominants mais psychologiquement moins dynamiques qu'il y a 10 ans et déjà sur le reflux, qui composent le faisceau de Progrès Optimiste.

### 1. Flux Culturel de Permanence → Métamorphose (I)

« Chaque jour est un nouveau jour ».

Dans le modèle social hérité du 19e siècle, le changement n'est qu'exceptionnel : il est le plus souvent véhiculé et imposé par des gens « venus d'ailleurs ». On y réagit violemment par l'anathème religieux (Galilée a eu bien des enfants), par la révolte défensive (les Canuts) ou par la négation et la résistance passive. L'évolution ne peut être que lente, passant par des adaptations de détail ménageant l'essentiel. La religion catholique a largement contribué à renforcer cette mentalité conservatrice par son respect de la Révélation et de la Tradition, son formalisme et sa conception monolithique du

1. Il s'agit aussi de la culture dominante aux États-Unis, la variété des Styles de Vie américains interdisant plus qu'ailleurs de parler au singulier.

monde. L'agriculture et l'artisanat ont longtemps maintenu ce culte de la permanence, car le savoir-faire ne peut y être acquis que des anciens, hérité de père en fils, cautionné par des siècles d'expérience et lentement délivré par le bouche à oreille. La pénurie appelle l'économie; elle enseigne à bâtir pour toujours et à fabriquer pour longtemps, en évitant tout gaspillage de renouvellement. **C'est la Permanence.**

Mais ce monde mental est agressé par le machinisme qui remplace le savoir-faire, par l'école qui théorise l'expérience, par la division du travail qui mécanise le geste simplifié. La révolution technologique et l'expansion industrielle offrent chaque jour de nouveaux procédés, des outils, des objets. Dans un monde dont il ne contrôle plus les dimensions, chacun est confronté à la différence, à des expériences étrangères. Et surtout l'information stimule quotidiennement par un bombardement de nouveautés. **C'est la Métamorphose.**

« Il faut vivre avec son temps. » La métamorphose est d'abord une course contre la montre : ne pas être dépassé pour survivre. Ainsi l'agriculture en quelques décennies fait-elle un bond technologique formidable en avant; dans tous les secteurs quelques années accumulent plus d'innovations que les 10 siècles précédents. Alors la Métamorphose devient une idéologie, celle du progrès continu, de l'aventure et du risque.

Demeurer fidèle à son pays natal, à sa maison, à sa femme et ses enfants, à son métier et son entreprise, c'est manquer de disponibilité et de dynamisme... N'est-il pas plus excitant de se remettre en cause, d'expérimenter de nouveaux Styles de Vie, de se recycler, d'explorer de nouvelles contrées et de nouer des liens neufs? S'attacher aux objets, aux décors, aux souvenirs, collectionner et ranger les sédiments d'une vie, c'est s'encroûter... N'est-il pas plus valorisant de renouveler sans cesse son environnement, de s'entourer de signes de mode, de participer à l'innovation? Préférer les objets solides et durables, les choisir pour la vie, les entretenir et les réparer, s'identifier à eux, c'est faire preuve d'une installation petite-bourgeoise... N'est-il pas plus agréable de jeter après usage, de renouveler sitôt défraîchi, de profiter du dernier perfectionnement, de jouir des choses sans en être esclave? Maintenir les traditions, les habitudes, les vieux principes, c'est être conservateur... Ne vaut-il pas mieux vivre avec son temps, à l'avant-garde du progrès, comme un pionnier tourné vers l'avenir?

Ce Flux n'a cessé de se développer depuis les années 1945. Il s'est concrètement traduit dans l'évolution des mœurs par le recyclage professionnel, le divorce, la mobilité d'habitat, les produits à jeter... **Il a atteint une émergence stabilisée,** la population se partageant également entre les valeurs de Permanence et de Métamorphose; mais son déclin psychologique est entamé avec la recherche de sécurité. Ce plafonnement marque le point culminant de la culture dominante depuis 30 ans et sa remise en question. Le progrès, le changement apparaissent moins comme des valeurs phares pour l'ensemble de la société; bien que les groupes leaders y restent fortement attachés.

**En termes de Styles de Vie,** le Flux de Métamorphose est typique des Sociostyles Innovateur, Entreprenant et Dilettante.

## L'ÉQUILIBRE PERMANENCE - MÉTAMORPHOSE

VALEURS PSYCHOLOGIQUES

| Valeurs Récessives | | Valeurs Dynamiques |
|---|---|---|
| Permanence | → | Métamorphose |
| Passé | → | Avenir |
| Tradition | → | Innovation |
| Expérience | → | Aventure |
| Conformation | → | Stimulation |
| Répétition | → | Recherche |

POIDS SOCIOLOGIQUE

— en 1974 : 46 % des Français
— en 1977 : 47 %

ÉMERGENCE ACTUELLE équilibrée (½)
et stabilisée (+ 1 %)

INFLUENCE SOCIALE (1977) DE LA MÉTAMORPHOSE

| Les moins sensibles | | Les plus sensibles | |
|---|---|---|---|
| • les personnes de plus de 65 ans | (26 %) | • les personnes de 15 à 35 ans | (59 %) |
| • les agriculteurs | (33 %) | • les cadres supérieurs | (58 %) |
| • les ruraux | (37 %) | • les Parisiens | (65 %) |
| • les gens du Sud-Ouest | (38 %) | | |

LA MÉTAMORPHOSE DANS LES STYLES DE VIE (1977)

| Les moins sensibles | | Les plus sensibles | |
|---|---|---|---|
| • Moralisateurs | (39 %) | • Innovateurs | (69 %) |
| • Conservateurs | (16 %) | • Dilettantes | (63 %) |
| • Laborieux | (31 %) | • Jouisseurs | (64 %) |

CORRÉLATION AVEC LES FLUX DE LIBÉRALISME ET DE MOSAIQUE

**2. Flux Culturel de Monolithisme → Mosaïque (II)**
« Le droit à la différence ».

Dans une société autarcique, fermée sur elle-même, la définition des rôles et des statuts est claire, stable, permanente dans le temps et l'espace, et nominative; à chaque statut est attachée une panoplie impérative de langage, de rites, de comportements, d'objets. Et chacun doit s'y conformer : car chacun reconnaît et se fait reconnaître par cette stéréotypie; le notaire doit ressembler à un notaire, toujours et partout, comme le paysan doit se montrer paysan sans jamais ni nulle part sortir de son rôle. **C'est le Monolithisme.**

L'urbanisation est venue bousculer cet ordre des choses en faisant éclater le village et le rythme de travail. Chacun doit vivre plusieurs vies selon les moments de l'année et de la journée, selon les lieux et les contextes. Dans l'anonymat de la foule, l'individu doit s'identifier pour lui-même et les autres. C'est donc comme mode de survie de la personne en situation de foule qu'est née la tendance à la Mosaïque; elle est ensuite favorisée par les media de masse qui présentent à tous une gamme plus large de statuts et offrent les symboles qui les définissent; elle devient enfin un moyen pour l'individualité d'affirmer une existence et un dynamisme propre contre la norme centralisée et la moyenne impersonnelle.

La Mosaïque est devenue une valeur de personnalisation dans le double sens de revendication individuelle d'identité autonome contre l'anonymat du stéréotype statutaire d'une part, et d'identification à des communautés multiples au rythme d'une vie éclatée. Ainsi par exemple, le costume masculin, haut lieu du Monolithisme, connaît-il une diversification et une explosion. D'une part, la tolérance y devient plus grande : le costume de travail (3 pièces — chemise blanche — cravate sombre), s'est laissé aller aux rayures, aux couleurs, à la fantaisie des cravates, aux chemises à fleurs, et l'on voit de jeunes cadres en jean's; d'autre part, la notion de tenues remplace celle de costume : tenues de week-end, de sport, de cérémonie, de travail, de chez-soi... Le Monolithisme a cédé la place à la personnalisation dans la variété. **C'est la Mosaïque.**

Parmi les indicateurs sociologiques, on mettra en évidence des tendances affectant profondément la vie sociale. Le renouveau régionaliste et ethnique, revendiquant l'originalité culturelle, linguistique, une certaine indépendance politique s'inscrit dans le Flux de Mosaïque, contre le centralisme jacobin de tradition en France. De même, en matière politique, les difficultés rencontrées, malgré une intense propagande des partis et appareils, pour implanter une bipolarisation rigoureuse, à l'imitation des nations Anglo-Saxonnes : les tentatives centristes, et au sein même des grands partis le jeu des tendances, les initiatives des clubs et groupes de réflexion traduisent ce besoin de différenciation.

L'information est aujourd'hui l'un des secteurs les plus affectés par le courant de Mosaïque : la multiplication des magazines spécialisés, adaptés à des cibles de centres d'intérêt ou d'idéologie, l'attachement à la presse locale, la pluralité des stations de radio et des chaînes TV (éclatement de l'ORTF) à la recherche d'images et de styles différents, en témoignent, sans atteindre encore la profusion américaine.

On pourra également rattacher à ce courant la naissance du consumérisme (mais non de son langage officiel) comme réaction contre l'information unidimensionnelle et conditionnante de la publicité et demande de pluralisme d'informations et de dialectique.

De même, le déclin de la mode monolithique et impérative se manifeste nettement au profit d'une multiplicité de styles vestimentaires, éphémères, choisis selon les circonstances, l'humeur ou la personnalité.

**Le Flux de Mosaïque est en équilibre stabilisé** : il partage les Français à 50 % et ne progresse plus, c'est un Flux peu discriminant, implanté dans presque tous les groupes sociaux. Cette tendance résiste bien aux difficultés de la conjoncture économique qui pourraient affaiblir la recherche de personnalisation et d'originalité marginale au profit d'un conformisme collectif plus monolithique; de même le courant de Mosaïque se maintient dans le contexte électoral actuel, dont on sait qu'il tend à cristalliser des partis pris stéréotypés et monolithiques.

**Dans la typologie des Styles de Vie,** le Flux de Mosaïque est dynamique dans les Sociostyles Ambitieux, Jouisseur, Innovateur et Exemplaire.

## L'ÉQUILIBRE MONOLITHISME - MOSAIQUE

VALEURS PSYCHOLOGIQUES

| **Valeurs Récessives** | | **Valeurs Dynamiques** |
|---|---|---|
| Monolithisme | → | Mosaïque |
| Uniformité | → | Différenciation |
| Anonymat | → | Personnalisation |
| Xénophobie | → | Tolérance |
| Unicité | → | Multiplicité |
| Habitude | → | Adaptation |
| Centralisme | → | Polycentrisme |
| Unidimensionnalité | → | Dialectique |

POIDS SOCIOLOGIQUE

— en 1974 : 52 % des Français
— en 1977 : 50 %

ÉMERGENCE ACTUELLE équilibrée (½)
et stabilisée (— 1,4 %)

INFLUENCE SOCIALE (1977) DE LA MOSAÏQUE

| **Les moins sensibles** | | **Les plus sensibles** | |
|---|---|---|---|
| • les plus de 65 ans | (42 %) | • les femmes | (69 %) |
| • les agriculteurs | (38 %) | • les 15/35 ans | (57 %) |
| • les ruraux | (45 %) | • les cadres moyens | (63 %) |
| • les gens du Sud-Ouest | (41 %) | • les employés | (54 %) |
| | | • les parisiens | (60 %) |
| | | • les patrons | (59 %) |

LA MOSAÏQUE DANS LES STYLES DE VIE (1977)

| **Les moins sensibles** | | **Les plus sensibles** | |
|---|---|---|---|
| • Laborieux | (17 %) | • Paisibles | (69 %) |
| • Conservateurs | (27 %) | • Jouisseurs | (77 %) |
| • Moralisateurs | (45 %) | • Innovateurs | (70 %) |

CORRÉLATION AVEC LES FLUX DE BANALISATION ET D'HÉDONISME

### 3. Le Flux de Fonctionnalisme → Hedonisme (III)

« L'Art de Vivre ».

La culture Utilitariste est celle de la pénurie, du strict nécessaire; elle limite ses ambitions à la satisfaction de besoins primaires et ne demande aux objets que cette performance première. Le sens pratique est d'abord commandé par ce sens de l'économie, avant de s'instaurer en valeur morale ascétique, spartiate et sévère. Le bricolage et l'auto-consommation suppléent à l'achat de biens sophistiqués. L'individu est un producteur plus qu'un consommateur, soucieux d'accumuler et d'épargner en vue du lendemain. **C'est la dominance de la valeur Fonctionnelle.**

Mais l'élévation du niveau de vie a généré un revenu discrétionnaire et permis la manifestation de besoins moins terre à terre, que la publicité et les media mettent en scène [1]. Parallèlement, le progrès industriel et la concurrence croissante conduisent à différencier les biens et les produits par des valeurs ajoutées non fonctionnelles. Ce que l'on nomme civilisation de consommation est d'abord consommation de signes. Un objet vaut moins par son usage fonctionnel que par son esthétique, sa matière, son éclat : acheter, consommer, utiliser, sont d'abord un plaisir. L'individu n'est plus d'abord un producteur, mais d'abord un consommateur, un jouisseur (et les sondages montrent qu'une majorité de Français y adhèrent consciemment).

Le temps libre s'est accru; avec la diminution du temps de travail, les congés payés, le week-end, la notion de loisirs est apparue. L'individu se consomme lui-même, découvre le plaisir de faire fonctionner ses cinq sens. Le corps est magnifié, non plus comme machine productive, mais comme source de plaisir : il devient vitrine narcissique avec la mode et le maquillage. La vie représente un capital de satisfaction à dépenser mais aussi à protéger : il faut rester jeune, svelte, élégant, en bonne santé... **C'est l'Hédonisme.**

1. Car la publicité ne saurait « créer » ces besoins que l'on dit secondaires : elle ne fait qu'évoquer des désirs inconscients et refoulés pour leur proposer satisfaction symbolique par le biais de la consommation. Cf. « Publicité et Société », B. Cathelat— (Payot, 1976.)

Ce Flux pourrait être défini comme le renouveau du « Principe de Plaisir » contre le « Principe de Réalité », en référence à la psychanalyse. Il se manifeste par la recherche du plaisir immédiat et la volonté de profiter de la vie, des choses et des autres; ce que les media appelleront un « art de vivre » en est particulièrement exemplaire.

Le marché des biens et produits de loisirs (Hi-Fi, TV, radio...), de sports et de vacances est en expansion. Mais tous les objets quotidiens deviennent aussi hédonistes : ils ne sont plus nécessairement tristes et austères pour signifier leur justification pratique; le design, esthétisme fonctionnel froid et scientifique ne fut qu'une première étape, supplanté ensuite par des recherches de pure sensualité. Matières, formes, couleurs, décors « pour le plaisir » ont conquis les appareils électro-ménagers, l'ameublement; la fantaisie, la couleur, la douceur, la souplesse entrent progressivement dans le costume masculin et dans les tenues de travail. Les machines, tracteurs et bulldozers deviennent confortables et beaux.

Les rues, les bâtiments, les bureaux et ateliers eux-mêmes sont sensibles à ce Flux Hédoniste. Les revendications sur la qualité des conditions de travail, la sécurité, le confort, l'ambiance, se sont considérablement développées au cours des dernières années, et aussi le droit au loisir, au repos, aux vacances.

De même, le souci de la santé, de la forme physique, de l'apparence corporelle, de la jeunesse témoignent de la recherche d'épanouissement sensoriel et sensuel. Profiter de la vie est le mot clé du Flux Hédoniste que l'on pourrait appeler *tendance gastronomique*, tant le meilleur exemple en est le plaisir de déguster, opposé à la nécessité de se nourrir.

**Le Flux Hédoniste** n'est pas le seul fait des privilégiés de l'argent, du luxe et de la mode : il porte 61 % des Français et poursuit son émergence avec un fort dynamisme. Pour cette fonction symbolique de réussite concrétisée dans un art de vivre, ce Flux connaît actuellement une expansion favorisée par la crise économique et les éventualités de changement politique profond. Ce développement des valeurs, attitudes et conduites de jouissance apparaît comme un sursaut de la société de consommation, alors même qu'elle se sent menacée par l'austérité.

**En terme de Styles de Vie,** l'Hédonisme est un courant porteur des Sociostyles Jouisseur, Ambitieux, Dilettante et Innovateur.

## DU FONCTIONNALISME A L'HÉDONISME

VALEURS PSYCHOLOGIQUES

| Valeurs Récessives | | Valeurs Dynamiques |
|---|---|---|
| Fonctionnalisme | → | Hédonisme |
| Utilitarisme | → | Jouissance |
| Pratique | → | Esthétique |
| Sacrifice | → | Épanouissement |
| Économie | → | Dépense |
| Ascétisme | → | Polysensualisme |
| Production | → | Consommation |

POIDS SOCIOLOGIQUE

— en 1974 : 42 % des Français
— en 1977 : 61 %

ÉMERGENCE ACTUELLE dominante (2/3)
et dynamique (+ 19 %)

INFLUENCE SOCIALE (1977) DE L'HÉDONISME

| Les moins sensibles | | Les plus sensibles | |
|---|---|---|---|
| • les hommes | (51 %) | • les femmes | (70 %) |
| • les 50/65 ans | (59 %) | • les 20/24 ans | (63 %) |
| • les agriculteurs | (34 %) | • les patrons | (79 %) |
| • les ruraux | (45 %) | • les cadres | (74 %) |
| • les gens du Nord | (51 %) | • les employés | (72 %) |
| • les gens de l'Ouest | (49 %) | • les Parisiens | (73 %) |
| | | • les urbains | (68 %) |

L'HÉDONISME DANS LES STYLES DE VIE (1977)

| Les moins sensibles | | Les plus sensibles | |
|---|---|---|---|
| • Laborieux | (32 %) | • Jouisseurs | (76 %) |
| • Conservateurs | (45 %) | • Ambitieux | (81 %) |
| • Entreprenants | (57 %) | • Dilettantes | (67 %) |
| | | • Innovateurs | (71 %) |

CORRÉLATION AVEC LES FLUX DE MOSAÏQUE ET DE BANALISATION

### 4. Flux Culturel de Transcendance → Banalisation (IV)

« Les dieux sont morts ».

C'est le propre des cultures autarciques que de codifier dans ses moindres détails les modes de vie (monolithisme) en s'appuyant sur des principes transcendant la contingence du lieu, du moment et des besoins personnels. C'est pour la société le moyen de maintenir sa cohésion contre les agressions extérieures; c'est aussi dans les économies de pénurie un mode de maintien de l'ordre, en mobilisant les énergies par des idéaux surhumains. Toutes les sociétés en péril développent des valeurs de Transcendance : les grands desseins et objectifs, les totems sacrés, les tabous moraux, les commémorations historiques, les figures héroïques sont autant de leviers pour maintenir les mentalités hors d'atteinte des angoisses et des affres de la réalité. Le christianisme, par son sens du sacré et sa philosophie transcendante du bonheur dans l'au-delà acheté par le sacrifice ici-bas, a longtemps renforcé cette valeur. **C'est la Transcendance.**

Mais les conditions de vie urbaine et industrielle se sont chargées, en peu de générations, de démontrer l'inadaptation des grands principes et l'inefficacité des mythes anciens. Le brassage des populations, la confrontation des idéologies, des religions, les lois, des institutions, leur vulgarisation dans les mass-media les ont relativisées et banalisées. Le monde apparaît trop grand et la vie est sentie comme trop complexe pour se laisser expliquer par les interprétations traditionnelles : faute de trouver mieux, l'individu se laisse aller au scepticisme et au cynisme; seule importe la jouissance immédiate, l'existence « ici et maintenant », le bonheur se consomme ici-bas. **C'est la Banalisation.**

Ce courant favorise donc la concentration sur la vie quotidienne « hic et nunc », ses problèmes concrets, vulgaires et égoïstes (sans connotation péjorative), accompagnée d'un sentiment d'éphémère, de fragilité et de démystification des grandes valeurs de référence.

C'est certainement sur les institutions que l'impact du Flux de Banalisation est le plus spectaculaire. L'Église, l'État, les grandes organisations s'affirment en crise et obligées à se recycler : le discours politique, le prône religieux sont perçus par le corps social en décalage avec ses préoccupations quotidiennes, immédiates.

La messe en français, dans une liturgie simplifiée, l'abandon de la soutane par les prêtres et de l'uniforme par les militaires en permission, les économies de décorum du chef de l'État et de ses ministres sont autant d'indicateurs. Le langage même des institutions évolue : on ne dit plus « Français, Françaises... », mais « Madame, Mademoiselle, Monsieur... »; on parle moins du Drapeau et de l'Indépendance Nationale que des conditions de vie militaire; on cite moins Dieu que Jésus-Christ-Homme; on argumente moins sur le Capitalisme, la Révolution que sur les conditions de vie concrètes... Et de façon plus banale, la consommation reflète la même tendance, avec l'apparition de produits à jeter ou à durée de vie brève : mouchoirs à jeter; nappes en papier, meubles de bois blanc concourent à démystifier la vie quotidienne. Tout finit, tout se jette...

**Le Flux de Banalisation marque cependant l'un des plus spectaculaires reflux, vers les valeurs de Transcendance,** enregistré entre 1974 et 1977. Il peut s'expliquer par l'essoufflement de la culture d'Aventure dont il est constitutif. Mais il faut rechercher certainement dans la conjoncture économique et politique les causes d'un si rapide et rare retournement. Depuis la 2e Guerre Mondiale, les valeurs transcendantes, les grands principes, les notions sacrées n'ont cessé de régresser devant la vulgarisation, la banalisation, la démystification des institutions (l'État, l'Armée), des fonctions (le Pape, le Chef de l'État), du sacré (les religions instituées), des symboles (le drapeau)... Cette évolution est aujourd'hui spectaculairement infirmée : réaction intégriste dans l'Église, débat sur le modèle de société en politique... **Les valeurs Transcendantes** (comme les valeurs de discipline décrites plus loin) **sont des valeurs de crise :** c'est dans l'incertitude politique et économique, la crainte du chômage, l'angoisse impuissante devant la drogue et la violence, la crainte des lendemains, qu'il faut rechercher les causes du reflux vers la Transcendance.

La conjoncture y pèse donc d'un poids considérable et il est trop tôt pour décider que le Flux de Banalisation s'est inversé irrémédiablement. On en retiendra cependant l'exemple de la sensibilité d'émergence d'un courant culturel aux conditions de son expression : si elle est encore une tendance dynamique, la Banalisation est entrée en hibernation.

**En termes de Styles de Vie,** la Banalisation caractérise les Sociostyles, Innovateur, Dilettante, Entreprenant et Jouisseur; et le reflux vers les valeurs Transcendantes est constitutif des types Moralisateur, Exemplaire, Paisible, Conservateur et Laborieux.

## FLUX ET REFLUX
## TRANSCENDANCE - BANALISATION

VALEURS PSYCHOLOGIQUES

| Valeurs Récessives | | Valeurs Dynamiques |
|---|---|---|
| Transcendance | → | Banalité |
| Long terme | → | Court terme |
| Histoire | → | Actualité |
| Conviction | → | Cynisme |
| Durabilité | → | Ephémère |
| Diachronique | → | Synchronique |
| Foi | → | Scepticisme |
| Mythe | → | Vulgarisation |
| Idéologie | → | Pratique |
| Macrocosme | → | Microcosme |
| Sacré | → | Séculier |
| Divin | → | Terrestre |

POIDS SOCIOLOGIQUE

— en 1974 : 46 %
— en 1977 : 27 % seulement
(soit 73 % en faveur de la Trancendance)

ÉMERGENCE ACTUELLE minoritaire (1/4)
et récessive = reflux de — 19 %

INFLUENCE SOCIALE (1977) DE LA BANALISATION

| Les moins sensibles | | Les plus sensibles | |
|---|---|---|---|
| • les hommes | (20 %) | • les femmes | (33 %) |
| • les plus de 65 ans | (7 %) | • les 15/25 ans | (38 %) |
| • les 50/65 ans | (19 %) | • les employés | (45 %) |
| • les agriculteurs | (10 %) | • les cadres | (42 %) |
| • les ruraux | (17 %) | • les Parisiens | (42 %) |
| • les gens de l'Ouest | (17 %) | | |
| et du Nord | (19 %) | | |

LA BANALISATION DANS LES STYLES DE VIE (1977)

| Les moins sensibles | | Les plus sensibles | |
|---|---|---|---|
| • Moralisateurs | (13 %) | • Innovateurs | (67 %) |
| • Conservateurs | (13 %) | • Jouisseurs | (49 %) |
| • Laborieux | (11 %) | • Dilettantes | (41 %) |
| • Exemplaires | (18 %) | • Entreprenants | (35 %) |
| • Paisibles | (19 %) | | |

CORRÉLATION AVEC LES FLUX DE MÉTAMORPHOSE, MOSAÏQUE ET HÉDONISME

## 5. Flux Culturel de Discipline → Libéralisme [1] (V)

« Fais ce que veux. »

Comme toute société autarcique la mentalité Utilitariste fonde sa cohérence et sa permanence sur les grands principes et les valeurs sacrées transcendantes, elle les incarne sur le mode de la rigueur, de l'organisation et de la discipline. La Discipline est la morale pratique de la philosophie Transcendante, comme le Monolithisme est son institution et la Permanence son langage. C'est là une constellation homogène de valeurs qualifiées par le pôle d'Ordre sur la carte des Styles de Vie. C'est l'idéologie d'une culture défensive, craignant l'entropie de l'innovation et de l'aventure : elle formalise en rites et en lois des modèles de pensée et de conduite censés répondre à toutes les circonstances, ne laissant que le minimum de latitude à l'improvisation. La vie villageoise a déterminé le poids de la Discipline comme nécessaire répression des pulsions personnelles pour la survie de la communauté. La rigueur fut donc d'abord un mécanisme de défense pour éliminer toute déviance et limiter toute stimulation susceptible de déranger l'ordre établi comme absolu et immuable; en cela, elle répond aux situations de crise sociale et de fragilité culturelle. C'est lorsqu'elle a perdu sa fonction d'urgence que la répression s'instaure en principe moral. **C'est la valeur de Discipline.**

C'est avec le mouvement social et les Styles de Vie de Métamorphose que s'est développé le Flux de Libéralisme. Isolé dans la foule urbaine, le citoyen ne ressent plus le regard évaluateur d'autrui; la loi est lointaine, abstraite, institutionnelle, peu impliquante car elle n'est plus liée au fonctionnement évident d'une communauté de vie, ni exercée par un partenaire coopté. L'individu se sent donc à la fois sous-informé et désimpliqué des principes de pensée et de vie. Simultanément, il s'est trouvé confronté à de nouveaux modes de travail, de relation, de loisirs, pour lesquels

1. Il va de soi que lorsque cette dénomination a été adoptée en 1970, l'actualité politique ne lui avait pas encore conféré la connotation politique qu'elle peut avoir aujourd'hui. On lira donc « Libéralisme » et plus loin « Matérialisme » en leur sens psychologique premier, respectivement de « permissivité » et « d'enracinement matériel ».

la morale traditionnelle n'avait pas prévu de réponse : contraint d'improviser, il a progressivement fait de la souplesse, de l'initiative et de l'expérimentation une valeur positive de liberté et de réussite. De même la tolérance, imposée par le brassage et la promiscuité de la vie urbaine, a-t-elle d'abord été une contrainte déroutante avant d'être valorisée comme ouverture d'esprit enrichissante. **C'est le Libéralisme ou la Permissivité.**

Le Flux de Libéralisme est sans doute l'un des plus spectaculaires, par l'amplification que lui ont donné les media, sous la qualification de « relâchement de la morale ». C'est en effet sur le chapitre des mœurs que cette tendance a modifié le plus clairement la vie des Français. L'évolution du costume et particulièrement de la mode féminine en est un exemple : de la robe au mollet à la mini-jupe et au short, du soutien-gorge à armature au transparent (ou à son absence), du maillot de bain une pièce au bikini et aux seins nus sur les plages, de la gaine au collant, le corps s'est (au moins en apparence) libéré et exhibé plus librement. Ce Libéralisme corporel devient manifestement sexuel avec l'apparition du nu au cinéma, puis des films dits pornographiques (ce terme étant en lui-même répressif).

L'information s'en fait le reflet : une station de radio consacre une séquence régulière au conseil sexuel, les magazines donnent couramment des conseils sur les pratiques érotiques, la TV aborde à des heures de grande écoute les problèmes du viol, de l'homosexualité et des travestis, de la prostitution, les magazines spécialisés dans la photo de nus se multiplient et des magazines d'adolescents publient un cahier d'éducation sexuelle. La loi confirme et légalise le mouvement : création d'un Conseil Supérieur d'Éducation Sexuelle, législation plus libérale de la contraception et de l'avortement, assouplissement de la censure cinématographique (moyennant une auto-censure...).

Mais cette tendance ne se limite pas aux manifestations dramatisées d'un libéralisme sexuel. La prise en compte des conditions pénitencières, la mise en cause de la peine de mort manifestent l'extension de ce courant dans les relations société-individu, comme les efforts d'humanisation de l'administration. La mise en valeur (même scandalisée) des contestataires, la plus grande tolérance aux marginaux, au conflit des générations, l'acceptation des cheveux longs, des jeans et des fantaisies vestimentaires, l'abandon de certaines règles de savoir-vivre, de formalisme dans les relations, de signes extérieurs de respect, en sont des exemples dans les relations interpersonnelles quotidiennes.

**Le Flux de Libéralisme est stable et équilibré,** bien que des signes de reflux vers les valeurs de Discipline commencent à se manifester. La situation de crise politique, économique et idéologique peut favoriser son déclin comme c'est le cas déjà pour le Flux de Banalisation. C'est un Flux fragile car très discriminant, marginalement implanté dans des minorités sociales.

C'est une tendance typique des couches jeunes et actives, plutôt masculines et urbaines de la population. **En termes de Styles de Vie,** le Flux de Libéralisme est typique des Socio-Styles Dilettante, Entreprenant, Innovateur, Jouisseur.

## L'ÉQUILIBRE DISCIPLINE - LIBÉRALISME

VALEURS PSYCHOLOGIQUES

| **Valeurs Récessives** | | **Valeurs Dynamiques** |
|---|---|---|
| Discipline | → | Libéralisme |
| Répression | → | Permissivité |
| Organisation | → | Anarchie |
| Rigueur | → | Souplesse |
| Planification | → | Désordre |
| Formalisme | → | Laisser-Aller |
| Sérieux | → | Ironie |
| Prévision | → | Improvisation |
| Certitude | → | Contestation |
| Rite | → | Spontanéité |

POIDS SOCIOLOGIQUE

— en 1974 : 44 % des Français
— en 1977 : 45 %

ÉMERGENCE ACTUELLE équilibrée (½)
et stabilisée (+ 1 %)

INFLUENCE SOCIALE (1977) DU LIBÉRALISME

| **Les moins sensibles** | | **Les plus sensibles** | |
|---|---|---|---|
| • les femmes | (40 %) | • les hommes | (52 %) |
| • les plus de 65 ans | (12 %) | • les 20/25 ans | (65 %) |
| • les inactifs | (25 %) | • les cadres moyens | (60 %) |
| • les agriculteurs | (34 %) | • les employés | (58 %) |
| • les villes moyennes | (37 %) | • les Parisiens | (60 %) |
| • les gens du Bassin Parisien | (35 %) | | |
| et de l'Est | (39 %) | | |

LE LIBÉRALISME DANS LES FLUX CULTURELS (1977)

| **Les moins sensibles** | | **Les plus sensibles** | |
|---|---|---|---|
| • Moralisateurs | (27 %) | • Dilettantes | (63 %) |
| • Conservateurs | (22 %) | • Innovateurs | (98 %) |
| • Laborieux | (25 %) | • Entreprenants | (75 %) |
| • Paisibles | (24 %) | • Jouisseurs | (61 %) |
| • Exemplaires | (36 %) | • Ambitieux | (64 %) |

CORRÉLATION AU FLUX DE MÉTAMORPHOSE

### 6. Flux Cultural d'Individualisme → Intégration (VI)

« L'animation et les échanges. »

L'individualisme est une qualité et/ou un défaut bien français! C'est la sagesse des nations qui le dit et elle doit avoir raison, tant est vivace cette valeur à contre-courant de la culture dominante. L'Individualisme est une valeur de défense et de survie de la personne dans un environnement hostile et une conjoncture de pénurie; et l'isolement social ne peut que l'encourager. Cette forme d'égoïsme consiste à gérer ses propres problèmes, ses biens, sa famille de façon autarcique, pour ne rien devoir à personne. La solidarité est une forme de faiblesse qui prive la cellule d'une partie de son capital; l'accumulation est une vertu car elle garantit la survie. **C'est l'Individualisme.**

Depuis 30 ans et déjà avant-guerre, la société moderne interdit l'individualisme. Nul ne saurait aujourd'hui vivre sans être mis en carte, imposé, prélevé, taxé, matriculé, conscrit, abreuvé aux mêmes mots et images, alimenté aux mêmes linéaires, embouteillé... La société de masse existe, de façon aiguë pour tous les citadins et de façon virtuelle mais consciente pour les autres. **C'est l'Intégration.**

Ce Flux, qui a toujours eu de la difficulté à émerger caractérise depuis 30 ans la poussée d'une culture de masse où l'individu ne peut s'abstraire du réseau d'interdépendance qui le lie aux autres et aux institutions. C'est dans l'organisation sociale que se manifeste aujourd'hui ce Flux, dont on remarquera néanmoins qu'il est encore rejeté par une très large majorité : la planification économique, les réglementations administratives en sont l'indice.

La concurrence des media de grande masse (la TV, la radio, les news-magazines nationaux contre la presse régionale et ses feuilles locales), marque le progrès relatif d'une information et culture de masse. L'individu, par la TV notamment, se trouve impliqué nécessairement aux événements collectifs, nationaux et internationaux. Dans le commerce, l'essor des hyper et super-marchés dénote une tendance à la consommation de masse, portée par une publicité nationale ignorante des particularismes et des individualismes, incarnée dans des produits et des marques multinationaux.

Mais l'installation depuis le début du siècle de cette société de masse plaçant les individus dans des conditions d'interdépendance contraignante se voit contredite aujourd'hui par un renouveau de l'Individualisme. On peut rapprocher cette évolution des critiques aujourd'hui portée sur les media de masse et le risque d'uniformisation culturelle qu'on leur attribue (la TV); sur le commerce de masse (hypermarchés) dont le succès est critiqué pour l'anonymat des relations et la standardisation des produits; sur la mode trop impérative et modélisante...

Ce Flux Culturel ne s'est jamais encore imposé de façon majoritaire en France, mais apparaissait caractéristique de la culture dominante d'Aventure : son affaiblissement marque le déclin en cours de cette mentalité qui demeure celle des grandes agglomérations sur le modèle parisien. La crise économique et l'incertitude politique accentuent encore, conjoncturellement peut-être seulement, **le reflux vers l'Individualisme.**

Cette tendance à l'Intégration se manifeste surtout dans des minorités sociales isolées, au statut imprécis, à la recherche de contacts : les femmes, les adolescents, les inactifs. **En termes de Styles de Vie,** ce Flux est typique des Socio-Styles Entreprenant, Innovateur, Ambitieux : et le reflux vers l'Individualisme se manifeste surtout chez les Flottants, Exemplaires, Conservateurs.

# FLUX ET REFLUX
# INDIVIDUALISME - INTÉGRATION

VALEURS PSYCHOLOGIQUES

| **Valeurs Récessives** | | **Valeurs Dynamiques** |
|---|---|---|
| Individualisme | ——▶ | Intégration |
| Autonomie | ——▶ | Dépendance |
| Solitude | ——▶ | Appartenance |
| Egocentrisme | ——▶ | Solidarité |

POIDS SOCIOLOGIQUE

— en 1974 : 39 % des Français
— en 1977 : 25 % seulement

ÉMERGENCE ACTUELLE minoritaire (1/4)
et récessive : en reflux de — 14 %.

INFLUENCE SOCIALE (1977) DE L'INTÉGRATION

| **Les moins sensibles** | | **Les plus sensibles** | |
|---|---|---|---|
| • les hommes | (25 %) | • les femmes | (26 %) |
| • les 35/65 ans | (20 %) | • les 15/20 ans | (34 %) |
| • les agriculteurs | (12 %) | • les inactifs | (30 %) |
| • les ruraux | (20 %) | • les grandes villes | (27 %) |
| • les patrons | (11 %) | • les cadres | (47 %) |

L'INTÉGRATION DANS LES STYLES DE VIE (1977)

| **Les moins sensibles** | | **Les plus sensibles** | |
|---|---|---|---|
| • Laborieux | (9 %) | • Innovateurs | (60 %) |
| • Conservateurs | (13 %) | • Ambitieux | (42 %) |
| • Exemplaire | (22 %) | • Entreprenants | (32 %) |

CORRÉLATION AVEC LES FLUX DE SYMBOLISME ET D'HÉDONISME

## 7.3. Les flux de sécurité passive

Un second faisceau de tendances diverge du Courant de Progrès Optimiste et le combat même sur certains points. Il comporte une autre alternative de Styles de Vie et un autre modèle culturel jusqu'alors minoritaire, *la France du Recentrage.* **Il est composé de 7 Flux Culturels : coopération, symbolisme, passivité, recentrage, matérialisme, modélisation et naturel.**

L'ensemble de ce courant caractérise une mentalité particulière qui prend ses racines dans la naissance de la bourgeoisie et des classes moyennes : pour la France du Recentrage dominée par l'insécurité matérielle, cette culture a représenté jusqu'à la Seconde Guerre Mondiale un mode de vie idéal d'installation, de sécurité, de notabilité et de qualité d'existence. Les Flux de Sécurité Passive sont ceux de l'ambition mesurée, de l'ascension patiente, de la réforme prudente; ce sont ceux de l'épanouissement dans un ordre communautaire plutôt que de l'aventure personnelle dans l'anarchie. Ce n'est pas une tendance de pionniers et de défricheurs mais de cultivateurs calculateurs; ce n'est pas le courant des excès mais celui de la mesure, de l'harmonie et de l'équilibre; ce n'est pas un élan optimiste mais un attentisme et une réticence pessimiste.

Le courant de Sécurité Passive ne constitue pas une révolution culturelle comparable aux Flux de Progrès Optimiste; il n'est pas fondé sur le déracinement des personnes et leur adaptation frénétique à un mode d'innovation, mais sur leur enracinement. Plus ancien, ce faisceau tendanciel est celui de l'évolution qualitative des valeurs traditionnelles. C'est pourquoi on l'assimile volontiers à « l'esprit petit-bourgeois », à une vie « de fonctionnaire », avec des connotations de médiocrité, de grisaille, de passivité moutonnière (« la majorité silencieuse »). Et il est vrai que ce courant a longtemps porté au conservatisme réactionnaire les classes moyennes, les petits possédants et les justes nantis et la petite bourgeoisie des villes moyennes, effrayées par les audaces du mode de vie d'Aventure.

Plus récemment, cette mentalité passive s'est cependant réveillée, pressentant l'essoufflement de la culture dominante moderniste, et la réaction s'est affirmée plus ouvertement et fièrement : révolte des petits commerçants, des agriculteurs contre le progrès qui les broie, renaissance intégriste de catholiques contre une Église « qui va trop loin »... Et c'est dans les négociations salariales de pouvoir d'achat que s'est achevé mai 68, commencé (par d'autres) comme une révolution de l'esprit.

**Et c'est depuis 1968 que les Flux de Sécurité Passive ont repris un dynamisme psychologique nouveau** avec l'apport de groupes sociaux nouveaux pour qui les valeurs de naturel, de coopération, de recentrage, de discipline ne sont plus défensives et nostalgiques mais offensives et contestataires. Hippies, communautés rurales, écologistes, voyageurs vers l'Orient en ont symbolisé les formes les plus radicales. Ils ne rallient pas la culture de Recentrage (et celle-ci ne les reconnaît pas comme siens!), mais c'est sur certaines de ses valeurs qu'ils se greffent pour la faire accoucher d'un nouveau Style de Vie.

Ainsi paraît se dessiner un cycle culturel (mais selon un modèle hélicoïdal et non circulaire) : **le flux et le reflux historiques entre les valeurs d'Ordre et de Mouvement s'opèrent;** mais les tendances de Sécurité Passive devront changer de sens pour générer une nouvelle culture dominante : elles peuvent être la matière première d'une mutation mais non le but d'un retour au passé.

### 1. Flux culturel de Hiérarchie → Coopération (VII)

« Être soi parmi les siens. »

Monolithiques par besoin de cohésion, les cultures autarciques deviennent hiérarchiques à mesure qu'elles croissent quantitativement sans changer de système de valeurs. Dans le village, la définition des statuts et des rôles n'appelle guère de formalisation hiérarchique complexe, sinon les rôles de chefs (de guerre, de religion...), indispensables incarnations des principes transcendants. Mais avec l'extension à la cité, puis au pays, les principes d'Ordre deviennent plus lointains et multiplient les échelons hiérarchiques intermédiaires pour sauvegarder l'ordre à la base; et ceux-ci se multiplient à leur tour, partagés entre le désir de se rapprocher du pouvoir des cimes et la nécessité de le représenter plus bas. Le partage des rôles fonctionnels économiquement clair devient artificiel et se perpétue hors de toute utilité : le paysan et le guerrier en osmose ont donné naissance au servage et à la noblesse de cour...

Ainsi se constituent une bureaucratie, un réseau de pouvoirs et d'informations toujours plus long, où la hiérarchie formelle est d'autant plus rigoureuse qu'elle n'est plus finalisée. L'Église et l'État (de Louis XIV aux Républiques jacobines), par leur passion centralisatrice, ont favorisé cette tendance en l'instituant en appareil de pouvoir. La division du travail et la spécialisation professionnelle l'ont accentuée pour se justifier. **C'est la Hiérarchie.**

Mais ce mode de vie est lourd et peu opérationnel, et les obligations de vitesse, de rentabilité, de performance du moderne management sont venues bousculer ce système : on a vu les entreprises multinationales anglo-saxonnes adopter un dispositif de combat en « staff and line » (c'est-à-dire en petites équipes opérationnelles indépendantes, directement « en première ligne » et en rapport direct avec leur direction) et abandonner la pyramide des non-responsabilités.

Parallèlement, l'individu obligé d'innover et de s'adapter, contraint à l'initiative, supporte de plus en plus mal d'être soumis à une autorité dont on a perdu le sens et l'origine mêmes. Plus livrée à elle-même, la personne réclame l'indépendance; plus autonome, elle prétend à l'égalité; plus responsable, elle aspire au partage des pouvoirs et des bénéfices. L'écroulement des communautés villageoises, le déracinement régional, la dispersion de la famille tribale, la compétition et la conquête de l'indépendance financière font perdre contact avec les structures sociales traditionnelles : à expérimenter son autonomie, fût-ce douloureusement, on se fixe de nouvelles valeurs d'égalité.

Mais simultanément l'individu s'est retrouvé seul, anonyme, isolé, perdu dans les mégalopoles, les chaînes de travail, les transports en commun... Les hiérarchies familières, sécurisantes malgré leur poids conformiste, ne peuvent être remplacées par les institutions bureaucratiques inhumaines : alors se développe un besoin de communauté où s'intégrer et se définir, se protéger et communiquer; c'est le besoin de retrouver une économie de relations affectives et utilitaires simple et directe, dans un cadre de vie à dimension humaine.

Le gigantisme et le tourbillon innovateur ont, d'une certaine manière, libéré l'individualité du poids de son environnement, mais ce déracinement peut être insupportable et générer le désir d'un repli protectionniste et de relations participatives. **C'est la Coopération.**

Ce Flux illustre bien l'écart qui peut se manifester entre les idéologies et attitudes prospectives (très positives sur les valeurs coopératives) et les jugements, opinions ou comportements actuels (où l'émergence est encore faible). C'est donc dans le discours et en paroles que l'on voit se manifester ce courant, le plus souvent incarné dans le concept d'égalité : égalité des sexes, des races ou peuples, des classes sociales.

Dans la vie politique et sociale, il prend la forme de dialogue tolérant, d'unité d'action (le Programme Commun de la Gauche, les actions syndicales), de front commun au-delà des divergences idéologiques (à l'exemple du « Compromis Historique » prôné par le PC italien), de négociations plutôt que de conflits et de rapports de force. Les propositions de participation aux responsabilités et bénéfices de l'entreprise, de co-gestion ou d'auto-gestion participent du Flux de Coopération.

Dans la vie des entreprises, l'administration par un directoire collégial, le rôle des Comités d'Entreprise, la décentralisation des responsabilités, l'appel au travail d'équipe, la pluridisciplinarité et les expériences (encore rares) d'organisation et de planification des tâches par les employés eux-mêmes contre la parcellisation des travaux, en sont des exemples.

Dans les relations interpersonnelles, le Flux de Coopération favorise la recherche d'un cercle d'amis, la participation à des clubs, associations, avec un sens de recherche de chaleur humaine, de prise en compte et de prise en charge de la personne par une communauté accueillante. En contradiction avec le mode de vie urbain, ce besoin ne trouve à se manifester que dans des vies marginales (les communautés écologiques ou artisanales) ou des périodes exceptionnelles (les vacances au Club Méditerranée).

**Si l'émergence de ce Flux n'est pas encore majoritaire, il manifeste un dynamisme prospectif important dans la psychologie :** les valeurs de Hiérarchie, bousculées par la mentalité d'Aventure sont de plus en plus défendues par elle.

**En termes de Styles de Vie,** les Sociostyles les plus marqués par le Flux de Coopération sont les Exemplaires, les Paisibles, les Innovateurs.

# L'ÉQUILIBRE HIÉRARCHIQUE - COOPÉRATION

VALEURS PSYCHOLOGIQUES

| Valeurs Récessives | | Valeurs Dynamiques |
| --- | --- | --- |
| Hiérarchie | → | Coopération |
| Suprématie | → | Égalité |
| Domination | → | Coexistence |
| Autoritarisme | → | Dialogue |
| Cloisonnement | → | Communication |
| Irresponsabilité | → | Participation |
| Anonymat | → | Humanisation |
| Systèmes de castes | → | Communauté |
| Égoïsme | → | Mutualisme |
| Centralisme | → | Délégation |

POIDS SOCIOLOGIQUE

— en 1974 : 44,8 % des Français
— en 1977 : 40 %

ÉMERGENCE ACTUELLE équilibrée (½)
et stabilisée (— 4,8 %)

INFLUENCE SOCIALE (1977) DE LA HIÉRARCHIE

| Les moins sensibles | | Les plus sensibles | |
| --- | --- | --- | --- |
| • les femmes | (38 %) | • les hommes | (42 %) |
| • les 15/20 ans | (36 %) | • les 35/65 ans | (44 %) |
| • les cadres supérieurs | (20 %) | • les ouvriers | (46 %) |
| | | • les Parisiens | (48 %) |
| • les gens du Nord | (34 %) | • les gens de l'Ouest | (46 %) |
| • les patrons | (17 %) | et du Sud-Est | (46 %) |

LA COOPÉRATION DANS LES STYLES DE VIE (1977)

| Les moins sensibles | | Les plus sensibles | |
| --- | --- | --- | --- |
| • Laborieux | (30 %) | • Exemplaires | (51 %) |
| • Conservateurs | (23 %) | • Paisibles | (68 %) |
| • Dilettantes | (22 %) | • Entreprenants | (60 %) |
| • Moralisateurs | (28 %) | | |

CORRÉLATION AVEC LE FLUX D'INDIVIDUALISME

## 2. Flux Culturel d'Originalité → Modélisation (VIII)

« Savoir que dire et faire. »

Ce que l'on nomme la société industrielle est fondé, jusqu'alors, sur la course à l'innovation; non l'innovation mûrement couvée mais le jaillissement permanent d'idées; non l'innovation de quelques-uns mais l'originalité de chacun. Le courant d'Originalité est celui des pionniers, des aventuriers, des concurrents. L'innovation est devenue une fin en soi donnant un sens à la production et la consommation. C'est un Flux entropique de situation indéterminée, de conjoncture ouverte, d'avenir incertain : on fait alors confiance à l'audace pour trouver la solution; aussi se manifeste-t-il de façon cyclique et selon une périodicité courte, alternant les phases de recherche et les phases d'exploitation.

Pendant la guerre, lorsqu'il fallait « faire quelque chose », aux lendemains de la Libération quand il fallait reconstruire, au cœur des conflits coloniaux lorsqu'il fallait « s'en sortir », en mai 68 quand il fallait « en finir », la France s'est portée vers l'initiative. La Socio-Structure se fait plus souple pour permettre à de brillantes individualités ou à des groupes marginaux de faire preuve d'audace (quitte à en déplorer ouvertement l'anarchie et à en désavouer les excès); et les mentalités d'ensemble se font plus tolérantes à ces expériences dont elles attendent et redoutent à la fois le salut. **C'est l'Originalité.**

Entre ces périodes de crises où peuvent s'exercer l'imagination et s'exprimer les pionniers, le corps social s'applique à digérer, à normaliser et à stabiliser ces acquis, qui ont ébranlé le plus souvent son équilibre. Par petites touches, à force de décrets d'applications, d'interprétations réglementaires, de négociations annexes, de traductions et de modes d'emplois, l'innovation par trop radicale s'est assagie. La révolution, concept phare de l'Originalité, devient réforme, pratique majeure de **la Modélisation.**

Depuis 1968, crise aiguë d'Originalité, la tendance fut à la Modélisation : tant d'idées soulevées devaient être conditionnées pour être absorbées sans bouleversement. La révolution formelle est peu de chose dans le cours de l'Histoire et l'on en retient la date que pour le spectacle extra-ordinaire qu'elle a donné : c'est par le conformisme qu'elle produit ses effets, lorsque son radicalisme est devenu norme banale, conversation courante, programme scolaire et sujet de thèse. L'école, le discours politique, la publicité et surtout les mass-media sont les indicateurs de cette fonction de conformation sociale : les grands supports d'information sont à la fois le théâtre des innovations, des révolutions, des avant-gardes spectaculaires et l'instrument de leur Modélisation, de leur atténuation et de leur adaptation vulgarisée aux Styles de Vie.

Au cours des dix dernières années, c'est dans le domaine de l'information que se manifeste le plus clairement la modélisation, souvent sous le couvert d'une créativité symbolique; les appels à l'initiative et à la créativité personnelle de magazines comme « Elle », « 20 Ans », « 100 Idées », « Maison de Marie-Claire », « Parents », « Photo », se traduisent finalement en fiches cuisines, en pages pratiques, en modes d'emploi, en packs ou en kits de décoration ou de maquillage, en bonnes adresses, en guides... Le succès des encyclopédies par fascicules et des collections pratiques, pédagogiques et illustrés (« Le Yoga en 10 leçons », « La contraception en 10 leçons », « La sexualité racontée aux enfants »...) révèle un profond besoin de pédagogie face aux évolutions (trop) rapides des connaissances et des mœurs.

Dans un monde d'innovation, d'initiative, d'épanouissement et d'affirmation de soi, la créativité est une valeur; mais c'est une pratique insécurisante qu'il faut rendre vivable : dans les loisirs, les symboles de créativité habituellement cités, tels que bricolage, tissage, poterie, outre qu'ils restent marginaux, sont le plus souvent des modèles d'identification à une communauté plus que de réels exercices de création autonome. Guides touristiques, voyages organisés, sélections culturelles dans les magazines et critiques cinématographiques remplissent la même fonction : savoir le minimum nécessaire pour s'intégrer harmonieusement et sans risque, dans un simulacre de prise de risque.

Enfin, dans le domaine de la pédagogie, les manifestations de cette tendance, aussi bien dans une série d'encyclopédies sexuelles pour les différents âges de l'enfant que dans la réforme de l'enseignement supérieur visant à un apprentissage professionnel plus rapide, plus opérationnel, plus conforme aux besoins des entreprises, au détriment de la culture générale et du sens critique, marquent à la fois la nécessité reconnue du changement et le besoin de le maîtriser en le codifiant, en le matérialisant, en le nommant pour en faire une norme conformiste non explosive.

**Ce flux Culturel est aujourd'hui en forte récession** sur la courte période analysée ici (1974-1977). La conjoncture de crise économique, l'approche de choix politiques importants, le vague sentiment d'une crise de société (drogue, violence, chômage, natalité...), le pessimisme devant l'avenir, la faible crédibilité des alternatives classiques (qui pourrait faire mieux ?) entraînent une aspiration à des solutions neuves, des remèdes miracles, des sauveurs inattendus. On voit se multiplier les essais, les diagnostics, les cris d'alarme, les propositions de modèles nouveaux... **C'est le Reflux vers l'Originalité.**

Mais le besoin de prise en charge, de pédagogie, de conseil et d'encadrement demeure fort : il s'exprime dans le Flux de Passivité. Cette propension à l'Originalité prépare des lendemains conformistes. Ce Flux est très sensible aux classes d'âges (les jeunes sont plus originaux). **En termes de Styles de Vie,** la Modélisation est une tendance typique des Sociostyles Paisible, Exemplaire, Moralisateur ; le reflux vers l'Originalité est plus caractéristique des Français Dilettantes, Innovateurs, Entreprenants.

# FLUX ET REFLUX ORIGINALITÉ - MODÉLISATION

VALEURS PSYCHOLOGIQUES

| Valeurs Récessives | | Valeurs Dynamiques |
|---|---|---|
| Originalité | → | Modélisation |
| Créativité | → | Absorption |
| Marginalité | → | Conformité |
| Initiative | → | Imitation |
| Imagination | → | Raison |
| Aventure | → | Sécurité |
| Révolution | → | Réforme |
| Spontanéité | → | Préparation |
| Anarchie | → | Formalisme |
| Audace | → | Prudence |
| Radicalisme | → | Mesure |

POIDS SOCIOLOGIQUE

— en 1974 : 52 % des Français
— en 1977 : 32 % seulement

ÉMERGENCE ACTUELLE minoritaire (1/3)
et récessive : reflux de — 20 %.

INFLUENCE SOCIALE (1977) DE LA MODÉLISATION

| Les moins sensibles | | Les plus sensibles | |
|---|---|---|---|
| • les hommes | (31 %) | • les femmes | (34 %) |
| • les 15/25 ans | (17 %) | • les retraités | (52 %) |
| • les cadres moyens et employés | (23 %) | • les petites villes | (36 %) |
| • les Parisiens | (25 %) | • les gens de l'Est | (42 %) |
| • les gens du Sud-Est | (21 %) | et du Nord | (37 %) |

LA MODÉLISATION DANS LES STYLES DE VIE (1977)

| Les moins sensibles | | Les plus sensibles | |
|---|---|---|---|
| • Innovateurs | (4 %) | • Paisibles | (52 %) |
| • Dilettantes | (15 %) | • Exemplaires | (37 %) |
| • Entreprenants | (15 %) | • Moralisateurs | (48 %) |
| | | • Ambitieux | (47 %) |

CORRÉLATION AVEC LES FLUX DE MÉTAMORPHOSE, DE LIBÉRALISME

### 3. Flux Culturel de Être Soi → Matérialisme [1] (IX)

« Se sentir dans ses meubles. »

Ce Flux illustre encore la concurrence entre le courant de Progrès Optimiste porteur de la France d'Aventure et les tendances à la Sécurité Passive, mode d'adaptation de la France Utilitaire à une mentalité de Recentrage. La société de pénurie entraîne à un matérialisme d'accumulation, chez ceux-là même qui ne peuvent amasser beaucoup; c'est l'univers de la fourmi laborieuse et prévoyante, de l'économie fonctionnelle.

La culture dominante a depuis 20 ans développé des valeurs de dépense, de luxe et de superflu (Flux d'Hédonisme); mais elle a surtout revalorisé une image non comptable de l'individu, justifiant par là de dépenser sans compter. On se définit donc moins par « son bien au soleil » que par l'usage qui en est fait, par la manière de le gagner; le dynamisme, le brio, l'intelligence, la débrouillardise, les idées et les paroles, le mode de vie qualifient mieux la personne que son épargne et son installation. La possession perd de son sens avec le crédit, la location, l'emprunt. **C'est « Être Soi » :** on définit par ce terme l'accent mis sur l'expression qualitative de la personne plutôt que sur ses possessions. Et la fragilité des carrières, la mobilité physique, les exigences de l'innovation accentuent cette valeur que l'élévation du pouvoir d'achat a contribué à installer, par un moindre souci du lendemain.

La culture dominante n'a cependant pas encore réussi à inverser le Flux Culturel ancien de Matérialisme. Bien qu'il soit désormais minoritaire, son dynamisme psychologique reste important et sa pesanteur dans les habitudes est essentielle. Avec le courant de Sécurité Passive, la notion de Matérialisme a évolué de l'accumulation à l'épargne finalisée et à la dépense : « l'Épargne-Logement » en est l'exemple type. Avec l'élévation des revenus il est devenu moins urgent de mettre « quelques sous de côté » et plus facile d'accéder à des idées d'investissement, de préparation à un but de plaisir.

1. Comme pour le Flux de Libéralisme, toute connotation philosophique ou politique est ici exclue de ce terme, qu'on pourrait traduire comme tendance à « l'Enracinement matériel ».

A la société de consommation dépensière répond donc un Flux d'installation, de définition de soi, d'enracinement dans les biens et les objets. La possession est une valeur psychologique d'image de soi; le patrimoine familial perd de son importance, c'est une auto-consommation qui est pratiquée. A l'exhibitionnisme de la culture d'Aventure s'oppose le narcissisme de la Sécurité Passive. **C'est le Matérialisme ou l'enracinement matériel.**

L'orientation de ce Flux est sujette à différentes interprétations. On rappellera ici la nécessaire distinction entre les utopies ou idéologies (souvent idéalistes et anti-consommatoires) et des attitudes plus générales culturellement orientées vers le Matérialisme. On aura soin de ne pas laisser influencer l'observation des Styles de Vie par une minorité parisienne cultivée, déjà très aisée et peut-être blasée de la consommation, qui dissimulerait la réalité sociologique. Si incontestablement la mentalité d'accumulation thésaurisatrice est en déclin, les attitudes dépensières n'en sont pas moins largement portées par un Flux de Matérialisme. La société de consommation n'est pas morte : l'accroissement des dépenses de consommation, malgré les difficultés économiques conjoncturelles, le développement conjoint de l'épargne et de l'appel au crédit, les constantes revendications en terme de pouvoir d'achat, qui caractérisent les couches sociales n'ayant pas encore accédé à un niveau de vie suffisant pour banaliser la consommation et les biens matériels, en témoignent.

Le Flux de Matérialisme est très sensible à la conjoncture économique et bien sûr au niveau de vie des différentes classes sociales, mais de façon non mécanique. **On observe sa récession,** au moment même où les difficultés économiques et les plans de lutte contre l'inflation réduisent le pouvoir d'achat; comme si l'incertitude des lendemains encourageait à profiter de l'argent tout de suite.

Si ce courant marque un recul quantitatif, c'est particulièrement dans sa dimension d'accumulation de biens matériels, de constitution d'un patrimoine et de préservation d'un capital, au profit de comportements dépensiers et jouisseurs. Dans les classes jeunes et urbaines, de niveau scolaire supérieur, on accorde moins d'importance à l'argent et plus à la consommation, au plaisir et aux services qu'il permet d'acquérir. La notion de niveau de vie remplace celle de richesse et le pouvoir d'achat est une valeur plus signifiante que le revenu ou le capital.

L'atténuation de cette tendance très ancienne indique que **la société de consommation demeure la culture dominante,** quand bien même elle change de valeurs internes et se porte vers d'autres objets ou services. Il semble que la crise économique actuelle n'affaiblisse pas les valeurs de dépenses et de jouissances, particulièrement dans les secteurs connotés de développement et d'épanouissement personnel : vacances, loisirs, sports, culture. A terme, le dynamisme du Flux de Matérialisme, dans sa définition psychologique d'installation et d'enracinement, n'est pas assez remis en cause pour conclure à son inversion.

Ce Flux est étroitement corrélé aux conditions de vie, au niveau et à la sécurité du revenu. **En termes de Styles de Vie,** le Flux de Matérialisme affecte particulièrement les Sociostyles Laborieux, Conservateur, Moralisateur, Exemplaire et Paisible; le reflux vers Être Soi caractérise surtout les Innovateurs, les Dilettantes, les Jouisseurs.

# FLUX ET REFLUX ÊTRE SOI — MATÉRIALISME

VALEURS PSYCHOLOGIQUES

| Valeurs Récessives | | Valeurs Dynamiques |
|---|---|---|
| Être Soi | ──────▸ | Matérialisme |
| Essence | ──────▸ | Existence |
| Idéalisme | ──────▸ | Enracinement |
| Intellectualisme | ──────▸ | Consommation |
| Papillonnement | ──────▸ | Attachement |
| Éphémère | ──────▸ | Installation |
| Usage | ──────▸ | Possession |

POIDS SOCIOLOGIQUE

— en 1974 : 55 % des Français
— en 1977 : 41 % seulement

ÉMERGENCE ACTUELLE minoritaire (< 1/2)
et récessive : reflux de 14 %.

INFLUENCE SOCIALE (1977) DU MATÉRIALISME

| Les moins sensibles | | Les plus sensibles | |
|---|---|---|---|
| • les hommes | (38 %) | • les femmes | (46 %) |
| • les 20/25 ans | (37 %) | • les plus de 50 ans | (48 %) |
| • les patrons et cadres | (32 %) | • les agriculteurs | (44 %) |
| • les Parisiens | (25 %) | • les inactifs (retraités) | (49 %) |
| | | • les ruraux | (47 %) |
| | | • les gens du Nord et de l'Est | (47 %) |
| | | • et du Sud-Est | (49 %) |

LE MATÉRIALISME DANS LES STYLES DE VIE (1977)

| Les moins sensibles | | Les plus sensibles | |
|---|---|---|---|
| • Dilettantes | (30 %) | • Laborieux | (45 %) |
| • Innovateurs | (12 %) | • Moralisateurs | (56 %) |
| • Entreprenants | (16 %) | • Exemplaires | (49 %) |
| • Jouisseurs | (35 %) | • Paisibles | (68 %) |

CORRÉLATION AVEC LES FLUX DE SYMBOLISATION, DE MODÉLISATION, DE PASSIVITÉ ET DE RECENTRAGE

## 4. Flux Culturel de Dynamisme → Passivité (X)

« Rien dire et laisser faire. »

Comme les Flux de Modélisation et de Matérialisme, la tendance à la Passivité, la plus importante et la plus dynamique en France aujourd'hui, démontre la capacité d'adaptation de la culture de Recentrage pour proposer à la France Utilitariste une autre alternative que l'Aventure.

Le Courant de Progrès Optimiste encourage **le Dynamisme,** l'agressivité, la compétition, la performance, la violence même. Le rythme de vie, les conditions de travail, les modes de transport, les relations interpersonnelles et entre classes sociales sont marqués de cette violence. Elle est le moteur de l'expansion, de l'innovation et un critère de jugement des personnes. La violence qui appartient au fond des valeurs culturelles depuis des siècles est ici installée dans les activités quotidiennes et normales du « jeune cadre aux dents longues » proposé en exemple.

Le courant de Sécurité Passive développe un autre terme à l'alternative : Mode de Vie paisible, calme, non compétitif, non violent pour ceux qu'effraie la concurrence. Cette tendance apparaît comme essentielle pour l'évolution culturelle, en ce qu'elle réunit tous les groupes sociaux (à l'exclusion des cadres supérieurs) dans une forte émergence.

Elle porte des modes de vie privée qui privilégient la recherche de paix et d'équilibre, notamment dans la vie familiale, désimpliquée des conflits sociaux. L'individu cherche plus à survivre pour lui-même, dans un relatif confort, qu'à changer le monde ou à se battre pour gravir l'échelle sociale. Les chercheurs américains (Yankelovich) ont noté aussi aux USA le déclin de la mentalité de « self achievement » : l'ambition sociale, la soif de puissance et de réussite paraissent en déclin. L'objectif devient l'équilibre de vie plutôt que l'ascension de la pyramide sociale, la richesse ou le pouvoir. **C'est la Passivité.**

Dans les rapports à la société, le militantisme politique, le combat idéologique, l'engagement syndical perdent de leur pouvoir mobilisateur. Dans les modes d'information et de culture, la lecture, la sortie au cinéma ou au théâtre sont fortement concurrencées par l'absorption passive de TV.

Dans les préoccupations d'opinion publique, on note un certain isolationnisme, hérité des aventures coloniales. Et la grande peur de la violence (première des préoccupations des Français en 1976 selon tous les sondages) illustre le processus du changement d'attitudes et de système de valeurs : c'est l'avènement d'une mentalité non-violente qui accroît le sentiment de vulnérabilité à la violence marginale. L'exercice de la violence n'est pas objectivement en accroissement tel qu'il justifie cette terreur; il est même très faible comparé à d'autres sociétés et a diminué dans le temps. Mais cette violence est devenue marginale, affaire de professionnels de la délinquance ou de la répression policière : elle est devenue incompréhensible pour le citoyen ordinaire, incapable de l'assumer et d'y répondre. Le Western montre comment, dans une culture agressive, la violence n'effraie pas : elle est normale. C'est en devenant anormale dans une culture de non-agressivité que la violence, marginalisée, apparaît comme danger pour la passivité normale.

Des habitudes de consommation sont exemplaires du Flux de Passivité : les motivations psychologiques ni les automobiles n'ont guère changé en 20 ans, mais les attitudes et le langage sociaux ont considérablement évolué. L'éloge de la vitesse, de la puissance, de « la moyenne », du risque ont laissé place au discours sur la sécurité, le confort, le pratique, l'habitabilité, la tenue de route. Et le même thème de la puissance du moteur a changé de valeur dans la publicité : de la puissance pour la vitesse dans les années 55 à la puissance pour la sécurité. Et la même marque de voitures de sports (Alfa Roméo) qui les symbolisait par un galop de cavalerie sauvage, les montre aujourd'hui comme un nid douillet où une petite fille joue à la poupée.

**Le Flux de Passivité apparaît en expansion importante dans tous les groupes sociaux.** On assiste actuellement à un affaiblissement important de l'esprit d'entreprise, des valeurs de compétition, de conquête, d'agressivité, de combativité, que constatent ces études de Styles de Vie, à la recherche d'une vie plus calme et paisible, d'autant plus que la conjoncture économique rend plus difficile la réussite. Cette tendance peut être inquiétante pour l'organisation sociale actuelle toute fondée sur les valeurs de Dynamisme, d'ambition et de combativité. Le Flux de Passivité entraîne à la désimplication et à la résignation devant les problèmes nationaux.

**En termes de Styles de Vie,** le Flux de Passivité anime les Sociostyles Flottant, Exemplaire, Paisible, et Laborieux, mais aussi les Jouisseurs et Dilettantes.

## DU DYNAMISME A LA PASSIVITÉ

VALEURS PSYCHOLOGIQUES

| Valeurs Récessives | | Valeurs Dynamiques |
|---|---|---|
| Dynamisme | → | Passivité |
| Agressivité | → | Indifférence |
| Performance | → | Équilibre |
| Ambition | → | Fatalisme |
| Vitesse | → | Stabilité |
| Compétition | → | Paix |
| Implication | → | Désimplication |
| Violence | → | Non violence |
| Combativité | → | Résignation |

POIDS SOCIOLOGIQUE

— en 1974 : 54 % des Français
— en 1977 : 78 %

ÉMERGENCE ACTUELLE majoritaire (3/4)
et dynamique (+ 24 %)

INFLUENCE SOCIALE (1977) DE LA PASSIVITÉ

**Les moins sensibles**

- les 25/35 ans (70 %)
- les cadres supérieurs (54 %)
- les cadres moyens (65 %)
- les Parisiens (73 %)

**Les plus sensibles**

- les plus de 65 ans (92 %)
- les ouvriers (82 %)
- les inactifs (86 %)
- les petites villes (82 %)
- les gens de l'Est et du Nord (82 %)

LA PASSIVITÉ DANS LES STYLES DE VIE (1977)

**Les moins sensibles**

- Entreprenants (43 %)
- Innovateurs (38 %)

**Les plus sensibles**

- Paisibles (95 %)
- Exemplaires (83 %)
- Laborieux (92 %)
- Jouisseurs (86 %)

CORRÉLATION AVEC LES FLUX DE RECENTRAGE, DE NATUREL, DE MATÉRIALISME, DE MODÉLISATION

## 5. Flux Culturel d'Extension → Recentrage (XI)

« Cultiver son jardin. »

Le Flux de Recentrage est fortement corrélé à la Passivité; comme la tendance paisible s'oppose au dynamisme compétitif, le Recentrage offre une alternative aux modes de vie d'Extension.

La France d'Aventure s'est lancée dans l'innovation et la productivité, avec un esprit de compétition : la seule mécanique économique et sociale la condam ne donc à l'expansion, à l'accumulation, aux conquêtes. Chercher c'est innover; innover c'est produire; pour produire il faut amasser du personnel constituant une ville qui doit s'agrandir pour s'auto-administrer, et créer des emplois qui augmentent la consommation, qui stimule à son tour l'investissement pour susciter la recherche, puis l'innovation et la production qu'il faudra exporter pour amasser des devises qui serviront à multiplier... Si le schéma économique est simpliste, le mode de pensée est sociologiquement juste. Le courant de Progrès Optimiste est fondé sur l'extension continue de toutes les activités, par une course en avant fonctionnant en « auto-allumage ».

Et le mode de vie personnel obéit au même schéma : plus d'activité pour plus d'argent pour plus de consommation pour plus de plaisir; plus d'information pour plus de connaissances pour plus de travail pour plus de loisirs pour plus de relations pour plus de culture... **C'est l'Extension.**

A cette vision macro-cosmique, entreprenante, impérialiste, expansionniste, le courant de Sécurité Passive préfère une conception micro-cosmique du mode de vie. Ce Flux est un exemple de réaction récente contre la culture dominante et de mouvement en cours vers un autre modèle culturel. Le Flux de Recentrage, qui donne son nom à la France du Recentrage (décrite dans la 1re partie), marque la fatigue d'une partie de la population devant des objectifs d'expansion dont la finalité s'est perdue et qui sont ressentis comme une épuisante fuite en avant.

La vie privée est exemplaire de ce Flux : le rêve de maison individuelle se maintient contre toutes les contraintes de l'urbanisme moderne, comme symbole du nid, du cocon, de l'espace privatif, de racines terriennes. L'habitat prend de plus en plus d'importance et son aménagement croît sans cesse dans les dépenses du foyer. La vie privée et familiale est de plus en plus concurrente de la vie professionnelle ou mondaine, comme refuge et rempart contre les agressions du monde extérieur et lieu de ressourcement de sa personnalité et de son identité.

Politiquement, le Recentrage se manifeste aussi par l'isolationnisme, le refus des aventures extérieures, la désimplication devant les problèmes des autres. Il semble que ce courant, très fort en France, se manifeste dans toutes les sociétés anciennement industrialisées. Socialement, il provoque une diminution de l'attraction urbaine et même un début de retour vers la province et les villes moyennes, notamment à Paris, corrélé à un fort intérêt pour la nature, la vie simple et équilibrée.

**Le Flux de Recentrage connaît actuellement une forte émergence :** les Français des provinces rurales y sont anciennement attachés et de nouvelles couches de jeunes urbains s'y montrent sensibles. **En termes de Styles de Vie,** le Recentrage est typique des Sociostyles Moralisateur, Conservateur, Laborieux, Paisible et Exemplaire.

## DE L'EXTENSION AU RECENTRAGE

VALEURS PSYCHOLOGIQUES

| Valeurs Récessives | | Valeurs Dynamiques |
|---|---|---|
| Extension | → | Recentrage |
| Dispersion | → | Régression |
| Croissance | → | Repli |
| Exploration | → | Contemplation |
| Curiosité | → | Narcissisme |
| Extraversion | → | Introversion |
| Évasion | → | Enracinement |

POIDS SOCIOLOGIQUE

— en 1974 : 58 % des Français
— en 1977 : 62 %

ÉMERGENCE ACTUELLE majoritaire (2/3)
et stabilisée (+ 4 %)

INFLUENCE SOCIALE (1977) DU RECENTRAGE

| Les moins sensibles | | Les plus sensibles | |
|---|---|---|---|
| • les 15/25 ans | (41 %) | • les plus de 50 ans | (75 %) |
| • les cadres moyens | (52 %) | • les agriculteurs | (67 %) |
| • les cadres supérieurs | (42 %) | • les inactifs | (70 %) |
| • les Parisiens | (56 %) | • les patrons | (72 %) |
| • les gens du Sud-Est | (48 %) | • les ruraux | (65 %) |
| | | • les gens du Sud-Ouest | (70 %) |
| | | • et de Méditerranée | (69 %) |

LE RECENTRAGE DANS LES STYLES DE VIE (1977)

| Les moins sensibles | | Les plus sensibles | |
|---|---|---|---|
| • Entreprenants | (33 %) | • Paisibles | (82 %) |
| • Dilettantes | (43 %) | • Exemplaires | (75 %) |
| • Innovateurs | (16 %) | • Moralisateurs | (78 %) |

CORRÉLATION AVEC LES FLUX DE PASSIVITÉ, DE NATUREL, DE MODÉLISATION

### 6. Flux Culturel de Réalisme → Symbolisme (XII)

« Le droit au rêve. »

Le Flux de Symbolisme marque la conquête de la qualité de vie par rapport à la culture Utilitariste. Avec la sécurité économique, l'installation matérielle, le confort, vient le loisir : possibilité de réfléchir, de rêver, d'imaginer, de faire des projets. Libérée relativement de l'obsession du fonctionnel quotidien, la personne peut prendre du recul. **Le Réalisme** c'est avoir « les pieds sur terre », mais c'est aussi « planer au ras des marguerites », c'est être prisonnier de la contingence, esclave des obligations et des habitudes.

Le Symbolisme est une tendance à prendre du recul, à théoriser, à abstraire. Mais ce Flux s'oppose aussi au réalisme technologique de la culture d'Aventure, à ses chiffres et ses pourcentages, à ses graphiques et ses tests, à l'ordinateur et au raisonnement logique. **Le Symbolisme** est une revendication de subjectivité, d'irrationalité, de rêve, d'intuition et d'imagination. En cela, il s'appuie sur le Flux de Matérialisme qui fait des objets un signe d'identité : la consommation *d'images-de-soi* [1], que provoque la publicité, participe de ces deux Flux complémentaires. La tendance à l'Intégration en est proche sur la carte des Styles de Vie : le Symbolisme est une manière de partager l'idéologie sociale.

Ce Flux, comme la tendance au Naturel, marque l'axe essentiel d'une mutation culturelle qualitative représentée sur la carte des Styles de Vie par l'axe (vertical) d'évolution du Positivisme vers le Sensualisme. Il signifie le regain du psychologique sur le matériel, de l'image sur l'objet et de la sensation sur le stimulus : ce courant entre en conflit avec l'influence behavioriste dominante dans la culture anglo-saxonne.

Dans les centre d'intérêts sociaux : l'essor de la Science-Fiction en librairie (presque inexistante en 1960), des films fantastiques, du Yoga, du Zen, des arts martiaux et de la

1. Voir *Publicité et Société*, B. Cathelat, éditions Payot, 1976.

culture orientale, de la musique Pop et de ses variantes (musique « cosmique »), de la dynamique de groupe, de la Bio-Énergie, des groupes de rencontre (importés de Californie), des décors psychedéliques... Cette recherche de vie intérieure et d'exploration de soi, qui prend aussi parfois le sens d'une fuite du réel et d'une évasion sans retour, est aussi présente dans certaines formes de consommation de drogues. La considérable attraction des sectes marginales auprès des jeunes, à l'encontre des religions instituées, est un exemple de ce courant symboliste et mystique. Le Flux de Symbolisme est aussi et surtout une évolution du langage, souvent influencé par la publicité, avec le progrès de l'audiovisuel, de l'illustration, de la bande dessinée sur le langage écrit.

Cette tendance est encore minoritaire, mais elle est le signe d'une dynamique qualitative des modes de pensée et de vie. Elle reste cependant marquée par les stéréotypes anciens qui taxent de sensiblerie l'émotion et réservent le rêve aux femmes et aux vieillards (image de « la presse du cœur ») : cependant se manifeste chez 52 % des Français un mode de pensée sensible qui vient se démarquer du double réalisme des paysans et des technocrates.

**La période 1968-73 a marqué, conséquence de Mai 68, une importante poussée de Symbolisme** qui s'est traduit dans l'art (musique pop, vulgarisation de l'art abstrait, bande dessinée), la religion et les sectes religieuses ou mystiques, la littérature de science-fiction et les films sentimentaux...), fortement corrélée à la critique de la technologie et de la science par un néo-naturalisme romantique. Les conditions économiques, la crise des énergies et aussi des mouvements d'idées comme le consumérisme tendent à affaiblir ce Flux au profit d'une mentalité plus réaliste, rationnelle, analytique, sans cependant le faire reculer très sensiblement.

**En termes de Styles de Vie,** le Symbolisme est une valeur caractéristique des Sociostyles Paisible et Exemplaire, mais aussi des types Ambitieux, Jouisseurs et Dilettante.

# L'ÉQUILIBRE RÉALISME - SYMBOLISME

VALEURS PSYCHOLOGIQUES

| **Valeurs Récessives** | | **Valeurs Dynamiques** |
|---|---|---|
| Réalisme | → | Symbolisme |
| Rationalisme | → | Mysticisme |
| Raison | → | Émotion |
| Objectivité | → | Subjectivité |
| Pensée | → | Imagination |
| Quantitatif | → | Qualitatif |
| Mesure | → | Intuition |
| Réel | → | Rêve |
| Tête | → | Cœur |

POIDS SOCIOLOGIQUE

— en 1974 : 50,6 % des Français
— en 1977 : 52 %

ÉMERGENCE ACTUELLE équilibrée (1/2)
et stabilisée (+ 1,4 %)

INFLUENCE SOCIALE (1977) DU SYMBOLISME

| **Les moins sensibles** | | **Les plus sensibles** | |
|---|---|---|---|
| • les hommes | (40 %) | • les femmes | (64 %) |
| • les 15/20 ans | (41 %) | • les patrons | (75 %) |
| • les agriculteurs | (42 %) | • les grandes villes | (55 %) |
| • les cadres supérieurs | (41 %) | • les gens du Nord | (59 %) |
| • les ruraux | (48 %) | • et de l'Est | (56 %) |

LE SYMBOLISME DANS LES STYLES DE VIE (1977)

| **Les moins sensibles** | | **Les plus sensibles** | |
|---|---|---|---|
| • Entreprenants | (24 %) | • Paisibles | (71 %) |
| • Innovateurs | (20 %) | • Exemplaires | (61 %) |
| | | • Ambitieux | (72 %) |
| | | • Jouisseurs | (65 %) |
| | | • Dilettantes | (62 %) |

CORRÉLATION AVEC LES FLUX D'INTÉGRATION, DE MATÉRIALISME

## 7. Flux Culturel de Technique-Naturel (XIII)

« Communier à l'ordre naturel. »

**La Technique** fut portée au pinacle de la nouvelle culture dominante par sa participation magique au développement du niveau de vie. Considérée avec méfiance comme un outil, la guerre mondiale lui a donné ses lettres de noblesse : c'est par l'innovation scientifique et la productivité technique que « le bon droit a triomphé »; 25 ans plus tard la conquête de l'espace a marqué l'apogée de cette valeur. Privé (partiellement du moins) d'initiative par l'automatisation, de vue globale des problèmes par l'informatique, de maîtrise des phénomènes par la spécialisation scientifique, l'individu fut invité à faire acte de foi dans le caractère bénéfique des robots [1], leur capacité à libérer l'homme, à créer la civilisation des loisirs et à installer l'Eden sur terre.

Mais le paradis a paru long à venir aux ouvriers à la chaîne asservis au rythme du robot; et « la bombe », prélude à une débauche d'imagination militaire, vint révéler le revers de la médaille. La pollution d'abord ressentie comme un inconfort est devenue une obsession; l'épuisement des ressources naturelles une hantise à laquelle ne sait encore répondre que la manipulation de l'atome... Si les badauds s'arrêtent encore devant les bulldozers d'un chantier, la conquête de l'espace ne fait plus les gros titres des journaux. Un romantisme néonaturaliste s'allie aux recherches scientifiques pour constituer une lame de fond écologique. **C'est le Naturel.**

Ce Flux Culturel est typique de la rénovation de la mentalité de Recentrage et de sa mutation qualitative. Si la méfiance envers les machines et les savants est traditionnelle dans les campagnes, elle a désormais gagné les villes et les couches jeunes et cultivées de la France. Ce Flux doit être analysé en établissant la différence entre un fort dynamisme des attentes utopiques et une plus faible émergence des opinions et conduites effectives actuelles. On notera également dans cette tendance la conjonction d'un courant

1. Voir sur ce thème *Le livre des robots* de Isaac Asimov, avec lequel toute la science-fiction ou socio-fiction actuelle est en rupture.

vers « le naturel » (et non la nature au sens strict) et d'un courant contre la technique.

Dans les opinions, de nombreuses manifestations d'ordre idéologique participent de ce Flux : les organisations écologiques, la protection des sites et de la nature, et le Ministère de la Qualité de la Vie et de l'Environnement qui en institutionnalise la préoccupation (sinon l'action); les débats autour des centrales atomiques et des applications nucléaires; les discussions sur les limites de la science, sur les risques de l'informatique. Phénomène notable par sa portée symbolique, les travaux du Club de Rome sur les risques de la croissance économique et de l'exploitation des richesses naturelles, ont été financés par des industriels, traditionnellement partisans du progrès technologique illimité. La politique même s'en empare avec la découverte soudaine des « inégalités écologiques ».

Les loisirs témoignent de la même soif de naturel, que ce soit dans la fuite des villes vers des résidences secondaires ou dans la course au soleil en été et à la neige en hiver. Ces conduites révèlent combien cette tendance ne trouve aujourd'hui satisfaction que sur le mode symbolique : c'est la vie moderne, artificielle et automatisée qui est rejetée, mais les concentrations de vacances ne font que la reproduire, agrémentée d'un naturalisme symbolique.

La publicité a sans doute le plus fait et le plus tôt à la fois pour amplifier cette tendance et aussi pour la vider de son sens : car c'est dans la consommation qu'apparaît le plus clairement la contradiction fondamentale entre « nature » et « naturel ». Meubles rustiques, yaourts au lait entier, pâté à l'ancienne, bois blanc, soutien-gorge « poitrine naturelle », vins de terroir, fromages blancs à la scandinave, peaux de chèvres brutes, voitures de type tous terrains, sabots suédois, shampooing aux algues, herbes de Provence, barbecues de jardin, pavillons « à l'orée du bois », pure laine vierge et coton, sont autant de reflets imaginaires du mythe naturel.

L'évolution des attitudes n'en est pas moins réelle, et le consumérisme reprend le flambeau avec une autre conception plus positiviste du naturel, dans ses campagnes pour l'étiquetage fraîcheur, contre les eaux en bouteille plastique, contre les colorants chimiques et les animaux de boucherie engraissés artificiellement.

**Le Flux de Naturel apparaît actuellement en émergence positive et dynamique,** mais surtout comme une valeur commune, bien intégrée dans tous les groupes sociaux; il sera donc moins discriminant des Styles de Vie particuliers que par le passé, mais plutôt caractéristique d'un état d'esprit général.

**Les Sociostyles** les plus sensibles au Naturel sont cependant les Exemplaires, les Paisibles, les Ambitieux...

# DE LA TECHNIQUE AU NATUREL

VALEURS PSYCHOLOGIQUES

| **Valeurs Récessives** | | **Valeurs Dynamiques** |
|---|---|---|
| Technique | → | Naturel |
| Science | → | Écologie |
| Robot | → | Homme |
| Artificialité | → | Authentique |
| Industrie | → | Artisanat |
| Complexité | → | Simplicité |
| Modernisme | → | Rusticité |
| Superflu | → | Essentiel |

POIDS SOCIOLOGIQUE

— en 1974 : 52 % des Français
— en 1977 : 65,6 %

ÉMERGENCE ACTUELLE majoritaire (2/3)
et dynamique (+ 13,6 %)

INFLUENCE SOCIALE (1977) DU NATUREL

| **Les moins sensibles** | | **Les plus sensibles** | |
|---|---|---|---|
| • les hommes | (60 %) | • les femmes | (70 %) |
| • les 15/19 ans | (50 %) | • les plus de 65 ans | (81 %) |
| • les cadres supérieurs | (51 %) | • les patrons | (72 %) |
| • les gens du Nord | (51 %) | • les inactifs | (75 %) |
| et de Méditerranée | (57 %) | • les gens de l'Ouest | (72 %) |

LE NATUREL DANS LES STYLES DE VIE (1977)

| **Les moins sensibles** | | **Les plus sensibles** | |
|---|---|---|---|
| • Entreprenants | (58 %) | • Paisibles | (88 %) |
| • Dilettantes | (30 %) | • Exemplaires | (80 %) |
| | | • Ambitieux | (74 %) |

CORRÉLATION AVEC LES FLUX DE PASSIVITÉ ET RECENTRAGE

## 7.4. Flux et reflux

L'analyse psycho-sociologique des Flux Culturels fait apparaître la complexité du phénomène. La culture n'est pas un ensemble monolithique en évolution homogène vers une autre structure simple. Ces tendances dynamiques ne sont pas parallèles, elles peuvent diverger, voire s'opposer de façon paradoxale.

Il sera donc plus important, dans l'objectif d'une Prospective Sociale, d'observer la structuration des courants socio-culturels en ensembles cohérents que d'en analyser isolément le contenu. La mesure sociologique d'émergence de chaque Flux (réalisée par sondage à partir d'indicateurs d'attitude) indique la pénétration des nouvelles valeurs dans l'ensemble du corps social. L'objet de la mesure est un ensemble d'opinions, d'attitudes exprimées, de comportements rationalisés, forme habituelle du sondage sociologique.

Il faut donc distinguer comme deux phénomènes différents : d'une part **le dynamisme des Flux** comme courant profond, de longue portée, le plus souvent inconscient, et d'autre part **l'émergence des mêmes Flux,** comme manifestation apparente et conjoncturelle de ce dynamisme. Le diagnostic des Flux relève de l'observation et de l'interprétation qualitative; la mesure d'émergence doit faire appel au sondage quantitatif d'attitudes, d'opinions et de comportements.

Flux et reflux peuvent être spectaculaires (vers l'hédonisme, l'individualisme, la transcendance, le naturel...) ou discrets (stabilité relative du recentrage, de la mosaïque, du symbolisme...). Il est souvent difficile d'y décéler la part de la conjoncture et celle de la prospective sociale, sans le recul historique nécessaire.

On peut retenir de cette enquête comparative, portant sur TROIS ANNÉES D'ÉVOLUTION DES STYLES DE VIE DES FRANÇAIS, l'impact très important de **la conjoncture économique et politique.** Le profil d'émergence des Flux en 1974 était plus équilibré; il s'est radicalisé sous l'influence d'un sentiment de crise et d'urgence. Ce contexte peut expliquer les reflux constatés vers l'individualisme égoïste et la transcendance, comme la poussée de passivité qui correspondent à des mécanismes de défense; le renouveau des valeurs d'originalité correspond à l'attente d'une solution que l'on sait être radicale et hors des sentiers battus. Et simultanément l'inquiétude engendre des attitudes de jouissance, de dépense et d'expression de soi, en compensation symbolique de lendemains incertains...

On peut retenir aussi **la mosaïque des conceptions et des projets de modes de vie** que portent des Flux différents ou concurrents. Les femmes sont plus attirées par les valeurs d'hédonisme, de symbolisme, de discipline; les hommes se montrent plus sensibles au réalisme, à l'individualisme, à l'expression personnelle. Avec l'âge s'accroît la propension à la transcendance, à l'intégration et à la modélisation, à la discipline et à la hiérarchie. Avec la qualification professionnelle et le revenu croissant, l'influence des Flux de passivité, de recentrage, de symbolisme diminue et celle de la banalité, de la métamorphose et du libéralisme augmente, agriculteurs et cadres représentant les extrêmes.

Que signifient ces mesures dans le projet d'une Prospective Sociale de longue durée? On ne le saura pas avec certitude avant plusieurs années. Aussi l'essentiel est-il, pour observer avec objectivité les mouvements des Styles de Vie et non se laisser aller à des interprétations de commande ou de circonstances, d'accumuler périodiquement les enquêtes et de multiplier surtout les observations. Car c'est sur la scène de la réalité quotidienne que s'incarnent finalement ces tendances, en mots et en gestes, en organisations et en discours, en objets et en doctrines, plus que dans le cadre toujours artificiel d'un sondage.

La France est en mouvement sur tous les plans politique, institutionnel, économique, technique, et les Français s'adaptent à ces changements de leur cadre de vie par des mutations de Styles de Vie. **Le théâtre de la vie est l'indicateur majeur de ces évolutions.**

CHAPITRE 8

# Le théâtre du changement

Il est deux manières de rater un portrait : la première est l'ambition encyclopédique de situer le sujet dans son paysage et de saisir le tout de ses activités en une construction rigoureuse, et le sujet disparaît sous l'information atomisée; la seconde réside dans l'agrandissement minutieux d'un détail particulier jusqu'à en faire le personnage majeur, et le sujet disparaît sous le poids de la thèse. Ce livre a pris le parti de l'analyse d'un phénomène global, les Styles de Vie, au travers d'observations scientifiques rigoureuses. Mais il peut être utile aussi d'en décrypter les manifestations dans les événements de l'actualité et d'en saisir le reflet dans les miroirs institués de notre société.

« Mai 68 » est une date qui appartient à l'Histoire; et les commémorations dévotes qui marquent le 10e anniversaire ne manquent pas d'attribuer à cette révolution ratée tous les changements ultérieurs. Que signifie cette explosion dans la perspective des mutations culturelles? Quand et comment les valeurs, les normes et les modèles de Styles de Vie ont-ils évolué?

## 8.1 La « Nova » 68

Il arrive qu'une étoile jusqu'alors stable s'enflamme soudain et brille jusqu'à un million de fois plus, agitée d'explosions nucléaires. On a longtemps vu dans ce phénomène l'enfantement d'un astre neuf (novae stella) manifestant son énergie native; on sait maintenant qu'il s'agit de l'agonie d'une étoile vieillissante, brûlant ses derniers feux avant de s'effondrer épuisée en une naine rouge. **On l'appelle « une nova ».**

L'enthousiasme des commentaires impliqués et des interprétations militantes a fait de Mai 68 l'accouchement joyeux et douloureux d'une nouvelle culture, changement de cap radical par rapport aux 20 années précédentes. La question mérite d'être posée : début ou fin d'une culture, naissance ou agonie d'un Style de Vie? Qu'est-ce qui fut contesté en Mai et qu'est-ce qui fut conquis en juin? Et qu'en résulte-t-il?

Tout a commencé chez les privilégiés de l'expansion, les favorisés de la culture, les futurs cadres de la société, à l'université. Jeunes, cultivés, aisés pour la majorité, surinformés et vivant dans un tissu de relations stimulant, c'est le portrait-robot de **la jeunesse de la mentalité d'Aventure.** Et ces poussins élevés dans les grandes couveuses à cerveaux, marqués du sceau de l'intelligentia, promis à un avenir au moins intéressant et à l'abri du besoin, étaient destinés à vivre le plus intensément les espoirs, les contradictions internes et l'échec de la culture dominante dont ils étaient les plus beaux fleurons.

De nombreux facteurs déclenchants durent intervenir pour atteindre le seuil de catastrophe; mais l'un des plus importants fut l'entropie culturelle. A Paris (lieu de l'explosion première) capitale de la multitude anonyme où rien ne leur parle; dans une Sorbonne labyrinthique et bondée où les professeurs ne sont qu'une vague silhouette au bas d'un amphithéâtre; ou dans des baraquements de banlieue au beau milieu de terrains vagues; parquée en cités casernes et macérant dans la même incertitude, une génération était tout à la fois privée de modèles et inondée d'informations, de connaissances et de stimulations. C'est l'absence des maîtres qui les fit brûler et la carence des modèles qui les fit piétiner.

**D'abord la révolte est typique d'une idéologie de Progrès Optimiste** : revendication de liberté sexuelle, de droit à la parole, d'innovation, d'imagination, de plaisir, de fantaisie; critique de la hiérarchie, de la bureaucratie, des habitudes ancestrales et des traditions moyenageuses; parodie destructrice des principes transcendants, démythification des notables, transgression des tabous, remise en cause des traditions... Dans la fête iconoclaste même se retrouve le dynamisme joyeux que la mentalité d'Aventure prône depuis 20 ans.

« L'imagination au pouvoir », « les murs ont la parole », « faire l'amour et la révolution » sont typiquement des mots d'ordre de la France d'Aventure. Ce n'est pas à elle que s'attaquent les mutins mais au bastion sorbonnard, symbole de la France Utilitariste, administrative et bureaucratique, figée dans ses rites et ses habitudes, formaliste et monolithique... **Ce qui est alors réclamé est une accélération et une radicalisation des Styles de Vie d'Aventure.** Ceci peut expliquer l'écho favorable à cet appel chez les jeunes cadres dans des entreprises dynamiques; et l'incompréhension profonde du monde ouvrier et de bourgeoisie moyenne...

Mais la France de l'Aventure n'a rien entendu, trop absorbée à produire et conquérir; ou elle n'a rien compris à cette levée messianique. Aspirant à des modèles de leur temps, de leur savoir et de leur énergie, **les enfants de Mai n'ont rien vu venir,** que les guides traditionnels et la troupe.

Alors a commencé une réaction quasi-nihiliste de contestation tous azimuths, vidée de valeurs que personne ne voulait y reconnaître et privée de modèles qui se dérobaient. Les leaders de la France d'Aventure préférant pactiser avec les notables Utilitaristes au pouvoir, inconscients de la chance d'accélération de l'Histoire qui leur était offerte, ont conclu au désordre. Et le joyeux enthousiasme est devenu une triste anarchie, n'ayant pour toute utopie que d'exister, ralliant des marginaux et abandonnés de tous bords, que réunissait **le besoin angoissé d'un Style de Vie.** Barricades et occupations, graffitis et affiches témoignent du même besoin de se définir, de se faire reconnaître, de participer à la culture (assaillir pour être reconnu).

Des valeurs nouvelles alors sont apparues, à contrepied de la culture dominante, critiquant les modèles qu'on n'avait pas voulu leur reconnaître; mais il était trop tard. **Juin 68 échappait à cette minorité d'Innovateurs, d'Entreprenants, de Jouisseurs et de Dilettantes pour se transformer en lutte de classes bien organisée, codifiée et conforme aux traditions.** Les rêves qualitatifs ont fait place aux revendications quantitatives : entre notables se reconnaissant de même culture Utilitariste, la table ronde devenait possible; on ne demandait plus d'accélérer l'Histoire mais de replâtrer sa façade.

Mai 68 jusqu'aux barricades représentait une chance pour la France d'Aventure de s'installer pour longtemps en culture dominante et d'accélérer en sa faveur la mutation de la société. Mais les rouages de l'État, d'idéologie Utilitariste, furent les plus forts. **Et c'est finalement la mentalité de Recentrage qui a profité des retombées de l'explosion** et en a récupéré les bénéfices avec les accords de Grenelle : niveau de vie, pouvoir d'achat, droit syndical, participation, concertation, accords contractuels, c'est le langage et la pensée disciplinée, modélisée, matérialiste et coopérative de la France de la Sécurité Passive.

Les effets de « la Nova 68 » ne sont pas négligeables : longtemps encore les retombées des idées « révolutionnaires » se feront sentir; mais comme des éléments parcellaires et non en structure d'ensemble. On n'a pas hérité de Mai une nouvelle culture, un nouveau Style de Vie, mais seulement quelques-uns de ses accessoires dépareillés. Au contraire, **la Culture d'Aventure a montré ses limites :** son incapacité à fournir des modèles motivants à sa jeunesse et à se constituer en système social; elle demeure un état d'esprit important, mais trop individualiste pour concevoir son propre pouvoir et l'exercer.

**Mai 68 ne fut pas l'aube d'une culture nouvelle mais le premier signe d'essoufflement et d'impuissance des deux**

**cultures dominantes : la France Utilitariste incapable d'exercer le pouvoir et la France d'Aventure incapable de l'assumer.**

**Le renouveau de la Mentalité de Recentrage** a puisé son énergie dans les acquis matériels de juin 68 et dans la démonstration de son sérieux, de sa maîtrise, de son bon sens. Par ses organisations et ses leaders, la classe ouvrière a signifié un progrès culturel au-delà du progrès économique : elle a fait la preuve objective de son arbitrage entre les deux cultures en présence et a installé la sienne comme idéologie et mode de vie de compromis.

Traumatisée par l'échec de 68, la majorité de la jeunesse a abandonné les utopies et les ambitions d'innovation militante, de révolution radicale; et les générations suivantes abandonnent de plus en plus la culture d'Aventure pour la France de Recentrage qui, elle, sait proposer des modèles et des idéaux, et s'applique à combattre l'entropie.

## 8.2. Des hommes et des projets... la politique

La scène politique constitue l'un des lieux sociaux privilégiés de mise en scène des Styles de Vie, dans leurs rapports aux idéologies, aux modèles de société, au langage et aux conduites. Si les hommes y composent des personnages en style d'époque, si le langage s'y moule aux modes de pensée, c'est que pour l'électorat la politique relève directement de son Style de Vie.

A L'ÉVOLUTION DES MENTALITÉS RÉPOND DEPUIS 20 ANS LA PERSONNALITÉ DES LEADERS : lorsque la France du Recentrage, déjà ébranlée par l'après-guerre, se retrouva en situation de crise en 1958, c'est vers **un prophète et un sauveur,** le Général de Gaulle, qu'elle se tourna. Cette mentalité passive qui révère les héros, les dieux, les vedettes, ne pouvait se fier à un gestionnaire, un administrateur, un politique même; il fallait à sa sécurité un guide, un visionnaire hautain, lointain et directif, un héros au pouvoir charismatique, incarnant l'autorité que cette culture valorise. L'élu fut un archétype de la France Utilitariste, homme de principes et de rigueur, issu de noblesse et de paysannerie d'une région nationaliste, intransigeant et autoritaire, animé de grands desseins, dédaigneux des mondanités et des honneurs, mais attaché à l'ordre et à la hiérarchie, héros solitaire mais sachant s'attacher des fidélités aveugles, homme de discours et non de communication...

Appelé pour incarner et sauver la France éternelle, son empire et son prestige, son histoire et ses traditions, le Général de Gaulle dut assumer **un rôle de transition culturelle,** au-delà des règlements politiques. Il fut celui par qui la France se réduisit à l'hexagone; celui qui institua le pouvoir présidentiel et le circuit court de consultation par referendum; celui qui engagea la recherche atomique et le Concorde; celui qui lança l'idée de participation... Sa fonction socio-culturelle fut d'institutionnaliser l'existence d'une France de l'Aventure jusqu'alors marginale à l'État (opportunité qu'il ne sut comprendre et saisir en Mai 68). Mais cette tâche ne lui fut possible que parce qu'il incarnait par sa personnalité et son histoire la France Utilitariste et symbolisait en lui-même son sacrifice sur l'autel du progrès.

Avec M. Pompidou, successeur automatique, la politique entrait dans une phase de modélisation, de digestion et d'adaptation après « le choc du futur » imposé par le rythme de l'Histoire. Les Styles de Vie aspiraient à une expansion paisible, au confort, au plaisir, à la quiétude : son physique, son intelligence, sa culture, le personnage de bourgeois moderne et de gestionnaire avisé qu'il sut endosser répondaient à cette période culturelle de repos psychologique, comme le style de gestion technocratique qu'il institua.

**Après le prophète, homme de principes et d'idées, c'est le gestionnaire pragmatique,** réalisateur, bâtisseur, accumulateur, auquel s'identifient les Français : il incarnait le progrès matériel dans l'ordre et la sécurité, achevant la transition rassurante vers la culture d'Aventure.

L'élection présidentielle de 1974 a vu le conflit de deux profils d'homme, au-delà des choix de doctrine, qui ont partagé les Français en deux partis égaux. **Avec M. Giscard d'Estaing, se sont incarnés la diversité et les paradoxes des mentalités françaises :** à la France d'Aventure, il offre la jeunesse, le dynamisme, l'audace, la décontraction, le brio intellectuel, l'innovation permanente et l'originalité; à la France du Recentrage, il apporte le souci de la qualité de la vie et de l'environnement, le reformisme prudent, la tolérance et le respect des autres, le dialogue; à la France Utilitariste il donne l'aristocratie, le prestige du technocrate sorti des grandes écoles, le discours pédagogique, la rigueur. Ainsi se trouvent réunies en un personnage les valeurs contradictoires des trois Frances; sa campagne électorale s'est largement appuyée sur cette mosaïque de facettes personnelles, et l'électorat flottant et a-politique, qui a fait la décision, y fut sensible.

**Mais c'est aussi l'incertitude culturelle de la France qui se reflète dans son Président.** Symbole d'abord d'une société de l'Aventure qui se montre en déclin, il doit sans cesse voler d'un Style de Vie à l'autre, faute d'incarner un courant dominant (conversation au coin du feu, décontracté, sur fond d'anémones; cours professoral au tableau noir; discours en costume sombre sur mobilier d'époque; débat avec des jeunes; interview journalistique...). La difficulté de ce rôle de reflet éclaté du kaléïdoscope des mentalités réside dans son équilibre : toute initiative choque l'un ou l'autre des modes de pensée (il suffit de lire la presse pour y découvrir les critiques contradictoires). Mais le problème essentiel pour un homme d'État est d'exprimer la culture dominante, son poids et son dynamisme pour les appliquer aux faits (ce que l'on appellera en politique incarner le destin national, l'âme du pays, le génie français...). Et le septennat de M. Giscard d'Estaing est le miroir d'une Socio-Structure en changement, dans une période transitoire entre deux courants de pensée concurrents et deux modèles de vie antagonistes.

L'homme politique à travers sa personnalité, sa doctrine, son savoir-faire, par le fait même qu'il a été élu, est

# AFFICHES POLITIQUES

Témoins de la sensibilité
des partis aux styles de vie.

La victoire du programme commun,
une vie plus heureuse, c'est votre affaire.
-Adhérez au parti
communiste français.

La victoire du programme commun,
une vie plus heureuse, c'est votre affaire.
-Adhérez au parti
communiste français.


POUR CHANGER
NOTRE VIE
POUR DE BON
NATIONALISONS POUR
DE BON.

Oui, le Programme commun !

PARTI COMMUNISTE FRANÇAIS

**Campagne été 77.**
Hétérogénéité entre
des appels "positivistes"
et "sensualistes".

**Campagne 76.**
Appel à la tendance
harmonique.

**Campagne été 77.**

Appel à la diversité
des mentalités.

un symbole vivant du (ou des) modèle(s) de pensée majeur(s), c'est-à-dire de l'idéologie du pays. **M. Mitterrand apparaît avec une personnalité publique différente, signifiante essentiellement de la culture actuelle de Recentrage et de perspective Harmonique.** Il s'est formé une image plus homogène (donc plus exclusive aussi) de sage, calme (ce qui représente une correction d'image très importante) et prudent, attaché à ses idées, ne décidant qu'après mûre réflexion, réformiste plus que révolutionnaire, soucieux de « changer de vie » plutôt que le monde, enraciné dans la province et attaché à la nature, cultivé et rustique à la fois, précis et rigoureux mais sensible et lyrique. On retrouve dans ce portrait les valeurs essentielles de la micro-culture prospectivement la plus dynamique [1].

Deux types de personnages s'opposent donc nettement, non seulement par leur personnalité et leur doctrine, mais par le reflet de la France qu'ils offrent à l'électorat. C'est un choix personnel; c'est un choix stratégique; c'est un choix politique : faut-il apparaître comme celui qui rassemble, jusque dans les contradictions de mentalités et de styles (c'est l'image de M. Giscard d'Estaing) ou celui qui cristallise le mouvement culturel (c'est l'image de M. Mitterrand)?

LE DISCOURS POLITIQUE lui-même témoigne de cette nécessité pour l'homme politique de prendre en compte l'état et la dynamique des Styles de Vie.

Une affiche de 1977 intitulée « Le socialisme, une idée qui fait son chemin » montrait M. Mitterrand sur une plage déserte, dans le vent, sous un ciel lourd, dans une posture de promenade méditative. On y retrouve tous les symboles des valeurs de Recentrage et d'Harmonie.

Au contraire une campagne d'affiches en faveur du RPR et de M. Chirac (publiée en août 1977) s'applique à répondre à tous les modes de pensée : « Oui à la France

1. Voir ci-dessous : chap. 9.

Libre » (l'Arc de Triomphe et le drapeau) pour les Conservateurs; « Oui à la France qui invente » (Concorde) pour les Innovateurs; « Oui à la France du bon sens » pour les Exemplaires et les Moralisateurs; « Oui à la France qui ose » (un alpiniste) pour les Entreprenants; « Oui à la France qui gagne » (Guy Drut) pour les Ambitieux...

Ainsi le discours politique, dans la mise en scène des hommes comme dans la propagande, se fait-il nécessairement **le miroir d'un état social :** la doctrine politique rencontre l'idéologie [1] populaire pour se confronter à elle.

On a beau jeu de railler le combat de coqs de M. Chirac (« la France qui ose ») et de M. Marchais (« Fabriquons Français ») sur le terrain du « national chauvinisme, du nationalisme étriqué et petit bourgeois [2] », et de faire le rapprochement avec la campagne publicitaire d'une marque d'essence (Total) qui arbore des couleurs non moins cocardières, bien pensantes et rassurantes : « C'est beau chez nous, c'est romantique chez nous, c'est bonhomme chez nous... » Ce n'est pas par hasard si ces thèmes sont mis en avant au même moment par des professionnels du marketing politique ou commercial; ils correspondent à un profond courant protectionniste, isolationniste, chauvin, passif et psychologiquement conservateur que l'on décrira dans le chapitre suivant, comme **Perspective Harmonique.**

La parole politique, trahissant peut-être sa mission doctrinale, est aussi le reflet d'un état des mentalités de l'électorat; peut-elle y échapper? Est-ce « un de ces visages grimaçants dont l'histoire, à plusieurs reprises, affubla la France [2] »? Alors intervient le jugement et le choix politique qui peuvent faire que la Politique ne soit pas seulement la grande catharsis psychodramatique de la collectivité; mais il n'est pas inutile de reprendre conscience parfois que la matière de la parole et de l'action publiques est le Style de Vie des citoyens, et qu'elles ne peuvent s'en décharger par une simple négation.

1. Au sens premier de modèle de pensée et de valeurs.
2. « Nouvel Observateur », n° 669 (septembre 1977).
« La France du cocorico », article de G. Mamy, dessin de Wiaz.

C'EST DE CETTE PERCEPTION DES LEADERS OU DES PARTIS POLITIQUES COMME INCARNATION D'UN STYLE DE VIE PRÉFÉRENTIEL, prélude à un modèle de société d'avenir, que résulte leur potentiel de confiance dans le public d'électeurs.

Les plus récentes enquêtes de Styles de Vie du CCA [1] ont permis d'évaluer la correspondance entre les images des hommes ou partis politiques et les perspectives de Styles de Vie des Français. *Il ne s'agit en aucun cas d'intentions de vote ni d'adhésion à un programme;* la question posée était : « A qui feriez-vous le plus confiance pour réaliser les priorités d'avenir qui sont les vôtres [2]? *Ces données se limitent à une évaluation de confiance prospective en termes d'évolution souhaitée des Styles de Vie :* elles sont à mettre en rapport avec les perspectives pour l'Horizon 85 exposées dans le chapitre suivant.

PARMI LES PARTIS, c'est **le Parti Socialiste** qui jouit de la plus grande confiance prospective, pour réussir l'évolution sociale souhaitée (45,4 %), surtout auprès des hommes (54 %) et des personnes de 25 à 50 ans (52 %); au 2e rang vient **le Parti Républicain** (ex RI) avec 30,6 %, chez les hommes comme les femmes, surtout chez les retraités (42 %) et moins chez les jeunes de 20/25 ans (20 %). **Le RPR** (ex UDR) obtient 22,8 % de confiance prospective, répartie également dans les différents groupes sociaux. **Le Parti Communiste** obtient 19,3 %, chez les hommes surtout (24 %) et le moins chez les retraités (7 %). **Les Réformateurs** 14 %; **les Radicaux de Gauche** 11 %; **le CDS** 10 %.

DE MÊME EN CE QUI CONCERNE LES PERSONNALITÉS POLITIQUES NATIONALES (la notoriété joue un rôle important dans ces réponses) :

— **M. Mitterrand** bénéficie de la meilleure confiance (33,5 %) surtout auprès des hommes (39 %), des jeunes de 15 à 35 ans (39 %), des cadres moyens (37 %), employés (39 %) et ouvriers

1. D'avril à juin 1977 auprès de 4 500 personnes de plus de 15 ans.
2. Deux réponses étaient possibles; le pourcentage dépasse donc 100 %.

(36 %); et surtout dans les grandes villes (36 %), le Sud-Est (42 %), la Méditerranée (38 %) et l'Est (39 %).

— **M. Giscard d'Estaing** obtient 31,9 % de confiance, principalement chez les femmes (33 %), les retraités de plus de 65 ans (48 %), les agriculteurs (43 %), les inactifs (39 %); dans les villes moyennes (38 %), dans le Nord (38 %) et le Sud-Ouest (34 %).

— **M. Barre** jouit du 3e rang de confiance (23 %) surtout chez les personnes âgées (38 %), chez les agriculteurs (33 %) et cadres supérieurs (33 %), en zone rurale et dans les petites villes.

— **M. Marchais** obtient 15,6 % de confiance prospective, de la part des hommes surtout (21 %), des jeunes de 20 à 25 ans (27 %), des ouvriers (22 %), dans l'Ouest (21 %) et en Méditerranée (25 %).

— **M. Chirac** est classé en 7e position (12,7 %), préféré par les femmes (15 %), les 15/20 ans (17 %), les agriculteurs (15 %), les Parisiens (17 %) et les gens du Sud-Est (19 %).

— On notera également le haut niveau de confiance prospective dont bénéficient **Madame Veil** (13,2 %); **M. Rocard** 13,7 %; **M. Poniatowski** 7,3 %; **M. Servan-Schreiber** 5,6 %; **M. Royer** 5 %...

*Ces données n'ont aucune valeur électorale directe* mais indiquent dans quelle mesure les électeurs trouvent le reflet de leurs préoccupations actuelles et de leurs aspirations prospectives dans les appareils politiques. Ainsi l'homme politique est-il nécessairement inscrit dans la prospective socio-culturelle; et il s'agit d'une prospective concrète, formalisée en souhaits, en projets et en programmes, qui sont la matière même du jeu politique.

**Les Français qui font confiance à M. Giscard d'Estaing** pour l'avenir sont les plus attirés par la sécurité matérielle dans leurs priorités d'avenir (21 %)[1], la conservation de leurs biens et la consommation accrue; par le maintien et le renforcement de l'ordre, de l'autorité de l'État et des parents (21,5 %). Ils se montrent les moins mobilisés par l'amélioration de la qualité de la vie (5 %) et de l'harmonie des rapports sociaux (7,6 %); de même ils manifestent le plus faible besoin de sécurité psychologique et de prise en charge par la collectivité (13,5 %); mais ils rêvent de voir se développer l'expansion et le rayonnement de la France dans le monde, principalement par la stimulation de l'esprit d'entreprise personnel (14 %).

**Les partisans de M. Chirac,** de façon cohérente avec les données précédentes, sont les plus mobilisés par des projets d'expansion et de rayonnement national (16,5 %); ils sont partisans d'un ordre social renforcé (15,7 %); mais ils sont moins intéressés par les objectifs de qualité de vie (6,5 %), de protection de la nature et de l'environnement (12,5 %), par l'harmonisation des rapports de classes (6,6 %); ils manifestent moins un besoin de sécurité matérielle dans l'avenir (13,8 %) que de tranquillité psychologique (24 %).

**A l'opposé sur l'échiquier politique, les partisans de M. Marchais et du Parti Communiste** se caractérisent par une grande sensibilité à l'amélioration concrète et quotidienne de la qualité de la vie (14 %), durée des trajets et du travail par exemple, et à la protection de l'environnement qui la conditionne (16,2 %). Ils sont attirés par l'ordre social (15 %), plus que les Socialistes (10 %) mais moins que les électeurs de la Majorité (21 %). Ils se montrent les moins sensibles au rayonnement et à l'expansion de la France (8,8 %), mais ils sont les plus intéressés à la lutte contre le chômage comme première priorité (12 %) et à la réduction de la durée du travail.

1. Il s'agit de priorités d'avenir choisies par les interviewés sur une liste de plus de 50 propositions : ceci explique les pourcentages relativement faibles, mais qui expriment des choix prioritaires de forte implication psychologique. Les pourcentages indiquent avec quelle fréquence un thème est classé dans les 5 priorités.

**De façon voisine, les électeurs qui accordent préférentiellement leur confiance prospective à M. Mitterrand** s'affirment les plus sensibles à des projets d'organisation de la vie sociale pour améliorer la sécurité psychologique des personnes (25 %) et aménager des relations harmonieuses entre groupes sociaux (10 %); ils sont les plus mobilisés par la protection de l'environnement naturel et urbain (18 %); ils se montrent peu sensibles au renforcement de l'ordre (10,5 %), moins que les Communistes notamment (15 %), et peu intéressés par le prestige national (9,5 %).

**Les partisans de la Majorité de Droite** (RPR, PR, Centristes) manifestent un projet de Styles de Vie, et donc un projet de société, d'expansion nationale dans l'ordre d'abord, mais se montrent moins sensibles que **les partisans de la Gauche** (PC, PS, MRG) aux progrès de qualité de vie, à la protection de la nature, à l'humanisation urbaine, à la recherche de l'harmonie sociale par le dialogue et à la sécurisation des personnes par une prise en charge de la collectivité. **La Gauche apparaît donc plus fortement portée par les courants dynamiques vers une « Perspective Harmonique » (qui sera décrite au chapitre suivant comme l'avenir proche le plus probable des Styles de Vie en France), et en particulier le PS.**

**Existe-t-il une psychologie « de Droite » et « de Gauche »?** On observe bien, sur l'ensemble des valeurs de Styles de Vie, une différenciation des électorats, en termes de Flux Culturels porteurs. Les personnes favorables à la Gauche ou à ses leaders sont « en avance » sur les Flux de banalisation, de mosaïque, de permissivité libérale, de coopération solidaire et de retour à la nature. Au contraire les tendances à la modélisation conformiste, au symbolisme, au recentrage passif, au matérialisme et à la jouissance sont significativement caractéristiques des partisans de MM. Giscard d'Estaing, Chirac et Barre.

Des conflits de valeurs peuvent apparaître [1], comme par exemple entre Communistes animés d'une mentalité d'exten-

1. L'actualité récente le démontre...

# LA DYNAMIQUE DE LA FRANCE POLITIQUE

*Carte 6*

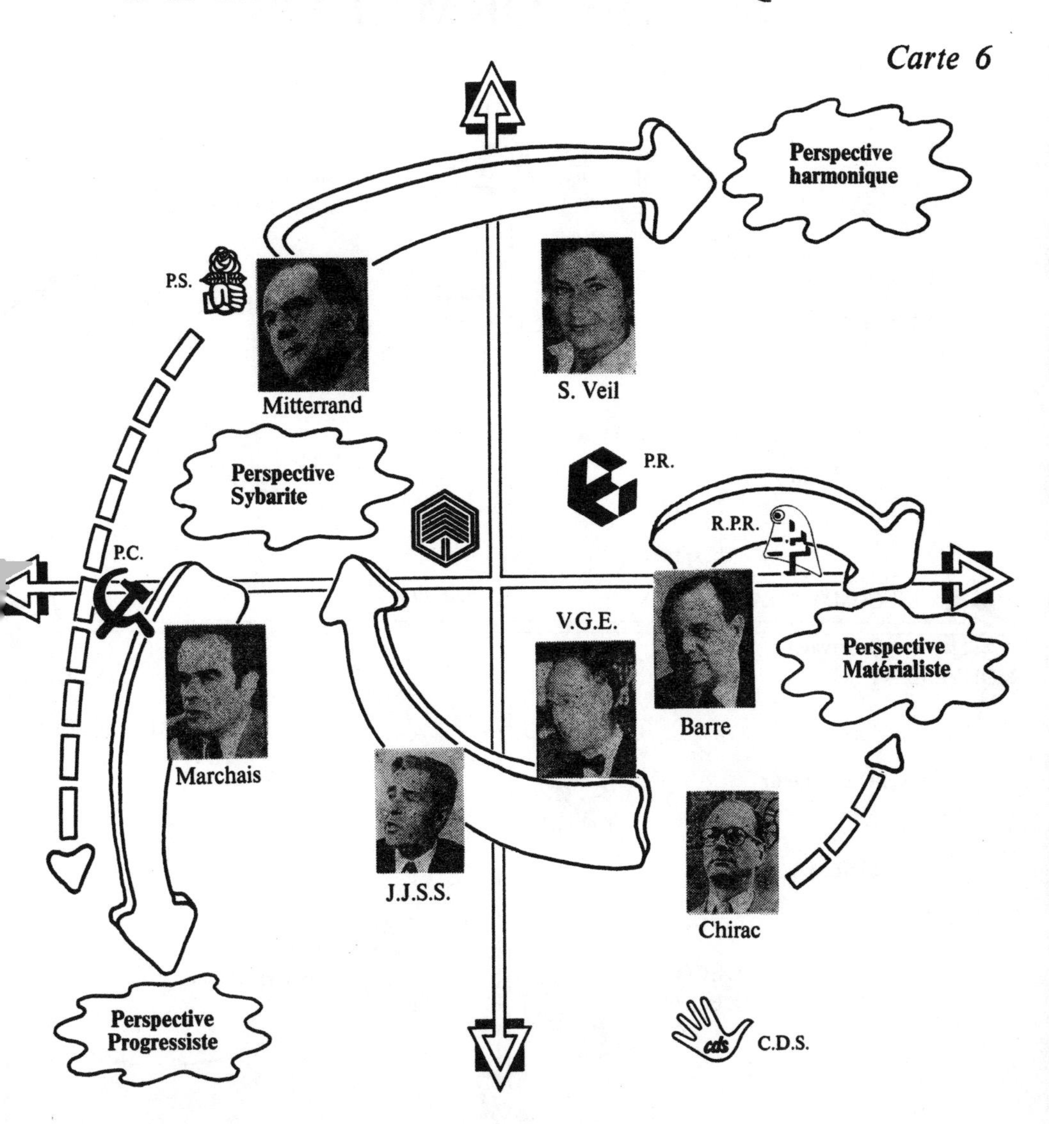


## Droite et Gauche?

Les positions sur cette carte montrent qu'il existe bien aujourd'hui une Mentalité de Droite, plus proche des valeurs d'utilitarisme conservateur, et une Mentalité de Gauche, plus innovatrice et entreprenante. Mais les flèches indiquent quelle image d'avenir est attachée à chaque parti:

- le PS incarne le mieux la perspective harmonique d'une société de qualité de vie, équilibrée et sans conflit, protectrice;

- le PC plutôt un avenir dynamique vers une société rationnelle, ordonnée et rigoureuse (à l'encontre de l'évolution des Styles de Vie);

- la Majorité de Droite, symbolise de façon ambiguë un avenir harmonique et un avenir sybarite.

# LA FRANCE DE L'INFORMATION

*Carte 7*

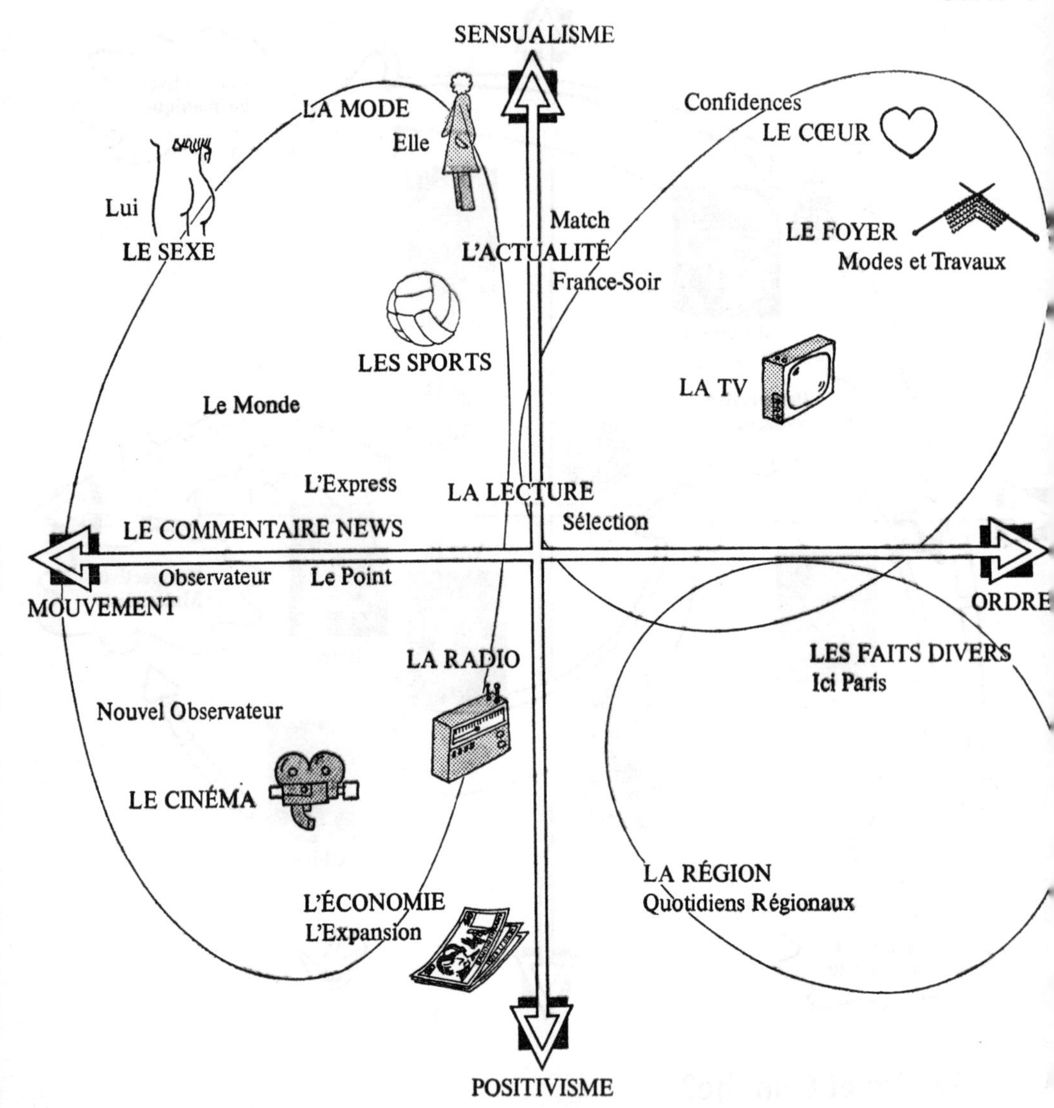


## Des mentalités et des centres d'intérêt

La France de l'Aventure est la plus grosse consommatrice d'informations, la plus active et curieuse, la plus sensible à la qualité de présentation: le cinéma plus que la télévision et la radio, les magazines de luxe, et surtout les hebdomadaires d'informations et de commentaires y trouvent leur audience.

La France du Recentrage est plus attirée par le spectacle passif de la télévision et par la presse pratique.

La France Utilitariste apparaît sous-informée, caractérisée surtout par la presse quotidienne et secondairement la T.V.

sion, d'un esprit d'entreprise conquérant, et Socialistes plus attirés par le recentrage, la paix, l'équilibre, l'harmonie; mais ces oppositions de modes de pensée restent peu nombreuses. De même des mentalités plus radicales apparaissent, caricaturant les valeurs extrêmes de Styles de Vie, dans des groupes minoritaires qui accordent préférentiellement leur confiance à des « leaders de segmentation » comme MM. Royer, Debré ou J.-J. Servan-Schreiber pour la Majorité, Mme Veil pour le gouvernement ou M. Rocard pour l'opposition actuelle.

Ainsi l'homme politique joue-t-il le rôle d'incarnation actuelle et future de Styles de Vie; et **ce que l'on appelle « choix de société » est psychologiquement entendu comme choix de mode de pensée et de vie...**

## 8.3 Des mots et des images... les media

Toute société se définit comme telle par une « **Economie de l'Information** [1] » : un système régulateur des échanges comparable au fonctionnement physiologique d'un organisme vivant. C'est par cette organisation que se constitue et se perpétue une culture, par des processus d'alimentation, de digestion, de rétention, d'expulsion... Aucune culture ne saurait exister sans cette *Éco-Information* [2], c'est-à-dire sans un mode d'apprentissage auprès des autres cultures, sans un mode de diffusion des normes, des valeurs et des principes, sans un mode de conformation des Styles de Vie; **c'est la pédagogie sociale.**

En tout temps et en tout lieu, la culture s'incarne en un langage, une idéologie, des modèles de pensée, des objets, des modes, des schémas de comportement. Et les mass

1. Voir *Pour une prospective sociale*, IIe partie, chap. 2 à 4.
*L'Économie de l'Information* est la quantité et la qualité des informations diffusées dans une société, leur provenance, leur mode d'expression, leur libéralisme ou leur conformisme, leur permissivité ou leur censure...

2. Le terme *information* est utilisé dans son sens le plus large : non seulement les nouvelles, mais aussi les pages de modes, les interviews, les jeux, les sports, les conseils pratiques... tout ce qui fait le contenu d'un journal, d'une revue ou d'un programme de radio ou de T.V.

media sont les instruments de cette organisation : par eux sont sélectionnées les informations en provenance d'autres cultures; par eux sont promues ou censurées les innovations et les expériences; par eux sont donnés en exemple les héros, honnis les méchants, exaltés les modèles et enseignés les modes de pensées et de conduites « normaux »...

Si la liberté de l'information existe (ou peut exister) au niveau d'un journaliste ou chez un lecteur, dans un titre particulier sur une information particulière, elle s'exerce dans le cadre d'une fonction sociale générale. Les mass media sont des agents culturels chargés d'un rôle régulateur pour l'équilibre de la culture, avant d'être la libre expression d'individus.

**L'observation des media révèle d'une part le type d'Eco-Information d'une société et d'autre part le panorama de ses Styles de Vie.** L'ensemble des supports d'information collective, quelle que soit leur technologie, est le miroir et le moteur à la fois de la culture à travers ses mots et les images. La technologie des media est elle-même un fait culturel où l'on peut faire la part de l'oral, de l'écrit et de l'image dans les modes de pensée, de la rationalité et de l'imaginaire, de la démonstration ou de la description... Le nombre des media et supports indique le degré de diversité des Styles de Vie et la tolérance de la Sociostructure à l'utopie des *Endostimuli* [1]. Leur diffusion quantitative et leur pénétration indique la stratification de la Sociostructure en sous-cultures particulières; et leur duplication (le nombre de journaux, émissions de radio, de T.V. consultés par un même groupe de personnes) est significative du monolithisme ou de l'ouverture des esprits

## LA FLORAISON DES MEDIA

Les Styles de Vie en France depuis 30 ans ont été marqués par plusieurs phénomènes notables. Le plus specta-

1. (Voir *Pour une prospective sociale*, IIe partie, chap. 2 à 4.)
On oppose des *Exostimuli*, informations en provenance de cultures étrangères et très opposées aux Styles de Vie actuels locaux, et des *Endostimuli*, informations innovatrices, contestataires, marginales en provenance de Styles de Vie originaux, au sein de la même culture.

culaire est l'avènement et la rapide extension de **la télévision**: elle apporte dans toutes les régions, toutes les classes sociales et à tous les âges la même « bouillie » (au sens d'alimentaire... et peut-être au sens gastronomique?) culturelle; elle ouvre à tous des horizons inconnus vers des époques et des civilisations étrangères (des émissions culturelles au western), vers des sujets inconnus ou exotiques (de la vie des animaux à l'opéra); elle fait communier le microcosme familial aux grandes messes internationales, en direct et en couleurs (du jubilé de la Reine aux Jeux Olympiques, du premier pas sur la lune aux funérailles de Kennedy).

Négligeant le phénomène des Styles de Vie, on en attendait une homogénéisation rapide des mentalités autour du mythique « Français moyen » enfin incarné sur le petit écran; on prévoyait même une tribu planétaire nourrie de la même culture audio-visuelle, transcendant les langues par l'image, les modes de pensées par l'émotion et les habitudes de vie par l'exemple gestuel... Les cultures, et notamment en France, ont mieux résisté que prévu à cette pression monolithique par la protection de leur identité et la revalorisation de leur diversité. L'éclatement du monopole en chaînes concurrentes, le repositionnement de la radio par rapport à la télévision, les appels à la limitation des films et des émissions importés, au profit de créations nationales, les tentatives récentes et l'avènement prochain de chaînes privées, de stations locales ou spécialisées sont **les indices de cette réaction du système d'Eco-Information pour sauvegarder sa spécificité culturelle.** On a trop considéré la magie audio-visuelle de la T.V. comme un phénomène unique et monolithique, sans assez tenir compte de sa souplesse à répondre par la diversification aux tendances à la Mosaïque. D'importants progrès technologiques viendront accentuer « le phénomène télévision » (diffusion internationale par satellites, conservation des émissions sur magnétoscope, écrans de plus grandes dimensions, généralisation de la couleur, ...), mais avec son perfectionnement il faudra toujours plus le considérer comme un phénomène pluriel et un media souple, comme a su l'être la presse.

**Car les media écrits ne sont pas morts** de l'essor audio-visuel, comme on l'avait trop vite prédit. La presse quotidienne, régionale en particulier, a gardé son potentiel de confiance et de fidélité; les regroupements et les disparitions de titres ne doivent pas cacher qu'il s'agit sans doute du medium d'information le plus important encore, à la fois par sa diffusion et sa fonction sociale. La presse périodique a connu un succès remarquable : si certains magazines (comme « Paris-Match ») se sont vu directement concurrencés par le spectacle informatif de la T.V., les carences mêmes de la télévision ont relancé l'intérêt des magazines de commentaires et de digests informatifs (les news-magazines comme « Le Point », « L'Express », « Le Nouvel Observateur »), des magazines et journaux d'opinion, des magazines spécialisés par centres d'intérêt ou par types de Styles de Vie. A la télévision trop monolithique répond aujourd'hui une floraison de media écrits remplissant tous une fonction d'identification et de personnalisation du lecteur.

Ainsi peut s'exprimer la diversité des Styles de Vie des Français dans la variété de la presse écrite, alors qu'est dévolue à la T.V. la fonction d'unification et de cohésion culturelles.

## LES FONCTIONS DES MEDIA [1]

On peut distinguer, dans le système d'*Eco-Information*, plusieurs fonctions psycho-sociologiques des media. Elles indiquent quel rôle vient jouer chaque type d'information dans la pédagogie culturelle pour faire participer chaque individu aux Styles de Vie. Chaque organe d'information remplit toutes ces fonctions, mais un rôle particulier domine sa « mission » culturelle. L'observation sociologique et l'analyse du contenu informatif permet de révéler la fonction essentielle de chaque mass-media; on peut aussi mesurer la conscience de ce rôle social dans l'esprit de leur audience et du public en général [2].

1. Cette typologie de fonctions psychologiques et sociologiques des media est développée dans *Pour une prospective sociale* (II^e partie, chap. 4.)

2. Enquête « Media-Styles de Vie » du Centre de Communication Avancé, réalisée en 1977 auprès de 4 500 personnes.

1. **Une « fonction d'ECHO »** caractérise les media qui sont le reflet conformiste des Styles de Vie en place : l'information diffusée n'a pas pour but de les déranger ou de les modifier, mais de les renforcer et les protéger. Ces supports sont d'abord des filtres censeurs, des remparts conservateurs contre les événements étrangers à l'habitude : chacun doit s'y reconnaître et y reconnaître son monde immuable, stable, ordonné et sécurisant. Ces media ne sont pas d'information nutritive pour la culture mais de conformation : leur fonction est de refléter la familiarité, à la fois dans leur contenu et leur langage. *Ils sont des miroirs.*

Cette fonction est celle de la Presse Quotidienne Régionale et de « France-Soir » (surtout pour ses lecteurs réguliers); c'est celle des hebdomadaires à sensation (« France-Dimanche » et « Ici-Paris ») et de magazines familiaux comme « Le Pélerin », « La Vie », marqués philosophiquement comme l' « Humanité-Dimanche »; c'est celle de la Radio (Europe I, RTL et France-Inter) et de (« TF 1 ») en télévision.

2. **Une « fonction d'ANTENNE »** consiste au contraire en un apport d'informations stimulantes, dérangeantes pour stimuler l'innovation du lecteur, remettre en cause son Style de Vie actuel et sa vision du monde, le provoquer à évoluer pour s'adapter. Ces media jouent un rôle alimentaire d'apport de nouveauté : c'est par eux que sont ébranlées et interrogées les certitudes des mentalités dominantes. *Ils sont « les explorateurs » des Modes de Vie étrangers.*

C'est une fonction rarement incarnée par les supports actuels; surtout par « Sélection », « Sciences et Vie », par « Paris-Match »; les lecteurs de l' « Express » y voient la fonction principale de leur titre; c'est celle de (« Antenne-2 ») en télévision.

C'est pour le sociologue la fonction dominante de la TV depuis 20 ans, par qui arrivent des informations jusqu'alors confidentielles ou inconnues ou lointaines dans chaque foyer; mais ce rôle de fenêtre ouverte sur le monde dans le temps et l'espace est « habillé » d'un style de communication familier : le langage de la télévision, intimiste, filtrant, atténuateur, transforme l'information la plus brutale en « écho » rassurant, même dans les journaux télévisés, organes de non-information majeurs...

3. **Une « fonction d'AMPLIFICATION »** définit les media dont le rôle est de dramatiser les évolutions de Styles de Vie et de signaler les déséquilibres de la Sociostructure. Ces informations sont le théâtre du changement où se lisent au jour le jour les secousses d'une société qui change dans ses modes de pensée et de vie quotidiens. *Ces media sont « les guetteurs » du changement.*

C'est la fonction attribuée le plus souvent aux news-magazines (l' « Express », le « Point », le « Nouvel Observateur »), aux grands quotidiens parisiens, à l' « Humanité-Dimanche » (sauf pour ses lecteurs réguliers); c'est le rôle dominant des magazines économiques (Le « Nouvel Économiste », « Expansion », « Valeurs Actuelles »).

4. **Une « fonction de FOCALISATION » (ou FOCUS)** identifie les supports de commentaire, de réflexion, de synthèse et de proposition. Leur rôle est idéologique : proposer de nouveaux modes de pensées, installer de nouvelles valeurs par une analyse de la réalité et de ses changements. C'est par eux que se définit la culture dominante et que se répandent les Flux Culturels dynamiques. *Ils sont « les philosophes » de l'information.*

C'est le rôle qu'on attribue au journal « Le Monde » et que leurs lecteurs réguliers confient au « Nouvel Observateur », au « Point », à l' « Express ». C'est aussi la fonction dominante d'une revue comme « Cosmopolitan » aux yeux de ses lectrices.

5. **Une « fonction de PRISME »** qui décrit le rôle pédagogique de media spécialisés et personnalisés qui conseillent et guident le public dans l'évolution des modes de vie. Par eux s'installe une pédagogie quotidienne, une vulgarisation

pratique des idéologies culturelles : *ils sont « les guides » du changement.*

C'est l'image des magazines féminins (« Elle », « Marie-Claire », « Marie-France », « Femme Pratique »), de périodiques spécialisés comme « Parents », « 100 Idées », l' « Auto-Journal »; c'est le rôle des journaux économiques (« Valeurs Actuelles », le « Nouvel Économiste ») pour ceux qui ne les lisent pas...

6. **Une « fonction de SUBLIMATION »** définit les media qui contribuent à idéaliser la vie quotidienne et à révéler les modèles idéaux des Styles de Vie à travers les événements, les personnes et les objets de conjoncture. En idéalisant, ils sanctifient les valeurs de la culture dominante et les rendent attractives. *Ils sont les artistes de la culture.*

C'est une fonction qui est peu perçue par le public. On l'attribue comme rôle dominant à « Jours de France », et comme rôle secondaire aux journaux de mode (« Elle », « Marie-Claire », « Marie-France », « Modes de Paris », l' « Écho de la Mode »), à la presse à sensation et aux magazines de jeunes (« Hit », « OK Age Tendre ») où les vedettes idéalisées jouent un grand rôle. C'est aussi le rôle attribué au Cinéma.

7. **Une « fonction d'EVASION »** tient lieu de soupape de sécurité : car le rêve, la transgression, la fuite, le refus de la vie quotidienne et des contraintes conformistes sont aussi prévus et codifiés par les Styles de Vie. *Ils sont les « poètes » de la culture.*

C'est la fonction de la presse du cœur (« Confidences »), des magazines comme « Cosmopolitan » et « Lui », des journaux d'adolescents (« Hit », « OK Age Tendre »). C'est une fonction aussi reconnue au Cinéma.

Ce n'est pas par hasard ou au seul gré d'initiatives privées que se fondent et prospèrent les organes d'information : ils viennent répondre à un besoin d'alimentation ou de conservation, d'innovation ou de conformisme, de synthèse idéologique ou de diversification pratique pour le meilleur équilibre de la Sociostructure en mosaïque d'une culture ouverte, comme la nôtre aujourd'hui. Et selon leur fonction, les divers media se font supports de Flux, de valeurs, de Styles de Vie particuliers dont ils deviennent le symbole.

## LES STYLES DE VIE DES MEDIA

La même enquête permet d'observer comment chaque support est associé préférentiellement à un ou plusieurs Sociostyles ou, plus clairement encore, à une mentalité microculturelle particulière. C'est l'image du **Style de Vie du lecteur-type** (ou auditeur ou spectateur), perçue par lui-même ou par l'ensemble de la population, qui caractérise la place attribuée au support dans la compétition des Styles de Vie.

**Les champions de la France d'Aventure,** qui est encore actuellement la culture dominante, sont les news-magazines : l' « Express » avec une image d'Entreprenant (mais aussi d'Exemplaire de la mentalité de Recentrage); le « Point » une image d'Entreprenant et d'Ambitieux, et le « Nouvel Observateur » une image d'Entreprenant, de Jouisseur et de Dilettante; les magazines féminins de mode identifiés au Style de Vie Jouisseur (« Elle », « Marie-Claire », « Marie-France », « Cosmopolitan »). On reconnaît la France d'Aventure aussi dans les journaux économiques (« Valeurs Actuelles », le « Nouvel Économiste », l' « Expansion ») avec une image d'Entreprenant; dans « Le Monde » parmi les quotidiens, et aussi « Sciences et Vie », « Lui », « Onze » et l' « Équipe ». C'est l'image à laquelle s'identifient les lecteurs réguliers de « Hit » et « OK Age Tendre » (mais eux seulement). Enfin, c'est l'image de Style de Vie de (« RTL ») parmi les radios, mais très peu de la TV et de la Radio en général.

**Les symboles de la France Utilitariste,** sont les magazines familiaux et féminins (l' « Écho de la Mode », « Femme d'Aujourd'hui », « Modes et Travaux », « Femme Pratique ») avec une image de Sociostyle Conservateur; de même que les hebdomadaires à sensation (« Ici-Paris » et « France-Dimanche ») d'image Laborieuse; et les journaux d'adolescents (« Hit », « OK Age Tendre ») dont l'image de Style de Vie Laborieux est cependant rejetée par leurs lecteurs fidèles. C'est aussi l'image de (« France-Inter ») parmi les radios, et de (« Télé Poche ») parmi les magazines de TV; du « Figaro » dans la presse quotidienne et des quotidiens provinciaux en général, incarnant la mentalité Utilitariste.

**Les porte drapeaux de la France du Recentrage** sont la télévision (« TF 1 » avec une image de Moralisateur et « A 2 » avec une image de Style de Vie Paisible) et la radio (surtout « Europe-I » et « France-Inter »). Les magazines de télévision symbolisent les Moralisateurs (« Télé-7 jours ») et les Exemplaires (« Télérama »), de même que les périodiques confessionnels ou idéologiques (« Le Pélerin », « la Vie », « l'Humanité-Dimanche »); c'est aussi l'image de « France-Soir » comme quotidien et de « Match » comme hebdomadaire dans l'univers de l'information; de « Parents », de « Marie-France » et de « 100 Idées » parmi les magazines spécialisés.

La lecture d'un journal ou d'un périodique, la fidélité à une émission ou à un type d'information sont donc symptomatiques d'une « image-de-soi » consommée symboliquement par l'audience. **Le fait même d'être ou de se vouloir le lecteur-type de tel titre signifie l'adhésion (pratique ou rêvée) à un Style de Vie.**

Les mots et les images des media ne sont pas seulement une information fonctionnelle ou une marchandise distractive, mais aussi une panoplie pédagogique des Styles de Vie.

## 8.4. Des rêves et des objets... la publicité

Parmi les organes d'information collective, toute culture dominante privilégie un media ou un mode d'expression pour en faire le support essentiel de ses valeurs et modèles.

**C'est la publicité qui, dans la Socio-structure française actuelle, est la parole dominante comme organe de la culture dominante.**

Toute époque culturelle pourrait être caractérisée par son media dominant : celui à qui est délégué la fonction pédagogique principale de diffusion des modes de pensée et de vie les plus normatifs.

La France jusqu'au 19e siècle fut une culture de traditions orales : mythes, légendes, proverbes, récits exemplaires étaient diffusés de bouche à oreille dans le temps et l'espace; les prêcheurs et les conteurs y tenaient un rôle de lien culturel essentiel, jusqu'à la Révolution où les grands orateurs jouèrent un rôle essentiel. Dans les siècles précédants, les vitraux, les chapiteaux et la statuaire des églises avaient été des media dominants diffusant par l'image symbolique (déjà l'audio-visuel « cool » cher à Mac Luhan!) les valeurs chrétiennes; les images d'Épinal puis les almanachs furent investis de la même fonction. Plus près de notre époque la presse quotidienne fut (et demeure) le support privilégié de la France Utilitariste alors dominante.

En d'autres temps et d'autres lieux, des media ou des genres de communication différents peuvent être appelés à **ce rôle magique d'incarnation des valeurs essentielles et des modèles préférentiels de la culture.** La propagande politique dans des sociétés totalitaires, mais aussi l'art militaire, le discours philosophique, l'art, la science ou l'école... Les affiches murales de la Révolution Culturelle chinoise, les graffitis et les affiches de Mai 68 montrent comment toute culture ou micro-culture originale génère et cherche à imposer le mode d'expression le plus perméable à son idéologie et son style.

Comment sont aujourd'hui diffusés les Styles de Vie en France? Où sont-ils décrits, commentés, expliqués? Par qui sont-ils valorisés et diffusés? Pour tous les media, les modes de pensée et de comportement constituent la matière première de l'information; mais, on l'a vu dans les pages précédentes, chaque support est attaché à un Style de Vie particulier.

C'est la publicité qui, à la fois, incarne le plus efficacement la mentalité dominante d'Aventure et reflète dans sa diversité la diversité des Sociostyles et de leurs valeurs contradictoires.

Plus importante que l'enseignement, la propagande politique et la religion, plus que l'art, la philosophie et la science, plus que la télévision, la radio et la presse, la publicité est un méta-media. **La parole culturelle de la France des années 1970 est la parole commerciale.** C'est elle qui développe les thèmes, les images, le langage et les stéréotypes qui seront repris pour leur propre usage par les autres media et genres de communication : la religion, l'état, le commerce, l'art et la pédagogie « parlent publicité »; la télévision, la presse, l'affiche (politique même), la radio, le journal imitent le style publicitaire.

Ce n'est pas que la publicité soit en avance, ni qualitativement plus efficace, ni techniquement plus sophistiqué, ni plus intelligente ou éclairée... Elle n'est que le miroir partiel et partial d'une sous-culture qui se trouve être la plus dynamique pour un temps.

## LE MIROIR DE L'AVENTURE

La France de l'Aventure a trouvé dans la publicité sa parole magique : née de l'expansion économique, voix de l'innovation, support des personnalisations symboliques, signe du dynamisme des firmes et de la combativité des marques, la publicité est naturellement le porte-parole des valeurs de dynamisme, de modernisme, de jouissance immédiate, de diversité personnelle... Quantitativement et qualitativement, dans son langage et son idéologie, dans ses structures et ses hommes, **la parole commerciale incarne la France de l'Aventure.**

Le modèle publicitaire est bien le jeune cadre agressif et dynamique, environné d'objets modernes et à la mode, ouvert au progrès, soucieux d'affirmer sa personnalité : c'est le Français d'Aventure.

## LE THÉÂTRE DE LA FRANCE AU PLURIEL

Mais la publicité est par obligation plus attentive à la variété des besoins, des attitudes, des rêves, des comportements de publics particuliers; elle est plus souple à s'adapter à l'idéologie et au langage de « cibles [1] » spécifiques; elle fut la première à s'initier à la psychologie sociale, aux motivations, aux typologies d'attitudes... Là où la propagande politique ou religieuse impose ses valeurs et son langage, la publicité s'adapte; là où la sociologie ne veut voir que le Français moyen, la publicité veut discerner la variété des personnes désirantes. Aussi la publicité est-elle le théâtre de la diversité des Styles de Vie.

**L'imagerie publicitaire** c'est la femme jeune, active, indépendante, sûre d'elle-même, personnalisée (déodorant Vie Active, parfum Rive Gauche, Modess...) de la mentalité d'Aventure, mais aussi la ménagère traditionnelle, économe, soumise (toutes les publicités de lessives), la mère attentive et possessive (Jacquemaire) de l'Utilitarisme; mais aussi la mère toujours jeune et compétitive (Dim soutien-gorges), et encore l'archétype de la féminité laborieuse (« la mère Denis » de la publicité des machines à laver VEDETTE). L'imagerie publicitaire c'est l'Ambitieux (Bières 33, cigarettes Benson & Hedges) et le Jouisseur (Winston, 1664, Hertz...); le Dilettante (Hollywood chewing-gum, Coca-Cola, Levis...) et l'Entreprenant (Carte Bleue, Bosch caméra ou les rasoirs Philips calculés par ordinateur...) comme le Paisible (Mutzig); mais c'est aussi l'Exemplaire (« le bon sens » du Crédit Agricole, les stars exemplaires du savon Lux) et le Moralisateur (« les produits libres » de Carrefour, les « nouveaux conducteurs » de Shell...) C'est encore le Conservateur (« C'est beau chez nous » de Total, la tradition de Carlsberg ou de Byrrh...) et le Laborieux (le pic-nic d'autoroute Olida... et les produits d'entretien ménager en quasi totalité...)

Chacun dans la parole commerciale peut trouver et consommer, par le medium du produit symbolique, sa propre

1. On appelle ainsi en marketing la clientèle potentielle « visée ».

image [1] chacun y trouve le reflet de son propre Style de Vie, de ses valeurs et idéaux, de ses normes et modèles : l'épargne (« l'Écureuil » de la Caisse d'Épargne) ou la dépense (Carte Bleue); la mode (Le Printemps, parfums Courrèges) ou la tradition (Gervais); la sensualité (Obao) ou la censure (Dédoril); l'exploration (« à tout instant il se passe quelque chose aux Galeries Lafayette ») ou la sécurité (Les 3 Suisses); le gadget (balance Terraillon) ou le fonctionnel (Moulinex, Seb); le snobisme (Gauloise « elle fait pâlir les cow boys ») ou le conformisme (« Gitane depuis... »); la technique (téléviseurs Thomson) ou l'esthétique (téléviseurs Continental Edison); la transgression (cigarettes Winston « si bon que c'est presque un péché ») et l'imitation (« le cow boy » Malboro); le confort privé (« chez soi » de la Redoute) ou la prise en charge (UAP; Darty service après vente); la maturité sage (« quand on sait ce que le plaisir veut dire » de Winston) ou la jeunesse revendiquée (Dim); l'exotisme (Craquitos) ou la familiarité (l'Alsacienne biscuit); l'humour (Cigarettes Camel) ou le sérieux (Simca 1307); l'art de vivre (« Boire, parler, jouer » au Club Méditerranée) ou l'art de se montrer (Peter Stuyvesant)...

**Tous les Styles de Vie trouvent leur expression sur la scène publicitaire, s'y voient offrir la panoplie de symboles pour s'exprimer et s'y sentent confirmés dans leur existence :** le miroir culturel de la publicité remplit sa fonction de régulation, en renforçant l'état de la Sociostructure. Le rêve publicitaire n'est pas le « non-sens » que dénoncent les censeurs, mais l'univers imaginaire de la culture, système de référence multiple de la société au pluriel.

## LE DÉTECTEUR D'ÉVOLUTION [2]

Par son écoute professionnelle et institutionnelle (études de motivations et de marché...) du public, la publicité est particulièrement sensible aux changements d'attitudes, aux

1. Cf. *Publicité et Société*, Bernard Cathelat, Payot, 1976 et *La Publicité, véhicule de l'information collective*, B. Cathelat, Thèse de 3e cycle, Sorbonne, 1966.
2. Cf. *Image des années 60*, Bernard Cathelat (à paraître).

besoins naissants, aux aspirations et attentes émergentes. **De tous les modes d'information collective, la publicité est le révélateur le plus sensible des mutations psycho-sociales.**

On peut observer dans la publicité les Flux Culturels les plus dynamiques. La publicité alors milite pour le retour à la nature (Renault rodeo, Planta, Fa, Vikä...); Pelforth pour l'individualisme; Air France pour le symbolisme; La Redoute pour le recentrage passif; Champagne Mercier pour les traditions; de même qu'auparavant elle s'est faite le hérault de la technique, du dynamisme agressif, de l'innovation...

C'est dans la publicité d'abord que s'est manifesté, avec une notoriété collective, **l'essouflement de la France d'Aventure** et l'aspiration à d'autres valeurs. Dans les années 1950, le système de valeurs de LA PUBLICITÉ POUR LES AUTOMOBILES était axé sur la puissance, la vitesse, « la moyenne », le risque sportif, la compétition; le Style de Vie normatif était l'affirmation de soi par la taille, la cylindrée, l'agressivité esthétique, la vitesse de la voiture; ce fut l'époque des grosses voitures, des ailerons de requins, des capots longs et des calandres féroces... Alfa Romeo dans sa publicité montrait, non la voiture, mais un galop de cavalerie, Simca parlait de « voiture méchante »; on photographiait les autos dans le flou rapide d'un dérapage contrôlé, on symbolisait le monstre et la bête sauvage sous le capot... Les années 1970 ont marqué un renversement des valeurs publicitaires automobiles : Alfa Romeo vend la même voiture (ou presque), non en la montrant, mais en évoquant une petite fille jouant à la poupée (symbole de confort et de sécurité passive) à l'arrière de la voiture (trahison du pilotage sportif)... Les voitures sont devenues compactes, ont gagné une cinquième porte utilitaire, ont perdu leurs ailerons baroques et gagné des couleurs, ont amélioré la sécurité... Les voitures sportives et les grosses cylindrées ont encore leur clientèle; mais c'est le langage de l'automobile en général qui a évolué.

Lorsque furent lancés en France LES DÉODORANTS CORPORELS, la publicité des années 1960 traduisit le modèle américain de psychologie et de comportement : on en fit un produit d'hygiène froid (Printil), de conformisme social (Dédoril : « à vue de nez il est 5 heures »), de décence des relations (Rexona : « elle allait perdre son fiancé »), de censure de la sensualité et de castration de la sexualité que symbolise l'odeur corporelle... Mais la publicité dut évoluer sous la pression de nouvelles attitudes : les femmes, en plus grand nombre, n'acceptaient plus de se voir culpabilisées du fonctionnement normal de leur corps. Les années 1970 ont vu apparaître de nouvelles publicités concernant les déodorants, qui s'adaptent aux courants d'idées nouvelles; le déodorant devient sublimation et idéalisation du corps vivant librement à l'état de nature, dans l'innocence et la pureté romantique (« robe blanche et chapeau fleuri » de Narta; « fenêtre ouverte sur la campagne » de Printil; « bain de fraîcheur » de FA; « brise scandinave » de Vikä...); ou bien le déodorant devient signifiant de mode personnalisée, comme le parfum ou l'eau de toilette pour la femme moderne, déculpabilisée et libérée (« Vie Active »).

Il y a 20 ans, LES LAQUES POUR LES CHEVEUX furent les symboles de Styles de Vie corrects, exemplaires, moralisants : le casque de cheveux bien rangés, la coiffure construite et non la chevelure folle; l'ordre présentable et non le mouvement anarchique (Sunsilk; Cadonett « coiffure qui tient »). C'est depuis quelques années un paradoxe qui se développe dans cette publicité : la laque est une colle mais se fait symbole de mouvement (Cadonett); la laque est un casque mais « s'en va au plus léger brossage » (Elnett); la laque est un carcan artificiel du cheveu mais veut paraître naturelle (Cadonett « microaérée »)... De même LES SHAMPOINGS se sont longtemps présentés comme des détergents de valeur purement hygiénique (« allez donc vous faire laver la tête » de Dop); ils veulent être aujourd'hui les accessoires de Styles de Vie proches de la nature (Dop Douceur Naturelle), voire écologiques (Yves Rocher), symboles de modes de vie et de pensée personnalisés (shampoings pour cheveux secs, gras, normaux, colorés, longs, frisés...).

**Et ce n'est pas seulement l'imaginerie publicitaire qui est infléchie par l'évolution des Styles de Vie, mais aussi**

**les produits** : avec les aspirations écologiques, les shampoings se sont spécialisés, enrichis de protéines, adoucis; les déodorants et antitranspirants ont vu naître les absorbeurs d'odeurs. Avec les attentes de sécurité passive, l'automobile moyenne a vu se renforcer la sécurité et le confort au détriment de la nervosité, et l'habitabilité au contraire de l'esthétique. Avec le courant de retour à la nature (aidé par les critiques consuméristes) l'euphorie des produits alimentaires conditionnés (lait Candia) et artificiels, des plats tout préparés, a cédé la place aux produits sans colorants, aux plats semi-préparés. Le Flux d'Hédonisme se traduit dans l'esthétique et la couleur des objets ménagers les plus usuels.

**La publicité est un miroir.** Miroir de la variété actuelle des Styles de Vie, agent d'une culture dominante mais aussi témoin des évolutions et des changements, la publicité n'est que le reflet de la vie culturelle. Critiquer la publicité, c'est critiquer le reflet : réflexe facile de défense qui consiste à briser le miroir pour oublier l'image de soi qu'il vous renvoie; mais, le miroir brisé et l'image censurée, la réalité dont ils témoignaient n'en demeure pas moins... Toute parole sociale, commerciale ou politique ou religieuse ou artistique ou technique, est expression d'une collectivité dont chacun est solidaire, quand même il la critique.

Il serait sans doute plus instructif d'apprendre à regarder la publicité d'un œil critique (ou plutôt autocritique); comme une radiographie elle ne sait que révéler la structure cachée des valeurs et des Styles de Vie qui font la culture commune. Comme telle, elle parle de tous et de chacun; et son discours est tout à la fois affirmation et question ironique : « qui êtes-vous? ».

## 8.5. Être ou ne pas être...

La conception de la normalité et de ses revers révèle assez fidèlement une Sociostructure des Styles de Vie, qu'elle rationalise ensuite par un scientisme et/ou un légalisme de justification.

L'interaction entre morale et société est un débat ancien et l'approche empirique qui est la nôtre ne saurait prétendre trancher ce nœud philosophique. On peut cependant observer **l'incarnation de la norme morale dans les modes de vie :** on ne voit guère la morale y apparaître comme fait premier, principe transcendant susceptible au pire de quelques aménagements conjoncturels de forme mais non de remise en cause fondamentale; on n'y voit pas non plus la norme morale se déduire directement des conditions matérielles d'existence, des rapports économiques, de la technologie, au gré des transformations matérialistes.

Dans l'observation des Styles de Vie, la formulation normative d'une Religion (dieu(x)/diable(s)), d'une Morale (le bien/le mal), d'une Loi (le licite/l'illicite), d'une Santé (le normal/le fou, le bien portant/le malade), d'une Utilité (le producteur/le parasite), d'un code Relationnel (les usages/les tabous), apparaissent comme le langage d'une culture exprimant son équilibre dynamique et son effort de cohérence contre le désordre. Les conditions de vie matérielles, les rapports de classe, les faits économiques n'en sont pas absents, mais en dialectique avec le psychologique et le culturel. Si ce langage normatif est celui de la socio-culture dominante, il intègre toujours des valeurs de cultures dominées, exprimant le degré et la forme d'interactions au sein de la société tout entière.

La définition proposée ici du phénomène des **Styles de Vie, mouvement synchronique et diachronique d'acculturation du désir, passage de l'entropie des pulsions individuelles à la structure des valeurs dominante,** invite à dépasser à la fois les conceptions spiritualistes et matérialistes de la normalité, réduite au seul couple cause-effet. La norme est le langage de la domination et de la certitude, mais aussi l'expression de la fragilité et de l'angoisse; la norme prétend à l'éternité, mais révèle par ce raidissement même les forces de changement qui la contestent. La loi, la morale sont le langage complexe d'une Sociostructure dans ses contradictions et son déséquilibre autant que dans son homogénéité et sa stabilité. On peut y distinguer dans notre propre culture plusieurs époques.

*Dans les sociétés de type Autarcique*[1], la Sociostructure est homogène, monolithique, stable et durable, du fait même du faible niveau de stimuli extérieurs. La norme s'y manifeste avec force, par la conformation plutôt que la répression, mais de façon quasi universelle, sans exclusive. Tous les rôles et statuts, toutes les situations, tous les événements sont reconnus par la Sociostructure et intégrés à elle : **la notion d'anormalité ou de marginalité y est inconnue ; le concept même n'en existe pas culturellement.**

Fous, originaux, prophètes, délinquants sont prévus et installés dans l'équilibre culturel, non point tolérés mais acceptés, non ignorés mais reconnus, non pris en charge charitablement mais affectés à une fonction sociale précise, investis d'un rôle productif et clairement situés dans l'échelle des valeurs et la panoplie des modes de vie. Etre criminel est un statut social parmi d'autres, réprimé mais prévu et accepté comme une forme normale de la culture, utile même, fût-ce dans l'exemplarité de son châtiment. L'idiot du village, le handicapé physique ou mental, le malade, le fou du roi, le prêcheur errant, la sorcière ont leur place dans la société : ils ne sont pas qualifiés d'anormaux ou de marginaux.

Leur fonction est productive pour la Sociostructure en place qui codifie leur statut et leur mode d'expression comme pour ses autres sujets. Aussi ces « marginaux » (selon la terminologie moderne) ne sont-ils pas honteusement cachés ou enfermés : le fou se promène en toute liberté, les voleurs ont leur territoire, chacun connaît le sorcier, les infirmités sont étalées, les châtiments et exécutions ont lieu en place publique, les prostituées ont pignon sur rue...

1. On fait référence ici à la typologie de modèles culturels exposée dans *Pour une Prospective Sociale*, distinguant des sociétés fermées et repliées sur elles-mêmes, protégées du changement, dites « Autarciques », et des sociétés « Ouvertes » à toutes les expériences et stimulations, moins solides et stables, trouvant leur équilibre dans le changement plutôt que la stabilité, mais toujours menacées d'explosion.

Ce que l'on nommera *anormalité* fait partie, dans ce modèle de société, de la vie quotidienne normale. Cette organisation intégrative est particulièrement typique, non seulement des sociétés (dites primitives) exotiques étudiées par les ethnologues, mais plus largement des cultures à dominante rurale, fortement structurées en tribus ou villages. **Cette culture fut dominante en France jusqu'à la Révolution.**

La déviance anti-culturelle existe certes dans ces sociétés, mais elle ne pose pas problème à la collectivité qui la rejette et la nie radicalement. L'individu réellement déviant, qui remet en cause la conception et les valeurs monolithiques dominantes réputées inamovibles, est éliminé sans rituel, sans interrogation et sans doute. Son existence même est niée ou camouflée puisqu'il est aberrant, absurde, incompréhensible dans l'idéologie culturelle : il n'est même pas justiciable du procès mais de la pure et simple négation, physique et morale. On en trouve des manifestations modernes dans **des systèmes socio-politiques totalitaires** où les opposants idéologiques disparaissent simplement ou sont assimilés à des anomalies irresponsables (folie, homosexualité...) : c'est leur existence même qui est niée, c'est-à-dire leur statut de marginal et de déviant.

**Les Styles de Vie, dans les cultures Autarciques, ne peuvent donc concevoir que le normal monolithique et stéréotypé et nier la marginalité et la déviance. Etre ou ne pas être : c'est la seule question.**

*C'est avec les modèles de sociétés de plus en plus ouvertes* que naît la notion d'anormalité, que l'on nommera folie, hérésie, perversion, criminalité, handicap mental, contestation [1]... La marginalité devient un statut en soi, désigné et codifié dans sa différence, perçu comme parasite et dangereux pour l'équilibre de la Sociostructure. Le modèle culturel tente d'exorciser la contestation interne en la nommant, mais s'oblige par là même à la prendre en charge

1. Voir *Histoire de la Folie*, Michel Foucault, NRF, Gallimard.

de façon spécifique : le marginal est en effet rejeté de la vie quotidienne sans être réellement banni; il est exclu des rôles producteurs et actifs sans toutefois être supprimé. **La culture Ouverte se trouve donc prisonnière de sa conception du Normal et de l'Anormal :** ayant créé de toutes pièces des anormaux, elle se trouve obligée d'en assurer la survie en marge.

Les déviants sont alors physiquement mis à part et le plus souvent enfermés pour protéger la culture des fantasmes qu'elle reconnaît en eux et exorcise par la déportation. Prisons, asiles psychiatriques, hôpitaux clos (et non plus « Hôtels-Dieu »), asiles pour vieillards, maisons closes sont nés de cette conceptualisation de la normalité. Devenue honteuse, l'anormalité se cache : il devient indécent de montrer ses infirmités, il devient angoissant de garder plus longtemps présent à l'esprit la déviance possible. C'est une véritable déportation psychosociologique qui s'instaure, refermant les portes, les murs et les informations sur le châtiment pénal comme sur la thérapie des malades mentaux.

L'anormalité échappe alors au sens commun, comme elle échappe, en principe, à sa pratique quotidienne. L'anormalité est interprétée comme aliénation (au sens d'étrangéité); seuls des experts sauraient la saisir et la traiter en opérations de commando aux frontières ultimes de la sécurité culturelle. C'est donc la nécessité de justifier l'anormalité sous toutes ses formes qui a généré, en France, par exemple au 18e siècle, les sciences de la déviance, de la psychiatrie à la technologie policière. Le médecin n'a pas inventé le fou; mais c'est la nécessité de nommer le fou qui a procréé l'aliéniste. Et jusqu'au début du 19e siècle en Occident, ces sciences et ces experts ont essentiellement rempli un rôle symbolique de défenseurs avancés de la culture dominante, aux avant-postes de la normalité; d'où le caractère rituel des méthodes signifiant la défense de la société plus que la thérapie ou la rééducation : chaînes pour les prisonniers, grilles pour les fous, bagne tropical pour les forçats, surveillants pour les hospices, camisole pour les agités, guillotine pour les criminels, drogues pour les angoissés, lanterne rouge pour les bordels...

Après l'époque intégrative de la société Autarcique, stable, monolithique, qui utilisait toutes les compétences, mêmes marginales, c'est une époque défensive qui lui succède, caractérisée par l'instabilité et la diversité des Styles de Vie en culture Émergente, entraînant une moindre tolérance. L'incapacité de l'organisation sociale à intégrer les manifestations déviantes est accentuée par les tensions internes d'innovations et les influences externes de stimulations qui en accélèrent l'évolution et en accroissent la fragilité; moins sûre d'elle-même, divisée en mentalités centrifuges, obligée à la remise en cause permanente, la culture se sent vulnérable aux forces d'entropie : elle les conjure en nommant le danger, en le limitant aux agissements absurdes ou criminels de quelques individualités et en les enfermant symboliquement, croyant par là même s'être purgée de ses forces auto-destructrices. **C'est d'une fragilisation culturelle liée à l'accélération du phénomène des Styles de Vie que naît le concept d'anormalité. Etre ou non-être, telle est la question.**

*Une troisième époque* s'est inscrite dans notre histoire culturelle de façon plus récente, dès les premières décennies de ce siècle (avec Freud notamment) et surtout depuis la deuxième guerre mondiale : c'est celle de **la marginalité culpabilisante** (mais non coupable elle-même).

L'exclusion, l'enfermement et la déportation, l'élimination physique ou mentale même n'ont pu résoudre ni réduire le déséquilibre accéléré de la Sociostructure, qui relève de causes plus générales. La mosaïque centrifuge des mentalités s'est étendue dans une société hétérogène; l'innovation s'est accélérée; le conflit des générations et les chocs interculturels se sont hypertrophiés dans une culture Ouverte à tous vents, sensibles aux stimuli internes comme externes.

La notion d'anormalité y est demeurée mais a changé notablement de sens : l'anormal est de moins en moins perçu comme responsable des déséquilibres sociaux, mais de plus en plus comme révélateur, expression, conséquence, voire victime de l'instabilité culturelle et des conditions de vie qu'elle implique. Le marginal est encore nommé, désigné et séparé du troupeau, mais passe du statut démoniaque au **statut de malade social :** si, comme tel, il est porteur de germes idéologiques ou comportementaux dangereux, la collectivité l'en rend moins responsable et prend même en charge la culpabilité afférente.

La claustration demeure un principe fort, mais justifié par la nécessité d'une quarantaine médicale plus que par une morale de la punition. La marginalité est traitée par l'isolement, comme au Moyen Age une épidémie. Le statut du déviant est alors revalorisé et, s'il reste péjoratif, il conquiert le droit à l'existence. Et c'est moins par sentiment humanitaire que par culpabilité et sentiment d'inutilité que s'améliorent relativement la condition pénitencière, l'équipement des hospices, la thérapie psychiatrique; ainsi évolue aussi le langage qui parle de détenu, de malade mental, de troisième âge, de cas sociaux et moins de criminel, de fou, de vieillard, de voyou...

Dans la recherche de reflets des Styles de Vie, cette évolution importante des conceptions de la marginalité est l'expression d'un profond désarroi socio-culturel contemporain : la culture est trop hétérogène et la mentalité dominante trop faible, l'innovation est trop rapide et l'entropie trop importante pour justifier une conception strictement répressive.

**A la notion de maladie sociale s'attache donc un modèle thérapeutique** : il ne suffit plus de séparer les anormaux mais de les rééduquer et de les réinsérer pour leur conférer un statut productif dans la normalité. Ce souci de rééducation n'est pas en lui-même libéral mais conformant, puisqu'il implique l'abandon d'idées ou de pratiques inacceptables dans la vie collective, au profit des modes de vie dominants. Conçue comme une maladie accidentelle et temporaire, la marginalité devient inexcusable si elle persévère dans son erreur : une nouvelle qualification apparaît pour distinguer déviants récupérables ou irrécupérables, sur la base de cette indispensable autocritique (consciente ou fantasmatique, physique ou morale) et de cette nécessaire adhésion à la norme des Styles de Vie.

Les professionnels de la marginalité ont dû adapter leurs sciences à cette mutation. Ils évoluent du statut de gardien au rôle de soignant; ils doivent appliquer leur savoir moins à nommer la déviance qu'à qualifier sa probabilité de réadaptation (on mesure le quotient intellectuel, on fixe des coefficients de rééducation, on évalue la responsabilité pénale...); ils sont amenés à réprimer moins et prendre en charge davantage. Il apparaît, à ce stade encore, que le progrès théorique et thérapeutique n'est pas la cause mais l'effet de l'évolution des valeurs concernant le normal et l'anormal.

Aujourd'hui même, cette évolution est radicalisée par une nouvelle génération d'experts (médecins, psychologues, avocats) : le marginal y est perçu comme **une victime de l'état social,** qui ne saurait être enfermée même en vue d'un traitement normatif, mais doit être aidée au sein même de la vie quotidienne à retrouver un équilibre et une insertion personnelle dans la collectivité. Cette conception de régulation sociale en milieu ouvert est particulièrement connue par le courant « anti-psychiatrique », mais se manifeste aussi dans les domaines de la délinquence, du troisième âge... Elle tendrait à se rapprocher du modèle intégratif de non-marginalité, considérant tout écart à la moyenne comme un cas personnel à résoudre et non comme un problème social.

Cette conception, fondée sur l'adaptation productive de tout individu à la collectivité, suppose une structure sociale forte et conformiste, monolithique et stable, comme c'est le cas dans une culture Autarcique. En libérant le marginal de son ghetto et de son *non-être* infamant, elle récuse du même coup la notion même d'anormalité sans pour autant être permissive à tous les modes de pensée et de vie : tel est le dilemne actuel dans les cultures modernes. **Etre ou être encore : c'est la question.**

Il semble enfin se dessiner pour l'avenir prospectif proche *un quatrième modèle de Mode de Vie :* **la marginalisation endémique.** L'atomisation de la culture en sous-groupes est telle que la normalité elle-même ne se définit plus clairement et que l'on reconnaît comme normal tout ce qui n'est pas explicitement codifié comme déviant; le changement et l'instabilité sont tels que la nomenclature des conduites ou idées a-normales est sans cesse dépassée par les faits et les mentalités (l'avortement par exemple dans les années 75). La science et l'expérience n'apparaissent plus assez crédibles pour supporter la claire définition du stéréotype marginal : ne dit-on pas, par boutade significative, que le flic et le truand, le psychiatre et le fou, le gardien et le prisonnier se ressemblent?

La marginalité entre alors dans les mœurs quotidiennes et devient une norme en soi, parmi d'autres : son caractère contestataire s'atténue et se banalise par l'absence de modèle de référence unique et fort, par absence d'opposition. **La marginalité conquiert droit de cité par forfait, ce qui modifie profondément son rôle stimulant pour la culture.** Ainsi certaines formes de criminalité (rapt de chefs d'entreprise, détournements d'avions, prises d'otages, hold-up de banques) ne soulèvent plus qu'une indignation de pure forme et sont couramment décrites dans les mass media comme des scories naturelles de notre civilisation, quand elles ne sont pas considérées avec tolérance et compréhension (vol dans les grands magasins); il en est de même pour certaines maladies mentales (il n'est plus honteux de faire sa petite dépression nerveuse), et pour certaines « perversions » (drogues, homosexualité) intégrées dans le panorama normal de l'époque... **Les frontières du normal et de l'anormal deviennent floues, moins par tolérance libertaire ou par morale d'intégration que par indifférence et impossibilité normative.**

Il apparaît plus encore une nouvelle forme de déviance que l'on peut décrire comme une marginalisation passive, non agressive, non contestataire, informelle. Elle se manifeste dans l'évolution dynamique des Styles de Vie par une profonde désimplification des individus dans leur relation à la collectivité et au monde : **le marginal n'est plus un destructeur de l'ordre culturel mais un déserteur.** Et l'on a souligné dans les chapitres précédents combien se développe cette tendance à la désimplication. La déviance n'est plus immorale mais simplement amorale, indifférente aux modèles et normes, absentes de la réalité : chez les jeunes en particulier, l'extension de la drogue, de nouvelles formes de délinquance, des conduites d'échec scolaire ; et chez tous, des maladies psychosomatiques, l'absentéisme professionnel, le chômage chronique se rattachent à ce phénomène. **Etre et n'être pas là : telle est la question d'aujourd'hui.**

CHAPITRE 9

# Horizons 1985[1]

## 9.1, Perspective et prospective

Entre la réalité tangible des comportements et attitudes actuels, mesurables et quantifiables, relevant de l'observation banale, et les hypothèses abstraites et utopiques d'idéaux futurs, justiciables du seul diagnostic et de l'interprétation d'indicateurs discrets, se situe **une temporalité indécise : celle du probable entre le réel et le possible, celle du devenir entre le présent et le futur,** que la langue française ne sait rendre (*going* en anglais).

Cette réalité en gestation se manifeste en permanence comme bouillonnement entropique au sein de la culture, de façon relativement officielle : déviances et marginalités actives, innovations et recherches, modes et expériences, projets et plans d'avenir, chez les personnes privées comme dans les institutions et structures d'état.

Il est essentiel d'observer et d'évaluer, de mesurer s'il est possible, ces éléments d'ethnographie dynamique, à double titre : d'une part comme vérification des définitions de la Socio-structure en place, d'autre part comme indicateurs d'orientation et pondération des scénarios de futurs plus lointains.

1. Carte II hors-texte.

**Cette perspective est différente de la prospective et plus encore de la futurologie**[1] : elle ne postule pas un paysage sociologique au-delà de l'horizon, mais reste en deçà, plus fermement ancrée dans la conjoncture présente et limitée aux capacités de projections conscientes et vraisemblables. Directement consécutive à l'actualité, pour la prolonger ou la corriger, *l'étude de perspective sociale* n'est pas éloignée de la posture d'extrapolation, si elle se veut plus créative. Ils s'y mêlent la pesanteur du présent-passé et le dynamisme des utopies; au confluent du rêve (idéalisé ou cauchemard) et de la réalité, cet avenir potentiel caractérise la latitude d'évolution perçue par la culture autant que son besoin ressenti d'adaptation.

C'est donc de façon différentielle qu'il est le plus pertinent de l'expliciter, comme **dérive psychosociologique à partir du présent,** tel que nous l'avons décrit en structure de mentalités et de Sociostyles. Quels sont les modes de vie, les valeurs, les idéologies les plus attractives aujourd'hui dans la perspective à court et moyen termes? Dans les plus récentes enquêtes du CCA, une batterie d'indicateurs projectifs a permis de repérer et de mesurer les principaux AXES DE PERSPECTIVES POUR LES ANNÉES 1985, saisis dans la psychologie collective.

Si le sondage de modes de vie est primordialement synchronique, il n'en est pas pour autant statique : il existe fréquemment une distance mesurable ou une différence qualitative entre le mode de vie manifeste actuel et le mode de vie projeté ou prospectif. On pourra ainsi mesurer le dynamisme évolutif des mentalités, comme une propension au changement pour les prochaines années, de façon différentielle entre un « moi-actualisé » dans la société d'aujourd'hui et un « moi-idéal » porté par les Flux Culturels profonds.

La détection des *Flux Culturels* relève de la prospective à moyen et long terme, d'évolutions sociales profondes, lentes, et affectées d'un volant d'inertie important, par delà les

1. Cette analyse critique des postures d'étude du futur est développée dans *Pour une Prospective Sociale* (IVe partie).
2. En 1977, auprès d'un échantillon de 4 500 personnes.

variations conjoncturelles positives ou négatives; elle ne peut faire appel qu'au diagnostic socio-prospectif (et rétrospectivement aux sondages ou observations historiquement accumulés). La mesure « ici et maintenant » d'une *Sociostructure* quantitative répond à un autre objectif qui n'est pas de prospective mais d'actualité. C'est la classique enquête d'attitudes, opinions et comportements, que nous voulons enrichir ici par la globalité de l'approche multi-expériencielle et surtout par l'emploi de variables socio-prospectives et d'indicateurs de Flux Culturels. Le sondage est alors justifié comme représentation d'un moment de l'évolution culturelle.

**Entre le diagnostic de Flux Prospectifs et l'analyse de leur Gestalt structurale actuelle, se pose alors une autre interrogation : l'identification d'Axes dynamiques à court terme, dont la Sociostructure actuelle est le tremplin de départ et dont les Flux sont les moteurs.** L'objectif est donc de PERSPECTIVE plutôt que de PROSPECTIVE réelle : ce ne sont point des horizons lointains désignés par l'utopie qui seront mesurés, mais les premiers contreforts du futur formulés sous forme de projets. L'étude doit réduire sa focale pour une mise au point rapprochée, donc plus opérationnelle, dont la profondeur de champ permettra de mieux apprécier les nuances.

Le sondage encore se justifie (malgré ses limites) : on peut y créer le contraste entre deux registres de questions, sur le mode de vie et de pensée actuel de l'interviewé, et sur ses choix, ses préférences et ses projets pour un avenir rapproché et prévisible de sa vie privée et de la vie sociale. Chaque individu peut alors être défini par un mode de vie actuel et un mode de vie virtuel qu'incarne son projet.

On peut y mesurer la distance entre ces deux Styles de Vie et l'écart qualitatif psychologique qu'elle représente. On peut y identifier les groupes sociaux transfuges d'une mentalité à une autre. On peut y mesurer *le coefficient de consistance* de chaque type de mode de vie : mesure du degré d'attachement des individus à leur mode de vie actuel et de la distance relative de leurs modes de vie virtuels. On peut enfin y observer et pondérer les principaux axes dynamiques qui constituent aujourd'hui des perspectives collectives socialement significatives; et on peut décrire la thématique, projets, structures, organisations, langages, idées et comportements, qui caractérise chacun de ces axes.

**Deux horizons se dessinent au bout de la Perspective 1985, telle que l'imaginent aujourd'hui les Français :** ce sont deux modèles idéologiques et moraux, intellectuels et comportementaux concurrents et contradictoires. Ils sont enracinés déjà dans les mentalités actuelles : **les Perspectives 85** sont les rejetons de la France d'Aventure et de la France du Recentrage. Mais elles ne peuvent se réduire à une pure et simple extension linéaire des mentalités actuelles : les mutations de valeurs, les remodelages de la carte des Styles de Vie, les transferts de groupes sociaux en feront des micro-cultures neuves. Ces modèles de société ne décalquent pas simplement les grandes options idéologiques en présence dans le champ clos de la politique, mais ils sont sans nul doute plus « vrais » psychologiquement pour l'avenir de chacun, avenir proche qu'il peut, ou croit pouvoir, maîtriser...

## 9.2. La perspective harmonique

Cet horizon proche et perceptible (1985) de la vie personnelle et sociale apparaît dominé par **un désir de simplification de la vie, d'installation et d'équilibre,** en réaction contre l'entropie sous ses différentes formes : course à l'innovation, dispersion des activités, isolement des individus, risques de chômage, crise économique; il est probable aussi que la période pré-électorale (1977) accentue aussi cette perspective.

L'intérêt de ce projet de mode de vie est d'abord quantitatif : **il réunit 38 % des Français et se classe au 1er rang des préférences sur une liste de dix Styles de Vie perspectifs, dans tous les groupes sociaux.** Il s'agit donc d'un courant de pensée profond, d'une conception collective de l'avenir immédiat, d'un phénomène, non d'utopie psychologique privée, mais de prospective de masse. Un autre fait notable de cet Axe Perspectif est sa diversité, sa capacité d'accueil et son pouvoir d'attraction pour des Sociostyles de Vie actuellement différents.

Ce projet s'inscrit en effet dans **un courant socio-culturel d'Installation** qui affecte les classes moyennes, surtout en province, et accompagne souvent une progression dans l'échelle sociale économique et/ou culturelle. Il se traduit par un objectif de vie familiale tranquille, paisible, calme, prudente, de bon sens, relevant de la mentalité actuelle de Recentrage. Cette première dimension de la Perspective Harmonique est plus spécialement attractive pour les couples de plus de 35 ans, pour les provinciaux, pour les ouvriers et employés, pour les femmes. Mais ce seul phénomène ne constituerait qu'une survivance ou un renforcement de la mentalité de Recentrage.

Une seconde valeur composante confère à la Perspective Harmonique un pouvoir potentiel de culture dominante : **c'est un courant de Repli** en provenance de la mentalité d'Aventure. Si 22 % des Français attirés par l'Harmonie appartiennent déjà à la mentalité de Recentrage et si 18 % proviennent logiquement de l'Utilitarisme, 50 % s'arrachent à la mentalité d'Aventure qui est la leur actuellement; ce courant de Repli est particulièrement caractéristique des Sociostyles Jouisseur, Dilettante et Ambitieux; ce sont des cadres jeunes, de niveau d'études supérieurs, urbains, souvent parisiens, des hommes plus significativement. Cet abandon des modes de vie d'Aventure est récent et très significatif de nouvelles ambitions et de nouvelles priorités de vie.

**Une Perspective Harmonique paraît donc susceptible de réunir des catégories sociales de sexes, d'âges, d'éducations, de niveaux de vie et de conditions d'existence différents, critère fondamental définissant une culture dominante potentielle.**

Cette perspective de Styles de Vie s'incarne de façon consciente et rationnelle dans des choix prioritaires sociopolitiques, dans des préoccupations et des souhaits matériels. Il ne s'agit donc pas du diagnostic de Flux profonds et subconscients, mais bien de courants déjà matérialisés en projets sociaux.

La Perspective Harmonique accorde la priorité à l'autonomie et à la liberté individuelle sur la bureaucratie, à l'harmonie des rapports sociaux sur les luttes et conflits de classe, à la qualité naturelle de l'environnement sur le modernisme technologique, et à la sauvegarde du niveau de vie personnel immédiat sur les grands projets de rayonnement internationaux.

On peut illustrer le système de valeurs de cette *mentalité Harmonique* par le choix hiérarchique de 10 projets prioritaires pour la France en 1985 (proposés sur une liste de 50 thèmes) : **stopper la hausse des prix** pour préserver le niveau et le mode de vie, est le souhait prioritaire, fortement marqué par la conjoncture, dans tous les groupes sociaux; **la préservation de la nature** est fixée comme 2e priorité, surtout dans les Sociostyles Jouisseur et Dilettante, chez les jeunes, les cadres et personnes de niveau d'éducation supérieure; **être garanti contre le chômage,** surtout pour les jeunes, les ouvriers et employés et dans les petites villes; **être protégé contre le crime et la violence et maintenir l'ordre social,** surtout pour les personnes âgées, les ruraux et les personnes d'instruction primaire, manifestant un besoin de plus en plus important de prise en charge de l'individu par la collectivité pour le protéger de tous les aléas de la vie moderne; cette mentalité d'assisté se retrouve dans la 6e priorité de **développement des hôpitaux et services de santé; la réduction du temps de travail et de la durée des trajets** indiquent le besoin de recentrage et de repli sur une vie privée plus harmonieuse et équilibrée, surtout dans les Sociostyles d'Aventure, Jouisseurs, Entreprenants et Dilettantes, chez les hommes, les jeunes couples actifs des grandes villes; la 8e priorité fixée est **l'amélioration des rapports sociaux** entre patrons et personnel; ce n'est enfin qu'en 9e et 10e rangs qu'apparaissent la prospérité de la France et le développement de l'esprit d'entreprise, projets typiques de la mentalité d'Aventure.

Il n'est pas moins intéressant d'observer le faible intérêt relatif soulevé par la préservation du patrimoine historique, la recherche scientifique, le rayonnement international de la France... **La Perspective Harmonique indique une tendance**

**isolationniste de conservation des modes de vie acquis, de prise en charge paternaliste des citoyens par la collectivité et de stabilité moralisatrice.** On peut noter par analogie que des pays industrialisés comme les États-Unis ont connu récemment ce type d'évolution de façon spectaculaire, en réaction contre la culture d'aventure, de conquête, d'expansion, d'expériences.

La Perspective Harmonique n'est-elle qu'un symptôme conjoncturel, contingente des choix politiques en cours et de la crise économique larvée? Ou indique-t-elle un nouveau pôle d'attraction socio-culturel, un nouveau modèle dominant de pensée et de vie, appelé à supplanter la mentalité d'Aventure? Si le seul sondage d'attitudes actuelles ne saurait y répondre, l'observation sociologique en France comme dans d'autres pays, confère à cette Perspective une valeur de mutation culturelle essentielle : **les années 1985 verront s'affirmer une nouvelle structure des mentalités et Styles de Vie dont le modèle dominant sera Harmonique.**

Les Français attirés par la Perspective Harmonique accordent, pour réaliser leurs souhaits d'avenir, une égale confiance à MM. Mitterrand et Giscard d'Estaing (36 et 35 %); M. Barre obtient auprès d'eux une meilleure confiance et MM. Chirac et Marchais une confiance légèrement moindre que dans l'ensemble de l'électorat, en terme de score relatif. Les Harmoniques font plus confiance au Parti Socialiste (33 %) au RPR (26 %) et au Parti Républicain (32 %) que la moyenne des Français; c'est au détriment des petits partis, particulièrement du Centre; le Parti Communiste obtient le même score de confiance prospective auprès des Harmoniques qu'au niveau national (18 %).

## 9.3. La perspective sybarite

La Perspective Harmonique, cependant, ne rassemble encore (en 1977) que 38 % des projets des Français. Une seconde voie d'évolution potentielle s'oppose à elle, représentant un autre choix de société et de mode d'existence, **vers une Perspective Sybarite pour 20 % des personnes.**

Cette tendance s'exprime par la recherche d'un épanouissement personnel sans contraintes sociales et d'une activité consacrée à des réalisations personnelles originales. C'est une mentalité anti-conformiste et aventureuse, optimiste et réaliste à la fois. Elle développe un projet socio-culturel de type libéral, dont la finalité serait l'expression de la personne plutôt que l'harmonie de la collectivité.

La Perspective Sybarite est portée par **un courant de Progrès** qui réunit des employés et ouvriers de niveaux économique et culturel relativement défavorisés et qui aspirent au confort, à la consommation, à un plaisir de vie selon le modèle actuellement dominant d'Aventure. Mais la majorité des personnes tournées vers la Perspective Sybarite appartient déjà à la Mentalité d'Aventure et est portée par **un courant d'Affirmation Personnelle :** il s'agit essentiellement de patrons, professions libérales et cadres, de moins de 35 ans, habitant Paris ou les grandes villes, aisés et cultivés. C'est à ce modèle de vie que se rallient majoritairement les Jouisseurs et les Dilettants, qui constituent les 2 Sociostyles principaux de la mentalité d'Aventure.

Cet axe de souhaits et d'attentes conscients, formulés logiquement et rationnellement exprimés, valorise dans la Socio-Structure des valeurs actives de changement et d'innovation au service de l'épanouissement et de la jouissance libres de chaque personnalité. C'est une tendance à profiter plus et mieux de la vie avec sophistication et raffinement, en exploitant et développant toutes les ressources de l'environnement matériel, social et humain. Cette perspective est optimiste et confiante dans les capacités de la collectivité mais surtout des initiatives individuelles à surmonter les crises, résoudre les problèmes, découvrir de nouvelles voies.

Cet Axe de Perspective s'inscrit dans l'évolution logique linéaire de la mentalité d'Aventure, c'est-à-dire de la culture dominante depuis 25 ans, dont il reprend tous les thèmes et les radicalise. Il constitue donc un prolongement du faisceau tendanciel de Progrès Optimiste, évoluant vers des modes de vie Jouisseurs et Dilettantes, porté par les Flux de métamorphose, de libéralisme et d'hédonisme.

**Dans les années à venir, la Perspective Sybarite constituera le système de valeurs-refuge devant la domination de la mentalité Harmonique.** Ainsi se définira une nouvelle marginalité affirmant son originalité individuelle contre le conformisme, son dynamisme innovateur ou révolutionnaire contre le réformisme prudent, sa confiance en la science contre le naturalisme écologique, sa liberté de mœurs contre le moralisme officiel, son droit au plaisir et à la dépense contre l'austérité collective. On verra à court terme des valeurs de jouissance, d'innovation, de personnalisation, d'activisme, autrefois idéalisées comme norme, devenir marginales.

Les Français attirés par la Perspective Sybarite accordent leur confiance plus à M. Mitterrand (33 %) qu'à M. Giscard d'Estaing (27 %); ils sont plus favorables au Parti Socialiste (47 %) qu'au Parti Républicain (32 %); le Parti Communiste et le RPR obtiennent chez les Sybarites la même confiance que dans la moyenne nationale.

## 9.4. Des choix de société

Il convient de fixer les limites de ces Perspectives. Leur intérêt réside dans leur formulation consciente et rationnelle sous forme de projets personnels de vie et de priorités sociales d'équipements et d'organisation : en cela **la Perspective Sybarite et la Perspective Harmonique sont déjà inscrites dans l'actualité.** Mais elles ne constituent que des projets et des préférences dont on ne peut facilement présager le passage à l'acte personnel ni la réalisation institutionnelle. On devra donc les saisir comme des indicateurs du déséquilibre actuel de la Socio-Structure et des voies d'adaptation les plus couramment projetées.

Aux lendemains de Mai 68 il était courant d'entendre de jeunes étudiants rêver de tissage et de retour communautaire à l'agriculture; combien l'ont fait? Il devient aujourd'hui classique et normal d'entendre des cadres supérieurs, des intellectuels à la mode et des managers projeter une retraite précoce à la voile autour du monde ou dans une vieille ferme en Lozère; le feront-ils?

L'important est moins la valeur prédictive comportementale de ces projets que leur signification : dans ces deux cas, on voit un groupe social critiquer ou renier son propre Style de Vie actuel, ses valeurs et ses pratiques, pour aspirer à une autre culture; l'utopie individuelle devient alors projet commun; le désir secret devient avouable et même valorisant. Dans ces Perspectives se révèlent autant l'insatisfaction que le désir et le déséquilibre présent que l'avenir possible; si elles ne peuvent prédire littéralement les modalités de vie de demain, elles en indiquent cependant les principes directeurs, les valeurs essentielles, les idéaux moteurs...

**L'horizon des années 85 est celui d'une culture dominante Harmonique autour de laquelle s'organisera la mosaïque des Styles de Vie des Français en une nouvelle structure.**

Cette France sera, comme aujourd'hui, celle de la diversité et du pluriel des Styles de Vie; mais à l'observateur lointain ou étranger, elle apparaîtra profondément différente, en rupture avec 30 ans d'histoire récente. **Cette France dominante,** celle dont les principes, les mœurs, le langage, les héros et les modèles seront véhiculés par les mass media, celle que flatteront les politiques, celle qu'idéalisera la publicité ou la propagande idéologique, sera protectionniste, chauvine, morale, ordonnée; **elle sera prudente, réformiste passive; elle sera égocentrique, matérialiste, repliée sur son confort; elle cultivera le loisir personnel et la qualité de l'environnement; elle protégera son individualisme en profitant des services de la collectivité..**

Mieux ou pire?... A cette question toujours posée, il n'est pas de réponse, ou mille. Ce n'est qu'en référence à une autre culture, à d'autres normes que l'on juge une culture, donc avec parti pris. Ce que la culture Harmonique gagnera en sécurité et en qualité de vie, elle le perdra en dynamisme innovateur et en fantaisie; ce qu'elle offrira d'équilibre, de prudence et de stabilité, il faudra le payer de discipline et de respect des grands principes retrouvés; la moindre permissivité, le conformisme, l'intolérance seront compensés par les relations humaines, la solidarité...

Cette évolution est déjà la nôtre et cette mentalité est celle d'une proportion importante de Français, et de plus en plus, les observations des chapitres précédents le confirment. Aussi, qu'on y adhère ou la critique, cette mutation est un fait communautaire dont chacun est co-responsable et co-auteur...

TROISIÈME PARTIE

# LES FRANÇAIS VERS L'AN 2000...

CHAPITRE 10

# Prospective 2000?

Les « scénarios prospectifs » présentés ici sont fondés sur les sondages déjà mentionnés d'une part, et sur des consultations d'experts d'autre part [1]. Le scénario est une technique de prospective partielle et partiale, pour la large part qu'elle laisse aux projections subjectives des experts consultés et à l'interprétation partisane du rédacteur; ces limites doivent être gardées en mémoire pour une lecture critique des hypothèses de scénarios [2].

Le scénario indique une ligne directrice, un axe moteur des évolutions et/ou mutations sociales, mais il ne saurait prétendre à une validité descriptive. La description factuelle est ici utilisée comme un artifice, ou mieux comme un moyen de communication visant à illustrer sensiblement les implications du faisceau tendanciel projeté. Il importe donc plus d'en saisir le sens général que d'en retenir quelques détails.

Il s'agit, dans le propos limité de cette recherche, de **scénarios socio-culturels conçus sous l'angle des Styles de Vie** : les facteurs économiques, technologiques, structurels et politiques n'y sont pas oubliés mais volontairement mis

1. Le C.C.A. organise des consultations prospectives auprès d'un panel de 1 000 experts de toutes spécialités et de tous secteurs.

2. L'analyse critique des techniques de scénarios et d'autres méthodes de prospective est développée dans l'ouvrage théorique et méthodologique *Pour une prospective sociale*, (IV^e partie).

entre parenthèses. La réalité de l'évolution se chargera d'instaurer la dialectique de ces forces selon un modèle que les méthodes prospectives contemporaines ne savent encore maîtriser. Notre propos se limite donc à enrichir la réflexion sur le futur de données socio-culturelles, sans l'illusion naïve qu'elles en constitueront les variables dominantes. Nous ne maîtrisons pas dans cette recherche l'influence sur les Styles de Vie des révolutions possibles dans l'audio-visuel, dans les transports, des crises économiques et renversements des pouvoirs nationaux et internationaux probables; de même que les scénarios techno-économiques (H. Kahn, par exemple) ne savent maîtriser les composantes psycho-culturels de cette « boîte noire » qu'est l'avenir.

Enfin, les scénarios prospectifs échappent difficilement à la logique linéaire, déductive et extrapolatrice, négligeant par là-même les phénomènes de crises qui peuvent affecter une société de façon inattendue. Le changement n'est linéaire qu'en apparence et le plus souvent les poussées évolutives s'accumulent de façon souterraine pour exploser brutalement après avoir dépassé un seuil de résistance du système en place et un seuil de tolérance chez les individus (mai 68 était-il prévisible pour la prospective des années 60?). Il y aurait beaucoup à apprendre de *la théorie des catastrophes* pour dépasser le simple constat de lignes d'évolutions et parvenir à l'expliquer avant de réellement la prévoir en nature, en temporalité, en intensité [1].

Ce sera peut-être une prochaine étape de recherche **pour une prospective interdisciplinaire.** Nous limiterons ici notre ambition aux prémices de cette prospective en proposant à la lecture critique des scénarios socio-prospectifs de culture dominante. A l'échéance fixée (les années 1995), la société française devrait rester une socio-structure homogène, fondée sur une mosaïque de Styles de Vie concurrents,

1. Le futur n'est jamais donné en sa totalité; il ne peut être déterminé que par le choix des hommes appliqués à construire leur avenir. Il existe donc une infinité de futurs possibles : un scénario n'est rien d'autre que la description de l'un d'eux. (*Le macroscope*, de J. de Rosnay. Éditions du Seuil, 1975.)

éclatée en micro-cultures hiérarchisées; seul un cataclysme culturel pourrait abolir à si court terme la diversité sociale, mais il ne s'agirait plus alors d'évolution ni même de mutation, mais de révolution culturelle violente. C'est donc une socio-structure complexe qu'il conviendrait de décrire dans sa diversité à l'horizon 1995/2000. On décrira prioritairement ici, pour clarifier le propos, DEUX SCÉNARIOS DE CULTURE DOMINANTE : il faut entendre par là ni le Style de Vie « moyen » ni le Style de Vie « universel », mais le modèle préférentiellement valorisé par la culture, transmis et enseigné avec le plus d'énergie par les mass media, la publicité, l'école, le discours politique et perçu comme idéal, désirable par la majorité de la population. Ce scénario n'est donc pas une négation de la diversité culturelle; il en indique le centre de gravité, le noyau d'attraction.

L'horizon 1995/2000 fixé à ces scénarios a été choisi pour sa portée (15 à 20 ans); mais il faut éviter les connotations attachées à « l'an 2000 », même chez le lecteur le plus averti, et enfin ne pas négliger les profondes tendances que pourra favoriser l'approche de cette échéance magique, difficiles à cerner aujourd'hui mais qui affecteront à coup sûr le masque superficiel de rationalité de nos cultures.

CHAPITRE 11

# Scénario 1 : vers une France « implosive »

Ce scénario repose sur la convergence de deux faisceaux d'évolution psychosociologiques, déjà mentionnée en perspective à court terme, dans les chapitres précédants.

**Un faisceau tendanciel « d'Installation »**, tendance très ancienne dans notre culture, marquant le passage d'un Style de Vie quantitatif, économique, accumulateur et utilitaire, à un Style de Vie qualitatif, d'insertion sociale, de consommation culturelle, de développement de l'image de soi, de recherche de sécurité, de confort et d'enracinement. Cet axe d'évolution a longtemps constitué le schéma directeur de progression sociale pour les classes culturelles et économiques défavorisées : la conquête de l'indépendance mais aussi de la notabilité, la constitution d'un patrimoine, l'appropriation d'un style, l'intégration à une communauté, la capacité de prévision et d'organisation, le droit à l'abondance et au confort, ont incarné au 19e siècle et pendant la première moitié du 20e siècle un courant « d'embourgeoisement » à la poursuite d'une culture dominante installée. On en trouve les traces culturelles dans « l'esprit petit bourgeois » qui a été péjorativement dévalorisée lorsque la culture dominante d'Aventure s'est installée après la deuxième guerre mondiale.

Mais ce faisceau dynamique est en cours de réactualisation et se développera au cours des prochaines années, en raison de l'affaiblissement de la mentalité d'Aventure et de son pouvoir d'attraction. Il affectera principalement les Français de la mentalité Utilitariste dont il renforcera le modèle d'évolution ancestrale. Cet Axe Prospectif renforcera les Flux Culturels de matérialisme et d'installation par la consommation, de modélisation et d'affirmation de son identité culturelle conforme, de coopération et d'insertion à un groupe social, de recentrage passif sur la vie privée; cette tendance amorcera le renversement de certains autres Flux actuels en revalorisant les valeurs d'ordre et de discipline, de rigueur, de prévision, d'organisation et de tradition, jusqu'alors en récession. *Ce faisceau tendantiel d'Installation rénovera des Styles de Vie néo-bourgeois.*

**Un second faisceau tendanciel de Repli,** d'origine socioculturelle radicalement différente, viendra renforcer mais aussi profondément modifier le précédent pour constituer une nouvelle culture dominante. Il s'agit là d'une tendance très récente dans la Sociostructure, aujourd'hui encore marginale et limitée à des minorités agissantes dont le poids social est encore aléatoire (les écologistes, par exemple).

Cet Axe Prospectif marquera le déclin de la mentalité d'Aventure comme culture dominante attractive, et son échec à retenir ses propres sujets sociaux. Il se caractérisera par l'affaiblissement des valeurs de changement, d'innovation et de métamorphose, de foi dans le progrès et dans la science, d'esprit d'entreprise et de dynamisme, de libéralisme anarchique. Cette tendance affectera donc une population lassée ou effrayée par la France de l'Aventure, à la recherche de sécurité, de stabilité, de mesure, d'harmonie, soucieuse de retrouver une vie simple à dimension plus humaine, plus proche de la nature. Les Flux Culturels de symbolisme, de coopération, de fraternité égalitaire, de communauté solidaire, de retour à la nature, de modélisation, de services, de pédagogie, de prise en charge, s'amplifieront; les Flux de mosaïque, de personnalisation et d'hédonisme maintiendront une influence certaine, mais verront leur signification évoluer dans un sens moins exhubérant et social, plus narcissique et intimiste.

Ce courant socio-culturel se manifeste déjà par des faits sociaux mineurs; les sectes religieuses, l'écologie, le Club de Rome, les communautés... Déjà en germe dans l'échec révolutionnaire de mai 68, il se développera rapidement, principalement chez les jeunes en milieu urbain, dans les classes aisées et cultivées, chez les personnes isolées.

*Ce faisceau de Repli donnera naissance à des Styles de Vie isolationnistes, néo-conservateurs.* Il se manifeste par un projet de simplification de la vie dans tous ses aspects existentiels, à la recherche de sécurité, de qualité de vie et d'équilibre. Sa perspective est une société à dimension humaine, proche de la nature, stable et non conflictuelle, où chacun peut trouver une harmonie de vie privée. C'est un choix non utopique de vie paisible, en rupture avec les excès du progrès technologique, l'inhumanité de l'urbanisme, l'anonymat de la foule, les risques de la vie moderne.

La thématique de cet axe est très riche et associe trois thèmes principaux :

— **une écologie du cadre de vie;** refus des tours gigantesques et de l'urbanisme futuriste; défense des forêts, de la nature et multiplication des espaces verts; protection et rénovation des vieux quartiers; priorité aux vélos contre les autos...

— **une prise en charge protectrice :** assurer la sécurité des personnes contre la violence, même en augmentant les effectifs de police, et contre les risques physiques, en multipliant les hôpitaux; organiser des centres d'information sur les problèmes de la vie quotidienne; améliorer le confort des transports en commun; aménager des parcs de loisirs; garantir contre le chômage; favoriser le dialogue entre patrons et employés...

— **une vie très privée :** priorité à la famille; priorité aux dépenses de possession et d'aménagement du foyer, principalement pour le confort; priorité aux loisirs et au temps libre; simplifier la vie...

La convergence et la synthèse de ces deux faisceaux tendanciels définira UNE NOUVELLE CULTURE DOMINANTE DE QUALITÉ DE VIE parente de la mentalité de Recentrage actuelle. Elle se définira par une priorité donnée à l'équilibre sur le progrès, à la sécurité sur l'aventure, à la qualité de la vie sur le brio, la mode et le spectaculaire. L'avènement de cette culture dominante nouvelle sera progressif mais rapide : les années 1985 verront sa prédominance incontestée dans les mass media, mais dès 1980 elle sera majoritaire (la mentalité de Recentrage représente actuellement 42 % de la population).

Cette nouvelle mentalité-phare marquera une importante mutation de la Sociostructure française, dominée depuis trente ans par le faisceau de Progrès Optimiste constitutif de la mentalité d'Aventure. Ce renversement hiérarchique marquera la fin d'une civilisation fondée sur la conquête par l'expansion économique, l'innovation technologique et l'activisme individuel exclusivement. Elle marquera aussi la convergence sur des valeurs communes (encore qu'interprétées en modes de vie différents) de classes sociales « naturellement » opposées aujourd'hui, à la recherche de la même sécurité.

**C'est donc une nouvelle culture dominante qui animera la Sociostructure française,** en lui offrant pour objectif normatif l'insertion mesurée et harmonieuse de l'individu dans son groupe, des groupes dans la société, de la société dans la nature et dans le monde. Plus qu'une évolution quantitative, il s'agira d'une mutation qualitative de civilisation : ce sont les prémisses d'un nouveau modèle social et culturel, déjà offerts par la *Perspective Harmonique* contemporaine.

Pour ces prochaines années, on peut faire l'hypothèse d'événements politiques, technologiques ou économiques qui joueront le rôle de VARIABLES DE FACILITATION ET D'ACCÉLÉRATION. L'accession au pouvoir politique en France des **partis de Gauche** (si elle est durable) encouragerait cette évolution des mentalités par l'accent mis sur les valeurs d'égalité et de solidarité (coopération), par le développement de la planification et de la prise en charge des individus par la collectivité (modélisation-discipline), par des initiatives possibles de décentralisation, d'autogestion, de démocratie locale (recentrage, mosaïque), par un effort probable de protection de l'environnement (nature); il est à noter que déjà, et depuis plusieurs années, l'image du Parti Socialiste est portée par le faisceau tendanciel de Repli, y compris auprès de populations traditionnellement conservatrices. Toute incertitude politique tendra à renforcer ce système de valeurs.

L'installation endémique d'une **fragilité économique** (des pays industrialisés de façon générale) accélérerait le déclin de la mentalité d'Aventure et encouragera le pessimisme à l'égard de la croissance économique et du progrès scientifique jusqu'alors réputés infinis. Elle posera plus rapidement et collectivement le problème de choisir un modèle de développement, voire de survie de la société. L'expérience du chômage, vécue socialement sur une grande échelle, modifiera considérablement le sens accordé au travail. Les difficultés économiques des entreprises, en ralentissant l'innovation, revaloriseront le sens de la possession et de la durabilité des biens.

**L'indépendance croissante des pays du tiers monde** sur les plans économiques et politiques (du moins par rapport à la France) accentuera la tendance isolationniste déjà amorcée après les aventures coloniales; ce « chacun chez soi » défensif (recentrage) ne sera pas exempt de rancœur et de xénophobie.

**La crise des énergies,** par renchérissement ou pénurie, dramatisera le choix entre les énergies « sales » (atome notamment) et les énergies « douces » en faveur de ces dernières (Flux de naturel) d'autant plus que se développeront les techniques d'exploitation des énergies solaires, géo-thermiques...

L'allègement, la souplesse, la simplification et la mobilité des **techniques audiovisuelles** encourageront le recentrage et la régionalisation (mosaïque), favorisant à la fois l'explosion de la culture monolitique et la reconstitution de micro-cultures spécifiques.

D'autres variables potentielles de la réalité sociale pourront jouer un rôle de FACTEURS DE RALENTISSEMENT. **La concentration des grands media d'information,** le maintien ou le renforcement de monopoles sur certains media pourront maintenir la centralisation et le monolithisme culturels.

Une **relance économique** ou des relances cycliques après une période de crise aiguë provoquerait une poussée psycho-sociologique favorable aux Flux d'hédonisme, de métamorphose, de libéralisme, encourageant une consommation de mode et de jouissance dilettante.

Les progrès dans **l'unification européenne,** économique et politique pourraient être ressentis comme une perte d'identité ou encourager l'ouverture à un esprit international. Leurs effets devraient être suivis pour évaluer s'ils encouragent un renouveau de la mentalité d'Aventure ou provoquent en réaction, un repli vers le Recentrage.

**Dans la logique d'une culture dominante Implosive,** la vision du monde sera moins entropique, plus structurée sur un espace à dimension humaine, sur un fonctionnement anthropomorphe et sur une temporalité plus stable. C'est *une civilisation de la synthropie* qui se développera sur un modèle de société moins ouverte, tendant à une certaine autarcie sur un monde tribal, dans une atomisation micro-culturelle.

LE PAYS, LA NATION, LA PATRIE

Ils seront perçus comme lieu et mode d'identification et d'enracinement socio-culturels plutôt que de passage : ils seront vécus de façon intensive comme cocon de recentrage plutôt que plateforme de rayonnement ou base d'explorations extérieures. C'est donc **un nouvel isolationnisme** qui se développera, refusant les aventures extérieures, méfiant à l'égard des influences étrangères, soucieux de « tirer son épingle du jeu ». Cet égocentrisme génèrera une attitude ambiguë de **tolérance à base d'indifférence** à l'égard des étrangers, sur les plans intellectuel et moral, et de **xénophobie** simultanée, allant jusqu'au racisme sur le plan des ingérences pratiques. Les frontières seront de plus en plus fermées aux migrants professionnels et leur installation permanente sera découragée. Une nouvelle forme de **nationalisme passif** s'affirmera, non dans un esprit de conquêtes et d'influences extérieures, mais comme refus et rejet de l'entropie; sauvegarde, non d'une identité nationale, mais d'une stabilité culturelle que menacent les stimuli étrangers.

La politique étrangère.

Elle n'aura guère de pouvoir mobilisateur, sinon pour susciter des réactions de défense; encore cette mentalité s'exprimera-t-elle principalement par l'indifférence. A court terme, la construction de l'Europe ralliera de nombreux suffrages de principe; mais elle se heurtera à l'inertie des cultures nationales sur la défensive et dans son application elle ne pourra s'appuyer ni sur une solidarité effective ni sur une conscience d'identité supra-nationale. Le sentiment européen ne pourra se fonder sur un projet constructif commun, mais plus facilement sur une nécessaire défensive collective, **barrage protectionniste** contre des blocs plus étrangers encore. Mais la réalité européenne, pour progresser dans la psychologie des Français devra s'appuyer sur une régionalisation qui compensera, par des micro-cultures locales, l'entropie d'une communauté trop vaste et hétérogène pour être vécue comme telle. Le risque sera alors de favoriser les antagonismes de régions européennes (déjà aujourd'hui viticulteurs du midi de la France contre vignerons de certaines régions italiennes) qui contrediront dans la sociologie pratique l'unité institutionnelle.

**Un renouveau régional** (qui n'est actuellement que marginal et contestataire) devra être pris en compte et appellera une restructuration de l'État, qu'il soit national ou supranational. « L'esprit de clocher » reprendra vigueur sous de nouvelles formes, psychologiquement vécu en termes de pays culturels plutôt que de régions administratives; ces zones technocratiques, abstraites et informes pour les populations seront reçues comme contraintes et symboles du centralisme administratif. **La décentralisation,** quel que soit son degré d'application effective, sera l'un des thèmes majeurs de la culture dominante. Elle encouragera et protègera le renouveau de langues, d'usages, de structures régionales. De même, elle encouragera la délégation des responsabilités aux niveaux régional et local, mais aussi au niveau d'associations ou d'entreprises micro-locales. Les collectivités locales seront appelées à suppléer au pouvoir central pour tout ce qui concernera la vie quotidienne et les dirigeants devront répondre, pratiquement ou symboliquement, à cette tendance à une mosaïque socio-culturelle.

LES PARTIS POLITIQUES

Ils seront eux-mêmes appelés à prendre en compte le fait régional : soit qu'une décentralisation effective des pouvoirs les oblige à régionaliser leur action au travers d'assemblées ou d'exécutifs locaux, soit que la centralisation maintenue des organes de gouvernements oblige les élus à s'investir plus qu'aujourd'hui d'**une représentativité de clocher** et non d'appareil parisien.

Le monolithisme des IDÉOLOGIE et des programmes s'en trouvera diminué par leur incarnation nécessaire en des valeurs micro-culturelles régionales. On ne verra pas à si court terme de partis régionaux, mais des tendances régionales au sein des grands mouvements. La notion d'une idéologie explicative « valable pour tous » s'affaiblira : les traductions et adaptations des philosophies et des morales politiques (déjà amorcé : « l'euro-communisme » ou « démocratie française ») se multiplieront par des diversifications de plus en plus fines. Le critère de discussion des idéologies sera de moins en moins leur validité théorique universelle mais leur pertinence pratique locale.

**La morale pragmatique prendre donc le pas sur les idéologies :** un renouveau de l'humanisme s'accompagnera d'exigences de sens pratique. L'homme politique devra être un moraliste pragmatique plutôt qu'un technicien ou un théoricien intellectuel. On reviendra à un modèle patriarcal du politicien : le citoyen dans la culture dominante ne voudra pas se soumettre à un chef lointain, autoritaire, investi de « droit divin » du savoir et du pouvoir, personnage de dimension historique, porteur de grands desseins; il refusera de même le banal représentant de la vie quotidienne, trop proche de lui-même, manquant de hauteur de vue, complice de son électorat, voire démagogue; il n'accordera pas sa confiance aux théoriciens froids, intellectuels, ni aux technocrates cyniques, efficaces mais manipulateurs. On recherchera chez l'homme politique l'expérience, la constance, le sérieux, l'honnêteté, la prudence plus que le brio. Il devra être *un guide*, investi de la confiance en sa morale plutôt qu'en un programme technique.

**La personnalité du politicien** jouera un rôle essentiel, phénomène déjà amorcé dès aujourd'hui par le rôle des mass media, T.V. et radio surtout, son « aura » affective jouera un rôle plus important que sa pensée idéologique. Et son langage devra se diversifier au gré de la mosaïque culturelle et au fil des supports de communication : l'homme politique sera un homme de communication, ce qui exigera une reconversion radicale des mentalités et des pratiques de la classe politique actuelle, enfermée dans le ghetto autistique de son propre langage. Cette attente de communication et non de discours sera accentuée par la nécessaire concrétisation du message.

Une tendance se développera à **la participation au pouvoir politique.** Elle pourra trouver son expression sous différentes formes de démocratie locale permanente; des consultations locales fréquentes pourront être organisées sur des thèmes concrets de vie quotidienne; les associations et mouvements chercheront à se faire reconnaître et à participer effectivement à la gestion. La participation aux pouvoirs, aux responsabilités et aux décisions sera un thème essentiel de la culture dominante; sera-t-elle appliquée?

**L'engagement militant tendra à confondre les actions sociales et politiques** : une osmose entre syndicats, partis, mouvements d'idées, associations de vie quotidienne, groupes confessionnels se développera. Le militant sera moins un guerrier ou un vendeur (ce qui est le cas dans la culture dominante d'Aventure) qu'un animateur des réflexions et propositions. Il devra être fortement intégré à la collectivité au sein de laquelle il agit. Politiciens et militants « parachutés » devront faire la preuve de leur solidarité communautaire avant d'être acceptés.

LES RAPPORTS DE CLASSES

Ils seront vécus comme des interactions, non entre entités abstraites (le patronat-le prolétariat), mais entre groupes de modes de vie, fortement régionalisés. Les affrontements en deviendront plus violents, car fondés sur une implication et une solidarité plus fortes des individus dans leur classe de vie. En ce sens, on assistera à **un renouveau du corporatisme.** Mais une personne ne se sentira plus monolithiquement affectée à une catégorie sociale; chacun participera à plusieurs classes de vie (analogues à la « personnalité de statut » en anthropologie culturelle) selon son mode de vie familial, professionnel, son implantation, son mode d'habitat, sa participation à la vie politique... On notera donc **un éclatement du concept même de classe sociale** par socialisation et concrétisation. Cependant, le modèle dominant des rapports de classes et de groupes sociaux sera **la coopération :** on préférera la négociation au conflit, la discussion à l'affrontement, le compromis à l'épreuve de force. La motivation en sera moins la solidarité que le souci de non-violence, et une profonde passivité.

Cette passivité appellera à **une prise en charge paternaliste par la collectivité** d'un nombre toujours plus grand de problèmes individuels. On assistera à un affaiblissement des valeurs d'initiative individuelle, d'activité, de lutte (« struggle for life ») et une mentalité d'assisté se développera qui entraînera une inflation des services publics. Il apparaîtra naturel de dépendre des collectivités locales ou nationales pour assurer la sécurité individuelle : on exigera donc des administrations une attitude et un langage de disponibilité, de souplesse, de chaleur humaine, qui les appellera à se décentraliser à proximité de leurs administrés-assistés. Un risque important de déresponsabilisation des personnes et d'envahissement bureaucratique est à prévoir, entraînant des habitudes d'interventionnisme de l'État, que l'éclatement social en micro-cultures tentera de combattre.

Les valeurs d'égalité, aux plans psychologique, social et financier, seront plus facilement acceptées par le biais de l'assistance institutionnelle : on s'en remettra à l'organisation collective pour réduire les inégalités par l'apport d'aides financières, de facilités sociales, d'informations, ce qui laissera le champ libre à la défense des intérêts privés et micro-communautaires. L'égalité sera donc un principe moral dominant mais relevant de l'initiative de l'État, sans implication réelle des citoyens, eux-mêmes retranchés en « tribus » fermées et pratiquement hiérarchisées.

La même passivité entraînera **un raidissement répressif de la morale et de la législation,** relatif selon les groupes sociaux et les micro-cultures. Attirée par des valeurs de non-violence, la mentalité dominante se trouvera vulnérable à la violence marginale : les personnes privées se sentiront désarmées, incapables d'y répondre et exigeront de la collectivité une plus grande rigueur de protection et de châtiment. Le rôle de la police et de la justice s'en trouvera revalorisé : on cherchera à les décentraliser et à moduler leur fonctionnement selon les cultures locales ou groupales.

### La vie des entreprises

Cette culture dominante *Implosive* favorisera une évolution de la vie des entreprises, que l'on doit cependant prévoir freinée durablement par des structures mises en place antérieurement.

On observera **un retour à des structures plus légères d'entreprises,** par éclatement et décentralisation des grandes sociétés et par création en grand nombre d'entreprises moyennes. L'indépendance financière n'en sera pas le mobile essentiel; les entreprises petites et moyennes rechercheront la sécurité par la participation à des groupes ou syndicats.

On poursuivra plutôt l'autonomie de fonctionnement, de décision et de gestion et l'ambiance moins bureaucratique, plus humaine des structures légères. **Cette tendance favorisera les organigrammes « en ligne » contre les pyramides hiérarchiques,** délégant la responsabilité à des équipes de petite taille, homogènes et motivées psychologiquement par l'autonomie autant que financièrement par l'intéressement aux bénéfices. Elle favorisera aussi les « holdings » financières, les G.I.E., les coopératives, les syndicats, toutes organisations poursuivant le double objectif d'assurance avec coordination centrale et d'autonomie décentralisée.

**Le rôle des cadres intermédiaires s'en trouvera amplifié :** sans réellement devenir des chefs d'entreprise, dans le contexte de l'effacement du sens du risque individuel et de l'initiative, ils joueront un rôle plus important qu'aujourd'hui de relais et de leaders d'unités autonomes. Confrontés à ces structures légères et à leur fonctionnement pratique, leur statut sera plus opérationnel et pragmatique : le jeu intellectuel, théorique, abstrait du marketing ou de la technologie d'école sera dévalorisé au profit de l'expérience pratique. Le recrutement de ces cadres et leur formation laisseront plus de place à la pratique technique et à la formation psychologique d'animateurs de travail.

**Le management évoluera de même vers une fonction presque exclusivement stratégique,** financière ou organisationnelle, en abandonnant la conduite des opérations de production. La direction d'entreprise devra prendre en compte de nouveaux facteurs, tels que l'insertion écologique, le rôle social, la responsabilité psychologique à l'égard de ses usagers; elle s'appliquera donc moins exclusivement au seul aspect quantitatif de la production. Les entreprises seront de plus en plus confrontées à leur responsabilité sociale par des contrôles plus rigoureux de l'État et par une activité critique plus intense des usagers-consommateurs.

Elles seront donc amenées à justifier leur activité, leurs innovations, leurs modes de production. Les problèmes de technologie seront particulièrement aigus; une partie importante des **investissements** sera appelée à se déplacer, des recherches de productivité vers des corrections de nuisances : tant au niveau des réductions de pollutions extérieures que des améliorations de sécurité et de confort des conditions de travail, qui deviendront la revendication première du personnel. Les coûts de production seront augmentés par ces investissements qualitatifs. **L'innovation sera donc freinée** par la nécessité de rentabiliser à long terme des équipements sophistiqués : elle se transformera pratiquement en diversification de gamme et symboliquement en différenciation de marques pour répondre à la mosaïque des Styles de Vie à partir d'un produit ou service de base.

La consommation de masse

Elle changera de nature par sa diversification microculturelle. **La segmentation devra définir des types de marchés de Styles de Vie différents :** la diversification des produits devra s'adapter à la différenciation des groupes sociaux.

La consommation portée par les tendances psychologiques à l'Installation donnera **la priorité aux biens d'équipement et de confort,** notamment pour l'installation du foyer, sur les objets d'ostentation, de standing, de mode, de jouissance instantanée. Les dépenses implicantes de consommation se développeront le plus vite dans les secteurs d'ameublement et de décoration, d'habillement, de santé et d'entretien du corps, de loisirs...

On y cherchera des valeurs de qualité garantie; et la durabilité des équipements reprendra le pas sur l'obsolescence de la période précédente, en raison des prix plus élevés et du ralentissement des modes d'innovation. **L'inflation quantitative des produits se transformera en amélioration qualitative.**

On exigera des entreprises de ne pas se limiter à la production mais d'y adjoindre **des services :** pédagogie et formation continue des usagers, entretien après vente. On verra apparaître des objets modulaires qui pourront être partiellement améliorés et non totalement remplacés, au fur et à mesure d'innovations techniques ponctuelles. Ce service perfectionné d'après vente sera inclus dans les prestations attendues des entreprises.

**Le sentiment de propriété connaîtra un renouveau** et la location des biens d'équipements sera freinée dans la culture dominante. Les entreprises rechercheront des formules nouvelles de location-vente assurant des services de remplacement et d'entretien sans remettre en cause la possession des objets. **Un artisanat d'entretien** très spécialisé pourra se développer dans ce contexte.

Le consumérisme

Il se développera, encouragé par les pouvoirs publics qui y trouveront une justification pour renforcer leur contrôle sur les entreprises. Mais il devra tenir compte de l'évolution des mentalités plus soucieuses de confort d'utilisation que de performances technologiques, sensibilisées aux images symboliques des objets, au style... L'analyse critique du consumérisme évoluera des seuls tests et analyses de laboratoire vers les expériences d'emploi en milieu réel; **elle devra prendre en compte l'irrationalité du consommateur** (que nie le consumérisme réactionnel d'aujourd'hui), mais que la culture dominante revalorisera avec l'intuition, le rêve, la spontanéité subjective, le symbolisme, la mystique, la mythologie. On verra donc naître un consumérisme qualitatif.

La communication entre les entreprises et leur public

Elle gagnera encore en importance et en implication, du fait de l'éclatement en mosaïque d'audiences de la population et de la diversification typologique, locale et technologique des media. Elle sera rendue nécessaire par les responsabilités nouvelles qui seront attribuées aux entreprises et par la concurrence informative du consumérisme, des syndicats, des pouvoirs publics qui accéderont à **la communication sociale.** On assistera donc à une information diverse et dialectique qui placera le consommateur-usager au centre d'un débat dont l'entreprise ne sera plus le seul émetteur d'influence.

On verra s'affirmer **une publicité diversifiée** et équilibrée; par contrôle légal elle sera obligée à une information objective et vérifiable qui constituera la base de toute annonce. Elle pourra exercer plus librement un droit au symbolisme qui sera moins critiqué. La dimension symbolique des objets et services évoquera principalement l'identification à un Style de Vie spécifique. Pour le même objet, la base informative de la publicité sera la même mais supportera des messages imaginaires différents adaptés à des régions, des groupes sociaux, des mentalités, des situations, constituant des marchés spécifiques.

**De nouveaux registres de communication** seront ouverts par la communication des hommes et partis politiques, des syndicats et associations, par la pédagogie des services publics, administrations et ministères. Le quasi monopole exercé par les entreprises au travers de la publicité sera affaibli par ces nouveaux émetteurs et par la dispersion des media. L'implosion de la société en tribus micro-culturelles, en accroissant la distance psychologique entre ces communautés et les organismes centralisés, rendra plus urgente et nécessaire une communication différenciée selon les modes de vie et de pensée.

**Les agences de publicité** évolueront pour s'adapter à ce marché plus divers dans ses objectifs et ses cibles. On verra disparaître les « agences usines », trop grandes par leur taille, trop standardisées dans leur style, trop directives par leur système de services complets, au profit de structures plus légères et souples où le conseil en communication primera sur la création artistique. On verra s'atténuer le rôle des grandes agences parisiennes et les campagnes nationales ou multinationales : les stratégies publicitaires se régionaliseront pour s'adapter aux mentalités et aux comportements typiques. Des agences régionales se développeront pour répondre à ces besoins. On verra de même se créer des cabinets de conseil en communication sociale, spécialisés sur des secteurs d'activité : entre l'information et la réclame commerciale, entre la propagande politique et le journalisme se constitueront de nouveaux styles et langages, de nouveaux media, de nouveaux modes de relations entre les institutions et la mosaïque de leurs publics.

LES MEDIA

Ils connaîtront une explosion quantitative, pour suivre l'atomisation micro-culturelle, qui sera facilitée par l'allègement et la souplesse des techniques de communication. On verra donc se multiplier **un grand nombre de supports divers s'adressant à des audiences spécifiques locales ou psychosociales.**

Radio et télévision multiplieront les émissions spécialisées, soit dans le cadre actuel de monopole de diffusion restreignant le nombre des stations, soit par une multiplication des émetteurs et des chaînes. Des émissions locales ou spécifiquement ciblées sur un type d'auditeurs répondront aux besoins d'identification des différentes micro-cultures. Le développement de la presse spécialisée, actuellement amorcé, se confirmera avec le déclin des magazines généraux nationaux. **La presse quotidienne** résistera à la concurrence de l'audio-visuel, affirmant sa fonction de reflet d'une micro-culture locale diversifiée de façon pointilliste par zones géographiques. Elle tendra à prendre le contrôle et la responsabilité des productions audio-visuelles locales, leur conférant ainsi *une fonction sociologique d'écho* [1] et reflet normatif de la micro-culture tribale.

Les media audio-visuels n'assumeront que marginalement une fonction d'information instantanée, prise en charge par des chaînes ou stations spécialisées (si la législation en permet l'apparition) comme cela se passe déjà aux États-Unis ou en Italie. Mais le goût pour l'information générale perdra de son intensité dans la culture dominante au profit d'**informations locales** implicantes qui pourront être régionalement élaborées et commentées en référence à la micro-culture de l'audience.

1. Pour l'exposé des fonctions psychologiques et sociologiques des media, voir le bref résumé du chapitre 8, ci-dessus, et l'exposé détaillé dans *Pour une Prospective sociale*, II$^{e}$ partie, chap. 4.

Radio et télévision rempliront un rôle d'identification participative : leurs programmes présenteront un miroir projectif permettant aux auditeurs de conforter leur appartenance à un groupe, communier aux modèles et valeurs normatifs, participer à la cohésion et à l'originalité de leur Sociostyles. La fonction psychologique de *Virtualisation* se développera : l'audience en attendra une sélection et une reformulation des informations extérieures dans le sens d'une atténuation des stimuli, d'une protection contre la réalité. Ces media présenteront donc des émissions plus spécialisées et plus banalisées à la fois, où chaque audience pourra se reconnaître. Les modes de **participation du public** aux émissions se développeront, soit par le courrier, les appels téléphoniques, soit en participation en direct aux enregistrements, soit encore par des initiatives plus créatives : envoi de cassettes, de films, de reportages, de petites annonces, d'informations... **La décentralisation des émissions** ou des stations, l'existence de chaînes de quartier faciliteront la coopération de l'audience, qui restera cependant un principe exemplaire de Style de Vie plutôt qu'une pratique généralisée.

**De nouveaux media audio-visuels** se développeront, technologiquement au point, portés par le courant de Repli, incarnant des valeurs de Recentrage : les circuits de T.V. par câbles locaux, le vidéo-téléphone, les téléphones photocopieurs, renforceront le repli sur le foyer. Le chez-soi deviendra un centre d'émission et de réception d'informations et même un lieu d'autoconsommation informative.

La presse évoluera veres une plus grande spécialisation locale (pour les quotidiens régionaux), idéologique (pour les quotidiens nationaux et les magazines d'opinion), thématiques (pour les magazines) ou circonstanciels. De nouvelles formes de supports mixtes, presse/édition, presse/audio-visuel, se développeront pour créer **un nouveau langage illustré, sensoriel.** L'image et la mise en page seront au premier plan des exigences des lecteurs, en termes de confort de lecture.

La fonction des media écrits sera principalement de sélection et de commentaire. On y recherchera, non l'exhaustivité d'informations brutes, mais le « digest » sécurisant et confortable d'information déjà traitée, raffinée et adaptée à l'audience spécifique. Le public y trouvera des modes de vie pratiques sous forme de pédagogie, de conseils, de services concrets qui le conforteront dans son rôle.

La culture dominante Implosive

Elle renforcera donc la fonction [1] d'*Amplification* des media audiovisuels et la fonction de *Prisme* de la presse, au détriment des fonctions d'*Antenne* informative et de *Focalisation* innovatrice. Mais leur fonction essentielle sera d'*Écho*, reflet conformiste et normatif de la micro-culture tribale, filtre défensif contre les informations dérangeantes et miroir d'identité vivante contre les risques d'uniformisation d'une macro-culture multinationale.

**La langue évoluera dans la double direction d'un enrichissement sensoriel et d'un enracinement renouvelé dans les cultures régionales.** Le renouveau des langues minoritaires s'affirmera : elles sortiront du ghetto folklorique et de la commémoration passéiste sans toutefois retrouver un statut de langue dominante et véhiculaire. Leur influence se manifestera par la contamination du langage dominant qu'elles enrichiront de mots et de tournures originales, symbolisant le particularisme régional et qu'elles coloreront d'un accent déculpabilisé. On ne peut s'attendre, du fait notamment de la résistance des mass media nationaux, des systèmes scolaires et des phénomènes de migration, à un réel retour au particularisme linguistique mais plutôt à une particularisation régionaliste de la langue française. On verra cependant réapparaître les grands dialectes régionaux dans les programmes scolaires comme deuxième langue, officialisant par là même l'étude des littératures ou folklores locaux qui en sont l'expression.

Cette rénovation de la langue nationale par les langues particulières (Flux de mosaïque, de recentrage et de modélisation) s'accompagnera d'une profonde évolution vers

1. Voir note page 247.

**une langue « chaude »** sous l'influence notamment des technologies audiovisuelles. Le français écrit se rapprochera du français parlé, plus souple et permissif au jeu des évocations, plus ouvert aux néologismes et aux contractions des mots, plus tolérant à l'argot des métiers, et surtout plus riche d'évocations, d'analogies, d'images (tendance au symbolisme) par une réaction anti-jargon et anti-intellectuelle.

**La culture Implosive défendra son langage** contre les impérialismes linguistiques. La réaction contre le franglais se confirmera par la dévalorisation du vocabulaire importé et par la recherche d'équivalents francisés. L'enseignement et la pratique des langues étrangères pourront en souffrir, demeurant indispensables du fait des échanges internationaux croissants, mais réduits au rang d'instruments pratiques. Il en résultera un conflit latent entre les valeurs dominantes valorisant la spécificité culturelle et la nécessité de pratiquer des langues véhiculaires multinationales.

**Ce recentrage défensif d'une culture Implosive favorisera son éclatement interne en micro-cultures.** La notion de « culture Française », identifiée à une culture parisienne centralisée s'avérera moins mobilisatrice que l'attachement à des cultures particulières, régionales ou corporatistes, d'âge ou de sexe, qui se verront hypertrophiées jusqu'à la caricature. On réécrira l'Histoire et la civilisation à la lumière des chauvinismes tribaux. Les stéréotypes français se diversifieront en stéréotypes plus spécifiques; la personnalité de base sera dominée par des personnalités de statuts en lesquelles se reconnaîtront mieux les individus et qui leur permettront de se ressentir intégrés à une communauté (Flux de coopération, de recentrage et de modélisation).

Cette réaction contre les ukases et les canons standardisés d'un intellectualisme de la capitale, se manifestera particulièrement dans le système éducatif. **Écoles et universités se décentraliseront et se spécialiseront** dans leurs structures et leurs programmes : pour étudiants et professeurs, « monter à Paris » ne sera plus l'objectif premier. Chaque université tendra à devenir un centre d'attraction et de rayonnement spécialisé par une pensée originale, plutôt que de prétendre à l'exhaustivité et à l'universalité des savoirs.

Une décentralisation effective des institutions scolaires ne pourra qu'accentuer cette tendance à la spécificité et encourager à une compétition entre elles, sur le plan des théories, des hommes et des méthodes. La formation culturelle et professionnelle sera affectée d'une importante connotation de caste, valorisant l'appartenance à telle ou telle école et développant des réseaux d'anciens élèves se reconnaissant des racines éducatives communes et un savoir standard. Au tribalisme régional se superposera donc **un tribalisme éducatif,** fortement hiérarchisé et concurrentiel, délimitant des groupes informels d'appartenance avec leurs valeurs, leurs rites, leur langage ésotérique, leurs modèles et leurs maîtres. Cette déstandardisation du savoir réintroduira une inégalité de principe (et également de fait) dans l'enseignement.

La gestion participative s'introduira dans les systèmes éducatifs faisant participer plus étroitement les partenaires d'enseignement, élèves et professeurs, mais aussi les partenaires sociaux, responsables locaux et entreprises, syndicats et parents, à la conception des programmes et au choix des méthodes. **Les enseignants associés** seront de plus en plus nombreux : professionnels, experts, peut-être même parents dans l'enseignement primaire et secondaire, appelés à témoigner d'une expérience et à transmettre des schémas de pensée et d'action plutôt qu'à délivrer un savoir. L'école redeviendra un lieu d'acculturation quasi tribale où se transmettra et se renforcera une micro-culture, qu'elle soit professionnelle, régionale religieuse ou intellectuelle... Le souci de performance élitiste y sera moins grand que celui d'égalisation normative.

Quel que soit le statut des institutions scolaires, c'est une véritable **privatisation de l'enseignement** en ce qu'il a d'essentiel : mieux inséré dans la réalité sociale et mieux adapté à sa fonction, il en sera plus implicant pour sa communauté d'appartenance : il revêtira aussi un aspect plus normatif pour les élèves, favorisant moins une culture générale qu'une praxis conformiste; il accentuera l'implosion de la société en sous-groupes de mentalités différentes et concurrentes. Plus proche de l'individu enseigné et de l'individu enseignant, l'école sera de moins en moins un instrument d'uniformisation sociale pour une politique culturelle de dimension nationale.

La matière même de l'enseignement manifestera **un renouveau de travaux pratiques** de sensibilisation à l'environnement et d'adaptation pragmatique, favorisant la perception intuitive, l'intégration spontanée et un « savoir-vivre » plutôt que des principes théoriques ou des méthodologies préétablies.

Les critères de bon goût culturel s'en trouveront affectés dans le sens d'**une démystification de l'Art et de la Culture.** Les modes artistiques évolueront moins vite dans le temps et seront plus diversifiées au gré des micro-cultures tribales. L'art abstrait, la littérature ésotérique auront régressé au profit d'évocations plus figuratives ou symboliques de la réalité. Une relative démocratisation artistique sera soutenue par une vulgarisation de l'exposition (par les media), de la possession (par les multiples) et de la création (par les techniques accessibles au grand public comme la photo, le cinéma de format réduit, les magnétoscopes miniaturisés). On recherchera moins dans l'œuvre artistique l'innovation ou l'originalité que la qualité et le soin du travail, le savoir-faire, le sérieux de l'approche.

L'art se vulgarisera aussi à travers l'artisanat qui bénéficiera des tendances au naturel et au traditionalisme : à travers ses objets comme par sa pratique (au moins perçue comme possible par chacun, même si elle n'est pas pratiquée effectivement), la distance entre la personne et l'œuvre d'art entrée dans la vie s'atténuera. La culture Implosive valorisera ainsi **l'art quotidien** de décoration et d'ambiance, de plaisir personnel et de loisir, de qualité de vie non élitaire.

Le stylisme verra se confirmer **le déclin du design** et des formes industrielles purement fonctionnelles, et le déclin des matières froides (acier, plastique, formica, verre, émail) au profit d'**un nouveau baroque** valorisant les formes sensuelles, douces et arrondies, complexes, les décorations évocatrices, les matières sensorielles, chaudes et naturelles, les couleurs profondes et chaudes.

LA MODE VESTIMENTAIRE

Au-delà des variations saisonnières artificiellement provoquées, elle sera durablement influencée par les Flux de mosaïque, de nature et de recentrage.

On attendra prioritairement du vêtement **le confort physique et sensoriel.** On recherchera des matières agréables, douces, légères et des formes enveloppantes, amples et encoconnantes. Le vêtement sera conçu comme un nid douillet pour le plaisir du corps plutôt que pour le faire valoir. Des formes fluides laissant la liberté de mouvement dans des matières souples prédomineront contre les carcans, les harnais et les constructions artificielles.

**Un renouveau de pudeur vestimentaire,** variable cependant selon les groupes sociaux, favorisera les formes sobres, les matières opaques, les constructions loin du corps, les robes plutôt longues. Sans être systématiquement austères, les couleurs préférées seront plutôt sombres et profondes que clinquantes. Le vêtement sera moins un présentoir exhibitionniste qu'une parure : les audaces vestimentaires seront moins bien tolérées; chaque communauté micro-culturelle développera son propre costume qui pourra apparaître comme un uniforme définissant une appartenance; les vêtements unisexes régresseront.

La mosaïque sociale atténuera l'effet de mode par une multiplication des costumes, des styles et des accessoires de variété, y compris pour le costume masculin dont la standardisation s'atténuera. **Le costume variera** selon les activités, les moments et les contextes sociaux des vêtements modulables proposant une tenue de base et une panoplie d'accessoires ou de sur-vêtements spécialisés par fonctions.

Enfin, le Flux de naturel et de simplification encouragera **une mode pratique de vêtements fonctionnels,** solides, durables, pour lesquels la patine sera une valeur d'attachement (déjà les jeans d'aujourd'hui...). Des matières naturelles, des tissages bruts, des couleurs simples et sobres incarneront cette mode de service.

### Les critères de beauté corporelle

Ils seront influencés par les mêmes Flux dynamiques. Les soins du corps se développeront considérablement selon une norme de beauté saine et naturelle, accroissant ainsi **les dépenses de santé et de soin,** dévalorisant les artifices manifestes. Les produits de traitement et d'entretien du corps de type para-médical prendront le pas sur les maquillages, les teintures et parures correctives. La qualité sera un critère essentiel et l'on verra se multiplier les produits naturels ou d'image naturelle.

Les canons de la beauté seront plus tolérants à l'âge : le critère de perfection sera moins l'adolescence que **la maturité épanouie;** l'âge ne se dissimulera plus, mais vieillir en beauté en assumant rides et cheveux blancs sera une norme reconnue. Le mannequin féminin idéal regagnera en **rondeurs maternelles** et le modèle masculin en muscles avec le déclin du stéréotype filiforme et androgyne actuellement en vigueur. L'idéal proposé par la Culture Implosive sera moins la vamp ou le séducteur que la personne **« bien dans sa peau »,** équilibrée, harmonieuse et saine, selon un stéréotype moins standardisé, stimulant la personnalisation de la beauté.

### Le sport

Il sera culturellement valorisé comme un moyen nécessaire de cultiver santé et beauté, connoté d'ascétisme et selon une idéologie de contact avec la nature et **une morale de préservation de son capital santé :** on cherchera à conserver son potentiel physique plutôt qu'à le dépenser par pure jouissance; « brûler sa vie » sera dévalorisé comme une conduite irresponsable.

Les activités sportives s'intègreront à la vie quotidienne familiale et à ses loisirs. **Le sport-loisir** réalisera une vulgarisation et une banalisation des techniques, des équipements et des résultats sportifs : pratiqué en week-end et en vacances, sur des terrains de loisirs à équipement léger, sans rituel compétitif ni soucis de performance, comme loisir familial ou amical, il ne cherchera plus à imiter le sport de compétition. Un nouveau type d'équipement de technologie légère, d'entretien facile, de coût peu élevé se multipliera à un niveau micro-local; il s'y associera des activités de loisir, de détente et de sport.

**Un sport de compétition-spectacle,** élitiste et professionnel se développera, mais déconnecté des pratiques banales et individuelles du sport-loisir. La protection de la nature sera l'un des thèmes dominants de la Culture Implosive qui favorisera la vulgarisation du sport-loisir : des parcs nature-sport de loisirs se multiplieront, protégeant des sites naturels et les ouvrant à la promenade, à l'exercice physique et à la pédagogie écologique.

**La notion d'écologie sera un modèle de pensée dominant,** quasi mystique, dramatisant la dépendance mutuelle de l'homme, de la société et de leur environnement physique. On redoutera les catastrophes écologiques, réelles ou fantasmatiques, que le climat de fin de millénaire contribuera à hypertrophier de façon irrationnelle, Le progrès technologique sera suspect et des exigences croissantes se manifesteront pour le contrôler.

Parallèlement, se développera un optimisme naturaliste peu rationalisé, attendant la solution aux problèmes du monde, non plus des sciences mais de la nature : cet état d'esprit encouragera **les expériences concernant les énergies douces** (solaire, géothermique, marémotrice...), les cultures et élevages marins... Au contraire, on craindra les recherches tendant à forcer la nature : modification de climat, fécondation artificielle, mutations génétiques...

Les métiers en contact avec la nature ou les matières naturelles seront valorisées : l'agriculture et l'artisanat, les sciences de la nature deviendront des professions d'image prestigieuse. Globalement, **les travaux manuels bénéficieront de ce renouveau** associé à la double valeur de travail créateur et de travail naturel. Une tendance se dégagera à l'automatisation et à la technicisation des travaux salissants et dévalorisants au profit d'une plus grande participation humaine aux travaux créatifs et valorisants.

Le travail

Il changera d'image et n'apparaîtra plus comme une fatalité ni comme un but en soi. On acceptera de plus en plus mal l'obligation du labeur et il se manifestera un besoin de loisir; **le temps de travail devra se réduire** quel que soit le contexte économique. De même, l'activité professionnelle ne sera plus perçue par la culture dominante comme une valeur en soi, un impératif de statut : **le droit au non travail** sera reconnu, au moins sur un plan théorique. Les motivations professionnelles en seront modifiées : pour les femmes, le travail extérieur ne sera plus le mode ou le symbole majeur de libération et d'autonomie; on verra des hommes, encore que marginalement, abandonner leur activité pour s'occuper du foyer ou des enfants, surtout lorsque la femme pourra assurer l'équilibre financier par son propre travail. Les activités artistiques, intellectuelles, mystiques seront reconnues aussi importantes que le travail. Le statut et le prestige social seront moins attachés au fait de travailler ou au revenu qu'à l'intérêt de cette activité.

On recherchera l'épanouissement dans le travail ce qui développera des exigences qualitatives d'initiative et d'autonomie, de responsabilité créatrice, de prise en charge d'unités de production globales, de confort et d'ambiance, de sécurité, de relations humaines... Parallèlement, on supportera de moins en moins la parcellisation du travail à la chaîne, les cadences excessives, l'anonymat et l'autoritarisme. **Les revendications qualitatives sur les conditions de travail domineront les exigences purement financières.** Les activités les plus personnalisées seront recherchées ainsi que le travail d'équipe, dans des unités de production à taille humaine et autonomes.

La stabilité sera une variable importante du choix de l'activité, permettant une insertion sécurisante dans une communauté de vie et l'installation du mode de vie (Flux de modélisation); on restera donc réticent à la mobilité de l'emploi et l'on recherchera au contraire à **travailler à proximité de chez soi** pour éviter au mieux le déracinement.

La mentalité d'assistance s'appliquera également au monde du travail, renforçant l'exigence de garantie de l'emploi et du salaire par la collectivité. On verra s'étendre **le travail à temps partiel,** permettant un meilleur équilibre entre la vie productive publique et la vie privée, qui sera perçu comme un autre mode de productivité : travail multiple, échanges de travaux ou d'emplois, année sabbatique, travail par postes mensuels ou semestriels [1]...

LES LOISIRS

Ils représenteront une part plus importante du budget et du temps, avec la diminution du temps de travail. Ils ne seront pas considérés comme un temps mort d'inactivité passive mais comme un moment d'activité personnelle, enrichissante et créative. Le Flux de discipline renforcera une norme morale de loisirs utiles et productifs en dévalorisant le farniente et le dilettantisme hédoniste : un alibi culturel (apprendre par la T.V. ou s'ouvrir l'esprit par les voyages), artistique (créer par le tissage, la poterie) ou productif (se suffir à soi-même par la pêche, le jardinage ou le bricolage) sera le support et **la justification sociale des loisirs.**

La répartition des loisirs sera plus souple; on verra se développer **un meilleur étalement des vacances** et des loisirs, par périodes plus courtes et plus fréquentes, évitant les déracinements longs et lointains hors de la communauté d'appartenance et la concentration des foules aux mêmes époques dans les mêmes lieux.

1. Guy Aznar, dans *Le temps des cerises bleues* (à paraître) développe une utopie sur l'organisation du temps de travail et de loisirs : il distingue « l'entravail » d'obligation non implicant et le « travam » créatif, personnalisé et implicant, en suggérant de nouveaux modèles d'aménagement de l'emploi et des loisirs.

La culture Implosive n'encouragera pas les voyages lointains et l'exploration des cultures étrangères malgré la facilitation des transports. **Les voyages organisés et les vacances en club** se développeront, associant le voyage exotique à la sécurité d'un enracinement culturel familier, sans réel contact dérangeant avec le pays visité. Les voyages d'aventure, recherchant le choc culturel, resteront marginaux pour la mentalité dominante soucieuse de prise en charge, d'installation, de confort physique et psychique.

Les modes de transport

Jusqu'alors orientés vers les performances de vitesse et de distance, ils devront s'adapter à cette culture d'enracinement, qu'il s'agisse de transports internationaux, nationaux ou urbains.

Les déplacements seront de plus en plus ressentis comme un déracinement, un arrachement à l'univers familier et la projection des personnes dans un monde froid et étranger. Des exigences qualitatives se manifesteront avec urgence : sécurité physique du moyen de locomotion et de son environnement, protection contre les risques d'accident et d'agression, **confort et humanisation du décor plutôt que vitesse fonctionnelle,** prise en charge humaine et affective, services et assistance. Même pour des déplacements urbains de courte durée, l'automatisation, l'entassement de foules anonymes, la vitesse pure, la performance technique, le modernisme froid seront mal vécus. Dans l'ensemble, on cherchera à réduire les temps de transport et, lorsqu'ils sont nécessaires, à les minimiser et à mieux les coordonner. Pour lutter contre les véhicules individuels, les transports en commun devront s'adapter à la demande en mettant l'accent sur l'animation (musique, T.V.), les services (nourriture, lecture), l'assistance (guide, service d'ordre, signalétique d'orientation), le confort et le relatif isolement.

La voiture individuelle restera un équipement essentiel des Français mais son utilisation urbaine sera de plus en plus réprimée par une conjonction de facteurs : renchérissement des énergies, encombrement des villes et lutte contre la pollution, le bruit et les nuisances esthétiques. **La limitation et la réglementation de la circulation automobile urbaine** seront envisagées favorablement par une importante partie de l'opinion publique si les transports en commun savent répondre aux exigences de qualité. De nouvelles automobiles urbaines seront mises au point, de faibles encombrement et habitabilité, peu rapides et économiques, propulsées par des énergies propres (électricité, vapeur...).

**De nouvelles formules de déplacement** seront appelées à prendre une place intermédiaire entre le transport en commun de masse et le véhicule individuel : transports semi-collectifs (taxis, minibus), prise en charge de porte-à-porte (bus-phone, trottoirs roulants, bus-stop), meilleure coordination (train + auto, métro + vélomoteur, bus + voiture électrique, train + taxi...), meilleure personnalisation (abonnements, cartes de crédit...).

La revendication du **transport gratuit** se développera, conçu comme un service public et une compensation aux obligations de déplacement : son application sera dépendante du système politique au pouvoir.

L'URBANISME ET L'HABITAT

C'est toute une conception de l'urbanisme et de l'habitat qui se trouvera remise en cause après l'explosion urbaine des trente dernières années. Dans la culture Implosive, le mode d'habitation constituera l'un des points-clés de la psychologie sociale, comme lieu et moment d'identification et d'enracinement de l'individu au sein d'une collectivité micro-culturelle.

Les mégalopoles seront refusées, particulièrement lorsqu'elles constituent des univers modernes, artificiels, sans équipements sociaux ni ambiance de vie. **La rénovation des vieux quartiers** sera préférée à la construction de Z.U.P. périphériques ou à l'implantation de tours dans les villes. L'idéal poursuivi (mais que l'infrastructure urbaine ne permettra pas à court terme) sera le village plutôt que la ville ou le quartier plutôt que la métropole, c'est-à-dire un espace de vie communautaire à dimension humaine. Ces valeurs pourront encourager un projet économico-politique de **rééquilibrage des villes moyennes** par un reflux des migrations vers Paris et les grandes agglomérations (si l'infrastructure économique régionale le permet); elles seront fondées sur l'éclatement micro-culturel de la société française et le renouveau régional.

On cherchera une meilleure insertion dans le tissu urbain des habitats particuliers, des locaux de travail et des services ou commerces, constituant des îlots homogènes de vie, fondés sur le refus des cités-dortoirs, le désir de réduire les temps de transport et l'attente communautaire.

La maison individuelle restera l'idéal des Français, mais elle sera moins comprise comme un isolement que comme un espace de personnalisation et d'enracinement au sein d'une collectivité restreinte définissante et protectrice. Cette attente encouragera la structure, actuellement marginale, **de nouveaux villages de maisons particulières** regroupées autour d'équipements commerciaux, culturels et sportifs communs. Cet enracinement dans une bulle privative s'accompagnera d'une faible mobilité (à l'inverse du modèle américain). On verra se développer dans les habitats collectifs ou dans les villages **des services fonctionnels ou de loisirs communs :** machines à valer, salles de jeux, T.V., équipements audio-visuels partagés.

La sauvegarde, l'embellissement et l'animation du milieu urbain seront délégués à la collectivité dont on attendra une politique de qualité du cadre de vie : les rues piétonnes, les parcs et espaces verts, les terrains de jeu, les fêtes et décors de rue relèveront du seıvice public attendu par les habitants au même titre que les services fonctionnels et la sécurité.

L'évolution des mentalités des citadins se heurtera aux problèmes d'infrastructure existante, aux coûts et délais de réalisation d'un nouvel urbanisme. Il s'ensuivra une désaffection profonde pour les grandes villes et un stress de plus en plus grand pour ceux qui seront obligés d'y vivre. Aucun système socio-politique n'ayant les moyens de répondre à court terme à ces attentes, l'état d'esprit urbain pourra devenir explosif, provoquant **des révoltes urbaines** fondées sur les conditions de vie, comme il y eut, en d'autres époques, des révoltes paysannes.

LES RELATIONS SOCIALES

Elles verront se développer des tensions dues à la fois à l'entropie angoissante des grandes agglomérations et à l'éclatement social en communautés tribales égocentriques. La solidarité interpersonnelle sera forte au sein de chaque groupe social (local, confessionnel, idéologique, corporatiste...) mais elle se fondera et se renforcera sur le rejet xénophobe des autres clans. L'égalité de principe dissimulera une faible solidarité de fait et une hostilité latente à l'égard des individus anonymes d'une foule étrangère et agressante.

C'est au niveau du microscosme personnel que se développeront les relations humaines d'identification, d'échange et d'assistance. On verra s'étendre une nouvelle notion de la famille, constituant le terroir sociologique d'enracinement, de repli et de défense. Cette nouvelle famille sera moins fondée sur les liens du sang que sur une cooptation affective. Le foyer en sera la base mais il s'y associera **une communauté élargie d'amis et de relations** pratiquant de nombreuses activités communes.

La famille renforcera son statut de cellule sociale de base et de rôle d'identification des personnes. Après la tendance libérale des années 60 et les vagues d'émancipation féminine et de remise en cause sociale, politique et religieuse de son institution, **le mariage se verra revalorisé,** porté par un néo-romantisme de foi en les sentiments et renforcé par l'angoissante solitude du monde moderne.

Le mariage cependant perdra de sa valeur de contrat économique avec le déclin des patrimoines et l'autonomie financière des femmes actives, pour devenir un engagement de solidarité affective plus que matérielle. Des modes familiaux nouveaux seront expérimentés sur ces valeurs : **mariage à l'essai ou à durée limitée, communauté...,** sans remettre en cause profondément la notion de couple.

La cellule familiale sera étendue par un réseau de relations dense qui constituera une tribu d'appartenance, protectrice et définissante, au sein de la masse anonyme. **La natalité ne s'accroîtra pas,** en raison des conditions matérielles de vie (économie, espace, travail) et de la concurrence de ces lieux extérieurs de solidarité et de projection : un taux de natalité de l'ordre de deux enfants sera jugé suffisant pour maintenir une stabilité de population française. Les craintes de surpopulation l'emporteront sur l'argument d'extension et de productivité de la nation.

On observera **un retour à une éducation plus rigoureuse,** organisée et sévère (Flux de discipline) et une plus grande implication des parents dans celle-ci, en réaction contre le libéralisme de la culture dominante actuelle, que l'on rendra responsable de la marginalisation des générations actuelles d'adolescents.

De même, **une morale plus sévère et répressive** bien que moins monolithique et mieux adaptée à chaque sous-culture, se manifestera notamment en matière de sexualité. La loi et l'ordre seront plus rigoureusement défendus dans un esprit normalisateur valorisant une répression et des sanctions « sévères mais justes ». Marginaux et déviants se verront tolérés dans ces limites légalistes mais ne seront pas pris en charge pour leur seule marginalité.

**On notera enfin dans la culture dominante Implosive un renouveau mystique** porté par le Flux de symbolisme. Les philosophies et religions sous toutes leurs formes connaîtront un regain de faveur dans une mosaïque idéologique correspondant à la mosaïque micro-culturelle. C'est ainsi que l'on verra se multiplier les sectes religieuses, les écoles de pensée, les chapelles intellectuelles, les groupuscules politiques, les grandes philosophies monolithiques et de leurs institutions centralisées et bureaucratiques.

**On s'intéressera à l'exploration spirituelle et psychologique** au travers de nombreux rites ésotériques, de pratiques psycho-analytiques, de pédagogies de méditation ou d'ascèse, mais aussi de façon plus sensorielle par la musique, la poésie, la littérature fantastique...

CHAPITRE 12

# Scénario 2 : vers une France « explosive »

Tenant compte de courants actuels vers une Perspective Sybarite et de la rétrospective des trente dernières années, il est nécessaire d'envisager aussi un scénario d'amplification de la culture dominante actuelle, *bien que sa probabilité soit moindre.*

**Une Culture Explosive** s'inscrirait dans la logique linéaire de la mentalité d'Aventure et dans l'extrapolation déductive de l'évolution culturelle depuis la Seconde Guerre mondiale. Elle postule donc une certaine stabilité des variables essentielles dont la conjonction a généré ce Style de Vie : poursuite de l'expansion économique, accroissement du pouvoir d'achat et amélioration rapide et spectaculaire stimulant l'innovation continue et l'obsolescence des biens; expansion du secteur tertiaire; prédominance des villes, centralisation des décisions à Paris, expansion des grandes métropoles d'attraction, progrès scientifique fiable et sécurisant; extension de la scolarité et vulgarisation culturelle, centralisme des media et organes d'information, développement de la publicité...

Il apparaît peu probable aujourd'hui que cette conjonction de facteurs d'expansion, industrialisation, urbanisation se maintienne dans les décennies à venir. L'évolution des Styles de Vie actuelle montre au contraire un profond pessimisme des Français sur ces points.

Un certain nombre d'événements pourraient cependant FAVORISER LE MAINTIEN DE CETTE CULTURE DOMINANTE : et en tout premier lieu **une relance économique** immédiatement perceptible et durable comme celle « pronostiquée » pour les années 80 par Herman Kahn et les chercheurs du Hudson Institute, faisant de la France le pays le plus riche d'Europe [1]. De façon plus réaliste, une relance inflationniste de l'économie française, luttant préférentiellement contre le chômage et donnant un sentiment de sécurité financière, soutiendrait les modes de vie d'Aventure et donc les fondements d'une Culture Explosive.

Politiquement, **la crainte du totalitarisme,** vieux thème électoral, ou à plus long terme l'expérience d'une bureaucratie contraignante, pourra repousser une partie des citoyens vers des valeurs de permissivité, de libéralisme et d'égoïsme. Enfin, **une vague de catastrophisme** n'est pas exclue, fondée sur un pessimisme désespéré concernant les chances de survie de la collectivité (par peur de la guerre, de la récession, du changement politique...); elle pourrait entraîner une démission collective des responsabilités sociales et pousser à une jouissance exacerbée, à une marginalisation anarchique des individus, à une explosion quasi suicidaire des modèles de vie.

Les facteurs de renforcement les plus probables d'une culture de progrès optimiste doivent cependant être recherchés dans **les influences extérieures :** expansion des sociétés multinationales imposant des modes de pensée, de langage et de consommation cosmopolites; accroissement des voyages à l'étranger et des échanges internationaux, développement des migrations professionnelles et de la mobilité nationale et internationale comme remède au chômage; progrès de l'unité européenne, si elle se traduit par une unification progressive des monnaies, des langues, des lois et des coutumes; concentration des media de masse, porteurs des modes et des idéologies, renforçant la prédominance parisienne.

1. *L'envol de la France*, par E. Stillman et le Hudson Institute. Préface d'Herman Kahn, Éditions Hachette, 1973.

Cependant l'observation révèle un plus grand nombre de variables récessives paraissant devoir affecter la culture dominante actuelle et préparer son déclin : tous les facteurs évoqués comme accélérateurs d'une Culture Implosive, influençant négativement ce scénario.

La rénovation de la mentalité d'Aventure en culture Explosive pourra fonder sur **un courant, actif depuis les années 1950, de Progrès Optimiste.** Pendant trois décennies il a constitué, et est encore, la voie royale de l'ascension sociale, de la promotion culturelle et de l'amélioration des conditions de vie. Ce courant tendanciel a poussé les agriculteurs vers les industries des villes, les provinciaux vers Paris, les étudiants vers les grandes écoles spécialisées, les diplômés vers le secteur privé. C'est cette tendance aussi qui a favorisé l'accession des femmes aux responsabilités et à l'indépendance économique, qui a fait prolonger la durée de la scolarité. C'est cette tendance enfin qui a affaibli la cellule familiale en dispersant ses membres, qui a poussé de l'épargne à la dépense, qui a banalisé les institutions, démythifié les grands principes moraux et religieux...

Cette tendance se radicalisera, dans la perspective de ce scénario, sur les valeurs de dynamisme et d'expansion, favorisant l'esprit d'entreprise, l'initiative et l'originalité qui pourraient alors redevenir des Flux dynamiques (ces valeurs sont actuellement récessives).

Mais la mentalité d'Aventure ne pourra donner le jour à une Culture Explosive ou sybarite que par une évolution interne déjà amorcée dans les classes sociales les plus favorisées. Elle sera modifiée par **un courant d'Affirmation de soi,** égoïste et jouisseur (hédonisme) visant à l'épanouissement personnel (être soi) dans la mode sociale (intégration). Plus que d'une nouvelle culture, il s'agira là d'une radicalisation culturelle sur ses valeurs les plus extrêmes de plaisir et d'expression personnels.

**Ce modèle n'est-il pas celui d'une décadence de civilisation comme l'Histoire en apporte maints exemples, où la collecti-**

**vité n'a d'autre norme commune que la satisfaction sans contrainte des individualités dans l'anarchie des pouvoirs, laissant chaque personne ou groupe social à ses propres objectifs et à ses propres capacités? Le terme de culture Explosive nous paraît justifié en ce qu'il rend compte d'une entropie généralisée — ceci à titre d'hypothèse.**

Ce sont les valeurs de vie personnelle (et non de vie privée) qui caractériseront d'abord les modes de vie Explosifs.

La famille

Sous sa forme d'institution formalisée et légale et dans sa fonction de cellule de base stable du corps social elle tendra à disparaître. L'unité sociale sera l'individu dont le mode de vie pourra être temporairement familial : vivre en couple, élever un enfant seront des moments de la vie et non plus sa finalité essentielle ni son histoire totale. L'institution du mariage, légale et/ou religieuse, perdra de son caractère normatif au profit d'**unions libres temporaires;** les couples ne vivront pas toujours ensemble régulièrement en raison des modes de vie autonomes de chaque partenaire, fondés sur l'égalité dans l'indépendance.

La notion même de fidélité perdra de son sens moral, sous la double influence d'**une démystification de la sexualité,** banalisée par l'éducation et l'information de type paramédical, démoralisée par la tendance au libéralisme et déchargée de ses connotations affectives d'une part, et d'une revendication d'indépendance d'autre part, qui chez les femmes surtout, se traduira par un libre choix du partenaire en réaction contre la norme de fidélité du passé.

**La natalité sera faible** et posera à terme un grave problème d'équilibre des classes d'âges, dont les personnes et les couples refuseront d'endosser les responsabilités. La vulgarisation et la banalisation des procédés contraceptifs et abortifs accentuera cette tendance. Concevoir des enfants ne sera plus perçu comme un devoir social ni subi comme une fatalité, mais voulu comme un plaisir narcissique et assumé comme expression de son mode de vie.

L'enfant, procréé par choix personnel, appartiendra peu à la collectivité sociale. Les modes d'éducation deviendront plus variés, au gré de la personnalité des parents, adaptés au mode de vie du moment de la cellule familiale et finalisés sur un objectif d'**épanouissement de l'enfant plutôt que sur une norme culturelle.** Il deviendra de plus en plus fréquent de voir un enfant élevé par une femme ou un homme seul; l'enfant suivra le/les parents dans ses activités et sera intégré très tôt au mode de vie adulte.

On verra se développer une éducation parallèle, asociale ou anti-sociale, conçue comme un antidote à l'enseignement officiel et à la culture normative. On visera plutôt à faire de l'enfant une personnalité autonome, créative, originale et « épanouie » qu'un citoyen bien intégré et « normal ». La marginalité des adolescents deviendra une norme : **ils devront être autonomes et indépendants plus tôt,** voyageant seuls, pratiquant précocement des expériences de vie personnelles.

La famille traditionnelle sera fortement dévalorisée à la fois par l'évolution des valeurs et les conditions de vie éphémères et mobiles. Sans prévoir déjà les effets psychologiques et culturels des « bébés-éprouvette », des « mères-hôtesses » et des manipulations génétiques que prévoit Toffler à long terme, le mythe de la maternité sera profondément modifié par les progrès de la médecine. L'adoption sera plus facile et fréquente, et la paternité par le sang prendra moins d'importance, alors que les parents professionnels ou les familles d'accueil se développeront. **Le mariage à l'essai et le mariage contractuel temporaire** entreront progressivement dans les mœurs et dans les valeurs morales et religieuses reconnues.

Cette démythification de la famille sera le reflet d'une banalisation générale des normes et des institutions. La morale nouvelle sera la permissivité; les modèles de vie seront plus éphémères et plastiques aux circonstances, refusant donc de se plier aux grands principes moraux ou légaux, monolithiques ou permanents. On observera une atomisation de la morale en pratiques empiriques individuelles.

### La loi

Les notions de Bien et de Mal se trouvant relativisées, l'application de la loi s'en trouvera perturbée, déchirée entre la nécessité sociale de maintien d'un ordre collectif sans cesse remis en cause par l'anarchie individuelle et la mentalité de permissivité, de tolérance, tendant à expliquer et à trouver des excuses à tout écart de la norme. L'esprit moralisateur deviendra anormal et la sévérité sociale s'atténuera au risque de ne plus marquer assez nettement les frontières de l'interdit pour que la conscience même d'un ordre collectif soit présente aux esprits.

### Les religions

Elles se verront également démythifiées et oubliées si elles ne pratiquent elles-mêmes leur désacralisation et leur sécularisation : elles deviendront alors **des écoles de modes de vie et perdront de leur portée métaphysique et mystique.**

### Les relations sociales

Elles seront marquées par une grande intégration physique et une faible implication psychologique dans la collectivité.

Les personnes, dans une Culture Implosive, devront apprendre la vie de masse, qui sera accentuée par un habitat concentré, fortement urbanisé. Mais la tolérance aux autres sera plutôt de l'indifférence que de l'intérêt ou de la compréhension. Il s'agira d'**un individualisme imperméable à la vie en foule.** La mobilité d'habitat, le changement fréquent de mode de vie privée et professionnelle réduiront l'attachement affectif. Le taux de relations sociales sera élevé mais les liens personnels resteront superficiels, facilement rompus et remplacés.

On acceptera donc plus facilement **un habitat de passage ;** le goût de la propriété sera moindre, compensé par un souci de personnalisation de la cellule temporaire de vie. Les activités extérieures de travail, de relations sociales et de loisirs occuperont une grande partie du temps et la vie au foyer sera rare et brève. On acceptera donc mieux la vie urbaine, les grands ensembles fonctionnels, les petites surfaces habitables, l'anonymat des tours, qui seront compensés par la proximité des lieux de détente et de travail, par le prestige du centre-ville, par l'animation commerciale.

On se déplacera de plus en plus. **Les déplacements seront plus fréquents et les voyages plus lointains,** dans une mentalité migratoire. On effectuera facilement de longs trajets pour voir un spectacle, faire un achat, visiter des relations, découvrir un site; les voyages à l'étranger seront motivés par une recherche d'exotisme, de merveilleux, de dépaysement.

L'AUTONOMIE DE TRANSPORT

Elle apparaîtra essentielle dans une Culture Explosive, symbole important de liberté individuelle. La voiture privée sera donc valorisée et constituera le relai final de tout transport collectif (avion ou train). Cette mentalité poussera la technologie à rechercher **des systèmes de transport de plus en plus individuels** (la voiture pour une ou deux personnes, plutôt que la berline familiale), sophistiqués et automatisés, rapides et fonctionnels (hélicoptères, avions privés). Cette tendance posera d'importants problèmes d'organisation des circulations et modifiera radicalement la conception des villes qui deviendront des plateformes de déplacement plutôt que des havres de repli.

L'individualisme de vie et la désimplification des rapports sociaux appelleront de nouveaux modes de communication à distance. On verra se développer **les systèmes audio-visuels de relations lointaines,** comme le vidéotéléphone, le télécopieur qui remplaceront de plus en plus les contacts physiques et créeront de nouveaux modes de travail dans le secteur tertiaire.

On peut prévoir la généralisation et l'intégration dans le système de valeurs dominant de « **l'homme modulaire** » : relations spécialisées et cloisonnées de travail, de famille, de loisirs, de vacances, éphémères et vite remplacées au gré de la mobilité, liaisons rapides et fugaces, atomisation des situations des statuts et des rôles : avec les enfants même, on connaîtra cette explosion des modèles au gré de la succession des professeurs, des transplantations d'écoles, des juxtapositions école/relations/famille/T.V... La vitesse de rotation des personnes, des lieux et des choses, des usages et des valeurs s'accélérera jusqu'à obliger à une adaptation perpétuelle dans l'espace et le temps.

**L'individu aura de plus en plus de mal à conserver son unité par le grand nombre de rôles sociaux à jouer simultanément.**

TRAVAIL ET LOISIRS

Ils seront moins différenciés. On y verra se manifester la même exigence d'intérêt personnel, de découvertes originales et enrichissantes, d'affirmation active de sa personnalité. La stabilité et les habitudes y joueront un moindre rôle et la norme sera le changement et la mobilité plutôt que la stabilité et la fidélité. Des phénomènes de modes accroîtront cette mobilité, facilitée par le moindre enracinement géographique et familial des personnes. **Le travail temporaire se développera,** faisant de la mobilité physique et de l'éphémère des relations un mode de vie habituel. Le sédentaire sera une espèce en voie de dévalorisation; l'engagement social et politique, l'implication affective dans un tissu de relations en sera d'autant moins forte que « l'ailleurs bientôt » sera toujours présent à l'esprit de chacun.

L'indépendance et l'autonomie constitueront des critères de choix importants, plus valorisés que l'argent. La notion de risque restera forte dans le travail obligeant à une grande activité concurrentielle des individus. **Les garanties sociales d'emploi et de salaire seront réduites** au nom de la concurrence et de la performance. Le salaire sera de plus en plus adapté à des évaluations de performance et de spécialisation et moins à l'ancienneté, à l'âge ou à la formation scolaire. Mais le besoin d'autonomie favorisera aussi l'esprit d'entreprise et la multiplication de travailleurs indépendants, très spécialisés et mobiles, louant leurs services en « free lance » aux structures de production standardisées. **Des « think tank » de matière grise,** des groupes de conseil, des équipes de super-techniciens constitueront une élite de travail.

Les loisirs

Ils auront tendance à se mêler au travail, soit matériellement dans des activités mixtes (voyages d'étude, cycles de formation, aménagement des lieux et des horaires de travail), soit psychologiquement sur le même modèle de performance, d'originalité, d'activisme.

L'importance des loisirs sera accentuée par **les réductions du temps de travail** (40 % seulement dans le scénario de l'an 2000 de H. Kahn).

**Des jeux et des sports artificiels et individuels** remplaceront la conception naturaliste de l'exercice physique : ils seront fondés sur le risque, la compétition et la performance plutôt que sur le plaisir, le repos et le calme. On verra apparaître des jeux électroniques utilisant la télévision et l'ordinateur, de nouveaux sports en salle et en milieu urbain; les sports mécaniques et technologiques se développeront au détriment des activités physiques. **Des loisirs fantasmatiques** apparaîtront à plus long terme, comme le prédit Toffler : luna-park de rêves, de voyages dans le temps, l'espace, d'expériences sensorielles ou psychiques.

Dans le travail comme dans les loisirs, **l'automatisation** des tâches physiques et des opérations mécaniques standard sera recherchée, par l'emploi plus généralisé de l'électronique, pour consacrer les efforts de la personne à l'exploitation créative. **Le travail manuel se verra dévalorisé** sous sa forme productive à l'exception des activités créatrices et artistiques où seule la finition demeurera artisanale.

La nature

Elle ne sera pas un mythe ni une valeur dominante de la culture Explosive. Elle sera vécue comme **le spectacle exotique et rare** d'une société à dominante urbaine et mécanisée, but de voyages et d'études mais non cadre de vie désirable. On en retrouvera l'image aménagée et esthétisée sous forme de décor des villes, des appartements ou des objets.

LA BEAUTÉ

Les critères de beauté corporelle, vestimentaire ou décorative relèveront de l'artifice sophistiqué et non d'une identification au naturel.

La beauté corporelle devra être l'expression de l'autonomie de la personne et de ses capacités d'activité, de performance et de conquête. La norme en sera donc **la jeunesse,** signifiant également le pouvoir séducteur, la force et l'énergie productive. **Un modèle androgyne** fixera des canons de beauté proches pour les hommes et les femmes, fixant une norme idéale de sveltesse, de souplesse, d'énergie proche de l'adolescence : il exprimera ainsi dans un type physique immature l'idéologie de métamorphose permanente de la culture Explosive, de refus des habitudes, des installations et des expériences, dont le stéréotype est la jeunesse.

Le mode vestimentaire obéira aux mêmes conceptions **d'exhibition d'un corps jeune et neuf,** d'expression d'une personnalité originale, agressivement affirmée et de participation à la vie active, compétitive et fonctionnelle. Les couleurs vives et agressives, les matières brillantes, synthétiques, les formes sophistiquées d'un design fonctionnel seront encouragées. Le costume masculin en particulier évoluera de façon spectaculaire vers la fantaisie et la fonctionnalité moderne à la fois; **des tenues spécialisées** par profession ou activités se définiront.

L'Art et le stylisme exprimeront les mêmes valeurs de dynanisme fonctionnel et de fantaisie sensorielle. Le design fonctionnaliste se généralisera, associant la rigueur des formes et la personnalisation des couleurs : l'art abstrait se vulgarisera comme élément décoratif éphémère, sans valeur durable. De façon générale une exigence esthétique fera porter **les recherches artistiques sur les objets quotidiens,** dont les formes seront éphémères et renouvelées au gré des modes.

Une nouvelle conception de l'œuvre d'Art se développera où la machine, l'électronique, les combinaisons chimiques joueront un rôle plus important que la main et le cerveau de l'artiste : **l'œuvre d'art non humaine.** Si les objets quotidiens vulgarisent le stylisme et l'art par des productions industrielles, c'est la consommation d'œuvres éphémères qui restera élitiste et valorisée.

L'ÉDUCATION DES ENFANTS

La tendance à une éducation des enfants individualisée, originale et visant à l'affirmation d'une personnalité autonome, influencera profondément le système d'enseignement.

L'éducation culturelle et intellectuelle, **la formation psychologique et morale seront abandonnées aux parents ou à des organisations parallèles par l'école.** Celle-ci ne sera plus considérée comme le creuset d'une communauté de citoyens ni comme le moule d'une idéologie culturelle monolithique.

L'école se spécialisera et se diversifiera dans un but essentiel de formation professionnelle ou para-professionnelle. **La spécialisation accentuera l'apprentissage pratique** et la créativité empirique, au détriment de l'analyse intellectuelle. La compétition d'écoles concurrentes en termes de performances, entraînera la privation de tout le système éducatif.

L'enseignement sera réactualisé en permanence, en fonction de l'évolution des techniques, des matières et de l'organisation sociale, nécessitant **un recyclage régulier de toutes les personnes,** quasi obligatoire dans le contexte de concurrence professionnelle. L'enseignement des jeunes et le recyclage des adultes seront conçus comme des épreuves sélectives et des concours dont l'objet sera de dégager une élite de l'efficacité.

La décentralisation du système éducatif ne sera pas organisée sur la base de groupes sociaux ou de communautés locales mais selon une hiérarchie sélective des établissements d'enseignement, qui renforceront leur isolation élitiste par rapport à leur environnement.

La mentalité Explosive sera une culture ouverte à toutes les influences internationales et cosmopolites, fortement influencée par les modèles de pensée et de conduite des autres pays les plus dynamiques. Elle ne pourra survivre et se développer qu'en référence à une macro-culture dominante multinationale : dans ce scénario **la France ne constituera plus un centre culturel mais un satellite.**

LES MASS MEDIA

Elles joueront un rôle essentiel d'acculturation, en raison de la faible culture générale apportée par le système éducatif d'une part, et du bas niveau des relations sociales éphémères et superficielles. Les media nationaux comme la T.V., la radio, les grands magazines seront renforcés et leur multiplication diversifiera leur contenu. Les informations locales seront moins nombreuses alors que les informations et reportages internationaux se multiplieront dans des programmes où le caractère national sera peu perceptible; cette évolution pourra être accélérée par l'installation ou la diffusion (par satellite par exemple) de **réseaux multinationaux de radio ou de télévision.** Les fonctions d'*Antenne* informative et de *Focalisation* innovatrice seront dominantes dans les mass media. [1]

**L'influence de la presse et de l'édition s'affaiblira devant l'extension des media audiovisuels** directs ou mémorisés (vidéo-cassettes, cinéma à domicile) que la technologie (écran de T.V. en couleurs, hologramme) et la permanence de diffusion rendront omniprésents, y compris dans les lieux publics. Le « village planétaire » prédit par Marc Luhan sera en marche. **Le contenu des émissions sera spectaculaire,** développant toutes les capacités de mise en scène de l'électronique; la participation du public s'affaiblira et la fabrication des programmes échappera de plus en plus aux possibilités de l'artisanat pour se concentrer dans des groupes industriels de communication multinationaux.

L'extension même des programmes diffusés et la nature des media électroniques encouragera **le spectacle audio-visuel à dominante émotionnelle et sensorielle** au détriment du commentaire et la stimulation au détriment de l'analyse et de la réflexion.

1. Voir note page 247.

### La langue

Elle sera considérablement modifiée de l'intérieur par la dominante audio-visuelle des informations et des relations humaines qui verra prédominer le langage parlé et le symbolisme graphique sur l'écriture; elle sera aussi influencée de l'extérieur par le développement d'**un dialecte véhiculaire international** qui sera à court terme une base d'anglais américanisée et enrichie d'un vocabulaire spécifique et technique de toute origine. La langue nationale dans son vocabulaire et sa grammaire devra s'adapter à ce mode de communication macro-culturel qui constituera la nouvelle langue maternelle des élites.

Dans l'hypothèse de ce scénario de culture Explosive, **la publicité accentuera sa fonction de discours dominant** de la pédagogie culturelle, définissant les normes et modèles de pensée et de vie en évolution rapide et formalisant leur expression en schémas de consommation et en produits-signes. De plus en plus la publicité sera multinationale, conçue et réalisée par des agences européennes ou mondiales, accompagnant la concentration industrielle, la standardisation des produits et services et accélérant la diffusion d'**une culture mondiale incarnée en modes de consommation.**

Le langage publicitaire sera de moins en moins rationnel, démonstratif et argumenté : il accentuera sa dimension symbolique et imaginaire par la présentation spectaculaire audio-visuelle, par des mises en scène extraordinaires grâce à de nouvelles techniques de photographie, sous la double influence des media et de sa diffusion internationale. Ce style de communication émotionnelle et suggestive s'étendra aux messages non commerciaux et jusqu'à **la propagande politique qui adoptera le langage publicitaire.**

### La vie économique

Elle sera dominée par une organisation internationale des marchés de type concurrentiel et libre-échangiste, les interventions planificatrices de l'État n'intervenant que de façon réduite et corrective. L'État lui-même sera conduit à gérer ses administrations et ses entreprises nationales selon les principes de concurrence sur des critères de performance et de rentabilité, plus que de service public.

**De grandes entreprises multinationales** tendront à regrouper et à absorber toutes les infrastructures de production, de transformation et de distribution. Qu'elles soient privées nationalisées ou d'économie mixte, elles seront très centralisées, appliquant des procédures standardisées par une organisation hiérarchique monolithique et directive : l'autonomie de leurs filiales sera réduite. Les entreprises moyennes seront progressivement absorbées ou associées dans une situation de sous-traitance dépendante.

Ces groupes rechercheront **des profils de personnel standardisés et interchangeables,** définis en termes de spécialisation fonctionnelle, gérés selon des principes de compétition, bénéficiant d'une faible garantie d'emploi, salariés aux résultats et extrêmement mobiles. La promotion s'y effectuera selon les performances et non à l'ancienneté; les licenciements ou rétrogradations y seront des sanctions normales de la baisse de rendement. Des salaires élevés seront réputés compenser une forte implication, la dépendance et le manque de sécurité.

Ces méga-entreprises influenceront de façon essentielle l'enseignement professionnel qu'elles contrôleront parfois par leur participation aux grandes écoles. Elles définiront un mode de pensée et des procédures de travail impératifs qui formeront la base des mentalités quel que soit le niveau hiérarchique et social.

A côté de ces grandes entreprises, se développeront des satellites spécialisés, équipes d'hyper-spécialistes ou de généralistes, de structure légère, mobiles et disponibles, appelés à pallier la rigidité et la faible créativité des structures multinationales. **Ces commandos d'experts constitueront une nouvelle élite,** en dehors des hiérarchies institutionnelles, caractérisée par une grande liberté de pensée et de méthodes, et un mode de vie marginal : ils seront appelés à jouer un rôle essentiel de « gourou » auprès des entreprises comme des institutions publiques, aussi bien pour leur fonctionnement humain, pour leur innovation technologique que pour leur insertion sociale et leur communication.

Ces micro-entreprises technologiques ou intellectuelles de pointe prendront le relais de l'université pour la recherche fondamentale et la formation de généralistes. **« L'ad-hocratie »** (Toffler) sera l'instrument de stimulation des grandes structures hiérarchiques et bureaucratiques monolithiques. Ces experts connaîtront eux-mêmes une durée de vie utile brève, limitée par leur capacité à réactualiser leur savoir, à maintenir leur créativité et à supporter le rythme et l'implication de leur activité de commando (task-force). La fidélité de ces experts généralistes ira moins à la firme qui les emploie pour l'heure qu'à leur profession et surtout à leur tribu de pairs. Ces « ad-hocrates », nouveaux aristocrates de la production, se sentiront plus proches de leurs collègues que de leur propre société. Ils se comporteront comme des joueurs, moins intéressés par la finalité que par le problème à résoudre : ce sera **une caste de mercenaires de l'aventure intellectuelle.**

Dans ces deux types d'entreprise dominants, **les investissements de recherche et d'innovation seront de plus en plus importants** et de plus en plus difficiles à rentabiliser en raison de l'accélération scientifique et de l'obsolescence des produits dans la course aux rentes d'innovation. La consommation sera en effet accélérée par le renouvellement rapide des biens sous l'influence des modes et d'une moindre durabilité. Les biens d'équipement eux-mêmes verront leur durée de vie diminuer considérablement et seront fréquemment changés pour suivre les progrès technologiques.

La consommation

On consacrera moins d'argent aux équipements lourds qu'aux aménagements de décoration, aux vêtements et aux loisirs pour lesquels on recherchera l'originalité à la mode et le plaisir sensoriel plutôt que la durabilité.

**La mentalité Explosive sera sybarite et dépensière,** peu économe et accumulatrice, attachant moins d'importance à la propriété qu'à la jouissance des objets. **La location** des véhicules, des équipements ménagers, des équipements de loisirs ou de culture deviendra courante, comme solution la plus économique et la plus facile pour avoir toujours les objets les plus modernes. C'est ce que Toffler appelle la « société du prêt-à-jeter », caractérisée par la faible solidité des objets, leur renouvellement forcé par l'innovation mais aussi par des systèmes de location. « L'extension de l'industrie de location marque une rupture avec un mode d'existence basé sur l'avoir et elle reflète l'importance accrue du faire et de l'être » : l'objet devient pour l'homme un medium d'expression dans la culture explosive.

**Le consumérisme perdra son caractère actuel puritain et austère pour défendre le droit au plaisir et à l'innovation du public** contre les trusts producteurs; des organisations de consommation pourront produire leurs propres produits et les diffuser par leurs propres canaux, par les méthodes mêmes des entreprises. Le consumérisme se conduira en concurrent des entreprises.

La consommation surtout se tournera vers une consommation de signes : « Bien loin de nous en tenir à la seule nécessité fonctionnelle, nous transformerons la moindre activité de service en une expérience préfabriquée » écrit Toffler. L'ambiance, le décor, les sensations et **toutes les valeurs ajoutées psycho-affectives deviendront une prestation minimale** exigée au surplus de l'utilitarisme. Les objets devront être beaux, les magasins dépaysants, les rues animées et joyeuses, les banques gaies et les transports en commun ludiques... C'est vers une révolution qualitative du cadre d'existence que tend la Culture Explosive, ce qui pourra prendre la forme d'environnements simulés, procédés de technologie sophistiquée créant des mondes artificiels de sensations et de rêves qui offriront de nouveaux modes de loisirs fantasmatiques à base « d'expérience en boîte ». Les tendances à la métamorphose et à l'expression personnelle pourront trouver satisfaction dans ces expériences programmées dont les voyages organisés marginaux et la dynamique de groupe sont les précurseurs.

Cette Culture Explosive verra **le déclin des idéologies** en matière de vie politique et sociale. Les citoyens seront plus sensibles à l'efficacité gestionnaire immédiate qu'aux projets de société à long terme des gouvernants. On percevra l'État comme une sorte de G.I.E. (Groupement d'Intérêt Économique) chargé du fonctionnement des services publics; son rôle politique s'effacera devant sa fonction gestionnaire.

**On sera sensible à des leaders de charme,** dynamiques, entreprenants, audacieux, formés à l'école des managers, technocrates, plutôt qu'à des idéologues, des penseurs ou des politiciens des appareils. Ce sera le déclin des partis politiques au profit de personnalités appuyées sur les « lobbies ». Les campagnes électorales seront fortement personnalisées : elles porteront moins sur des débats d'idées que sur des projets concrets et touchant immédiatement à la vie quotidienne; leur enjeu ne sera pas une révolution sociale mais le choix d'un grand manager national inspirant confiance.

LES INSTITUTIONS

Elles perdront de leur signification. La notion de pays, de patrie s'affaiblira devant **une mentalité supranationale** favorable à l'Europe et aux associations entre pays. Le chauvinisme nationaliste disparaîtra, à la fois par manque de cohésion interne de la culture Explosive et par la multiplication des influences extérieures.

Les élites professionnelles ou intellectuelles se sentiront plus cosmopolites que nationales, souvent plus attachées par chauvinisme à leur entreprise ou leur école qu'à leur terroir, et plus proches de leur alter-ego étranger de même formation et mode de vie que de la masse de leurs concitoyens. C'est de ces élites formées au management ou à la recherche technologique que sortira **une nouvelle classe politique « apolitique ».**

**Cette culture marquera le déclin des philosophies, des morales et des idéologies au profit du pragmatisme**; l'esprit civique et l'engagement militant seront considérés comme un frein archaïque au développement personnel et à la réussite privée. La solidarité et la conscience de classe seront faibles dans cette société de concurrence individualiste où la prise en charge des personnes par la collectivité sera réduite au minimum selon un principe de sélection par la lutte.

La centralisation sera accentuée à la fois par la technocratie du pouvoir politique et par la concentration des décisions économiques et sociales dans de grandes entreprises. La culture Explosive sera une civilisation de castes. La stratification sociale se fera donc moins par l'argent que par classes de modes de vie dont les signes extérieurs manifesteront un système hiérarchique de castes. **Les rapports de classes pourront être agressifs et violents** du fait de l'ostentation exhibitionniste des modes de vie privilégiés et de la faiblesse des organes collectifs de régulation et de négociation.

La vie syndicale sera cependant passive, souvent limitée aux dimensions d'une méga-entreprise, peu solidaire des autres luttes et sans ambition politique ni projet social d'ensemble. **Les syndicats constitueront des groupes de pression bien organisés et gérés comme des entreprises** pour discuter d'égal à égal avec les managements qui préféreront les arrangements raisonnables aux risques de révoltes incontrôlées ou de négociations sous contrainte.

**La culture Explosive définira la mentalité d'une société ayant perdu tout concept noyau unificateur et mobilisateur des citoyens et subissant les forces entropiques d'influences extérieures et de divergences internes.**

CONCLUSION

# Les chances prospectives des Français

Ces deux scénarios décrivent chacun une culture dominante et non le tout de notre société à l'horizon 2000 : ils ne proposent donc qu'une pré-vision partielle et caricaturale d'une réalité qui sera toujours plus complexe et nuancée. C'est cependant le devenir de la culture dominante qui est essentiel en ce qu'il détermine non seulement une mentalité statistiquement majoritaire (qui peut rester parfois minoritaire) mais surtout des modèles de pensée et de vie que diffusent l'école, le discours politique, les mass media, la publicité...

**Le premier scénario d'Implosion** avance l'hypothèse d'une profonde évolution et d'un changement de cap de la société française, entraînée par un courant tendanciel de Repli après trente ans de mentalité d'Aventure, d'extension, de conquête, de progrès optimiste; tendance déjà amorcée par la Perspective Harmonique.

Cette culture historiquement proche et déjà vivante par de nombreux détails dans la vie quotidienne d'aujourd'hui, pourrait se résumer à une *implosion tribale* : se détournant des aventures extérieures, qu'elles soient politiques, économiques ou scientifiques, notre société se fermera relativement sur elle-même, adoptant un « métabolisme » plus lent et libérant ainsi sa diversité intérieure au prix d'une certaine passivité des personnes devant une prise en charge des collectivités.

**C'est un scénario de réaction conservatrice** au sens premier de ces concepts : attitude réactionnaire contre l'aventure du progrès et conservatrice des acquis de confort et de qualité de vie contre les risques de destruction. De cette réaction peut naître une nouvelle culture sur un modèle d'équilibre original, en opposition à la fois au modèle de croissance des trente dernières années et au modèle d'accumulation du siècle dernier. Cette conception paraît possible pour les décennies à venir : elle est portée par les idées écologiques, par l'angoisse de la destruction, par les exemples de croissance réduite, par les exigences de qualité de vie; elle est facilitée par le déclin du rayonnement et de la puissance de la France, par la crise économique. Elle devra cependant la payer d'une austérité, d'une solidarité et d'une discipline nouvelles.

**Le deuxième scénario d'Explosion** est plus conforme à la direction prise depuis trente ans par la société française et par la majorité des sociétés occidentales industrialisées (à l'exception de la Suède et de la Grande-Bretagne). Sa description évoque le modèle américain qui fut longtemps le modèle phare de notre système [1] et qui voudrait le demeurer.

On pourrait rapprocher ce scénario Explosif des essais futuristes du Hudson Institute. **Le scénario de société post-industrielle selon H. Kahn** met l'emphase sur les points suivants : fondé sur une croissance du revenu par tête et un plancher de revenu et de niveau de vie, on verra baisser l'intérêt pour les affaires au profit des études et de la gestion de l'information (« une société de l'étude »), entraînant un « rétrécissement » du monde par l'information et l'éducation universellement standardisées. Les valeurs de travail de réussite et d'avancement perdront de leur importance, comme les valeurs patriotiques et nationalistes au profit de la jouissance et du confort personnel qui deviendront les objectifs essentiels. C'est un horizon « épicurien » qui est décrit, centré sur le plaisir, les passions, l'épanouissement paisible de l'esprit, succédant à un « horizon stoïque » fait

1. *Le défi américain*, par J. J. Servan-Schreiber.

de sens moraliste du devoir et du sacrifice, de recherche du pouvoir justifié par le mérite.

*L'horizon « épicurien » est-il celui de la décadence?* C'est la question angoissée que cachent les scénarios post-industriels du Hudson Institute, brandissant le spectre de la fin de l'empire romain des Césars et de l'effondrement hellénique dont les Européens aujourd'hui seraient déjà l'exemple et dont les « hippies, déserteurs, traînards et autres réfractaires » porteraient les germes dans l'Amérique stoïcienne. Il faudrait alors introduire des jugements moraux dans l'observation distingant un épicurisme « sain » et un « farfelu » proche de la « criminalité vénielle ou capitale », animé des « idéologies pacifistes et antipatriotiques », développant « l'indifférence morale et un comportement individuel d'irresponsabilité »... C'est un modèle de société d'aliénation dans l'abondance que brandit le futurologue pour exorciser des démons historiques anciens.

C'est ainsi par d'audacieuses analogies historiques que H. Kahn compare la culture américaine moderne à celle de l'aristocratie romaine antique : pragmatique, ambitieuse et conquérante, puritaine et moralisatrice, activiste, respectueuse de la loi... Il y oppose un autre modèle qui réunirait les cités grecques anciennes et les Européens modernes, dans l'esprit de théorie dilettante et élégant, l'anarchie et le caprice, le sensualisme décadent. Ainsi le scénario d'une « culture post-industrielle » viendrait-il mettre opportunément de l'ordre dans l'anarchie des parentés culturelles.

On voit là la futurologie se parer des plumes de la philosophie de l'Histoire, cherchant moins à observer et à analyser des phénomènes dynamiques qu'à les enfermer dans des schémas de justification magiques. N'est-ce pas déjà reconnaître que ce scénario est une projection idéologique défensive et une intention morale plutôt qu'une analyse scientifique?

**Toffler, pour sa part [1], interprète l'évolution culturelle et le « choc du futur »** comme un effondrement de la technocratie et de la bureaucratie, symboles de la société industrielle. Cette crise entraîne un rejet de la science au profit d'un néo-mysticisme pré-scientifique, une vague « rétro » nostalgique naturaliste, une quête de la jouissance immédiate désespérée devant l'éphémère et l'impuissance à contrôler le changement... *Le scénario du futur super-industriel* tracé par Toffler (et dont on a mentionné des exemples dans le scénario Explosif précédent) est pour son auteur un diagnostic des symptômes appelant à une adaptation. Dans les perspectives qui se dessinent à moyen terme, il ne voit qu'une réaction défensive et conservatrice (Perspective Harmonique) ou qu'une tentation suicidaire de démission (Perspective Sybarite de notre analyse). C'est alors que le futurologue se révèle prophète et philosophe en appelant à un autre modèle d'adaptation volontariste.

QUELLES SONT LES CHANCES DE CES DEUX SCÉNARIOS? La futurologie d'extrapolation déductive accorderait les meilleures chances à une culture Explosive comme le faisait il y a quelques années à peine Herman Kahn pour la France, après l'avoir fait pour les États-Unis et l'Occident tout entier [2].

**A la suite des recherches du CCA sur la Prospective des Styles de Vie en France depuis 1970, nous définissons le scénario de Culture Implosive comme le plus probable, à la fois en termes de mutation psycho-sociologique et de contraintes socio-économiques.**

**Mai 1968** n'a pas marqué [3], comme on l'a souvent dit, l'éclosion d'une nouvelle culture de l'imagination, de la liberté, de l'épanouissement personnel et de l'égalité, mais bien plutôt l'explosion finale d'une civilisation désavouée par ses fils, pour avoir trop timidement pratiqué les valeurs

1. *Le choc du futur*, éd. Denoël.
2. *L'envol de la France*, par E. Stillman et le Hudson Institute. Préface de H. Kahn, éditions Hachette, 1973.
3. Voir chap. 8, ci-dessus.

qui étaient cependant ses modèles normatifs. Comme une étoile explose en « Nova » sur la fin de sa vie, brûlant ses dernières réserves avant de s'éteindre lentement, la culture dominante d'Aventure a jeté ses derniers feux dans la fête de 68. Si la fête fut contestataire, c'est la prudence des structures en place et l'inertie des adultes qu'elle a contestées plus que leurs valeurs idéales : la créativité, l'ambition de changer le monde, le droit au plaisir, l'égalité, l'ouverture aux expériences étrangères étaient déjà inscrites dans la mentalité d'Aventure. Les étudiants de 68 ont contesté au nom de ces valeurs le monolithisme, la hiérarchie, la prudence passive, les grands principes, les religions et les philosophies installées, la censure morale de l'ancienne mentalité Utilitariste.

Et la révolte ne s'est pas achevée en révolution car déjà la population ne se mobilisait plus sur ces idéaux et leur avait préféré les valeurs plus paisibles de la négociation dans l'ordre, de la sécurité et du bien-être matériel. Les accords de Grenelle ponctuant les barricades de mai 68 ont sans doute préfiguré la perspective Harmonique naissant des échecs de la mentalité d'Aventure.

**En 1977, cette Perspective Harmonique vient confirmer une aspiration collective importante** (38 %) à une vie plus équilibrée, moins activiste, mieux réglée et protégée, alors même que la mentalité dominante d'Aventure poursuit sa course sur une aire ancienne. Mais c'est au sein même de la mentalité d'Aventure, chez les jeunes intellectuels et cadres aisés des grandes villes et de Paris, donc chez ceux-là même qui profitent le plus de l'expansion et du modernisme, que se manifeste un courant de Repli important (50 %) vers une culture nouvelle. Et déjà certains groupes psycho-sociaux particulièrement sensibles par leur Style de Vie aux influences et aux modes, changent de système de valeurs et de modèles de référence : les Ambitieux en particulier.

**Les variables politiques, technologiques et économiques envisageables paraissent toutes, raisonnablement à moyen terme, devoir favoriser l'avènement d'une culture Implosive,**

en ralentissant la croissance économique et les capacités de consommation, en favorisant la planification d'État, en nécessitant des assistances collectives aux personnes en difficulté...

Enfin, s'il fallait raisonner par analogie selon la notion désormais classique du leadership précurseur américain, **l'exemple des Styles de Vie aux Etats-Unis renforcerait l'hypothèse d'une prospective culturelle Implosive :** le renouveau moralisateur de l'Amérique après Watergate, l'élection d'un président mystique parti de la province, l'isolationnisme après l'aventure vietnamienne, le moratoire nucléaire et la camgagne anti-Concorde, la chasse aux pots de vin des multinationales, le repos des grandes contestations des femmes et des minorités raciales...

C'est là que Futurologie et Prospective divergent dans leur projet. De ces observations, on peut modestement tirer un bilan ou plus ambitieusement une leçon ou plus encore une volonté. **La prospective peut être un outil pour la philosophie de l'Histoire mais ne saurait s'y substituer.**

Certains futurologues américains développent une conception cyclique de l'Histoire, organisant l'évolution culturelle en états pré-analysés. **Ainsi, Sorokine distingue « trois systèmes de vérité » successifs et cycliques.** Notre culture ancienne aurait été de type « *ideationnal* » : dogmatique, mystique, intuitive, absolue, morale, émotionnelle, fondée sur des certitudes supra-humaines. Elle serait actuellement de type « *sensate* » : empirique, laïque, humaniste, expérimentaliste et pragmatique, contractuelle, épicurienne et sceptique, agnostique et matérialiste. Les sociétés industrialisées seraient en cours d'évolution vers le type final de culture « *sensate recent* », fondé sur des valeurs de cynisme nihiliste, chaotique et blasé, de sophistication exhibitionniste et changeante, d'opportunisme relativiste, d'athéisme et de trivialité sans idéaux.

Sorokine y interprète la fin d'un cycle culturel dans le chaos et l'entropie, conduisant à une « catharsis » culturelle qui verra les personnes se reporter soit sur un égoïsme sensualiste et matérialiste, soit sur un altruisme moralisateur. De cette crise naîtra un nouveau cycle par la renaissance d'une culture « *ideationnal* » ou « intégrée », harmonique, symbolique, moralisatrice. On pourrait rattacher ces types théoriques de sociétés décrites aux mentalités culturelles Utilitaristes et d'Aventure que nous observons dans la Sociostructure française et aux Perspectives Sybarite et Harmonique prévisibles pour les dix années à venir. Mais il faut se garder de trop conforter une observation qui se veut empirique par une philosophie rigide de l'Histoire.

La démarche de H. Kahn est celle d'un optimiste projetant des solutions sur un scénario de base décadant qu'il réprouve : celle de A. Toffler est d'un Cassandre dramatisant une mise en scène radicale de l'avenir pour appeler à une prise en charge du devenir par la prospective sociale.

**Notre démarche se limitera ici au seul diagnostic :** si la tentation est grande pour le futurologue de se faire le guide de l'adaptation et s'il y a quelque noblesse à se vouloir le prophète du pire ou du meilleur, le rôle prospectif doit savoir se limiter à l'observation et au compte rendu, au risque d'y perdre en spectaculaire. Notre propos ici est d'apporter au philosophe, à l'historien, à l'homme politique, au manager, aux leaders d'opinion comme aux citoyens, des informations sur le devenir : c'est à eux qu'il appartient d'en tirer un projet pour l'avenir.

**Scénario optimiste ou pessimiste?** Il serait peu pertinent de poser en ces termes une hypothèse que nous voulons scientifiquement fondée. Il ne s'agit pas d'une utopie idéale ni d'un mythe apocalyptique subjectivement incarné, mais de déductions raisonnées de recherches menées depuis sept ans sur l'évolution des Flux Culturels en France.

C'est pourquoi on retrouvera dans *le scénario Harmonique — Implosif* des thèmes qualifiés souvent de « progressistes » (écologie, convivialité participative, renouveau régional, décentralisation...) et des thèmes parallèlement jugés

« conservateurs » (moralité, loi et ordre, faible solidarité, faible esprit civique...). Mais n'est-ce pas la définition même d'une culture que d'associer et de synthétiser des valeurs différentes en une synthèse originale? Il est en ce sens assez rassurant que ce scénario ne présente pas le profil chimiquement pur d'une idéologie utopique mais offre l'hypothèse d'un amalgame que nous savons aujourd'hui déjà être le nôtre en un équilibre différent.

La réalité des années 95 sûrement sera différente : ce serait naïveté que de pronostiquer sur les seules variables psycho-sociologiques; et les facteurs économiques, scientifiques et politiques viendront corriger, nuancer ou contrecarrer cette tendance prospective. Elle constitue cependant la prospective de notre actualité et donc le mouvement dans lequel nous sommes déjà tous engagés.

Un courant socio-prospectif comme ceux étudiés ici n'est pas une force sociale en soi mais seulement un dynamisme potentiel qui peut se voir entravé, freiné, détourné ou accéléré suivant que les institutions l'acceptent ou le refoulent. **La prospective n'est que virtualité avant d'être traduite et incarnée par les organes sociaux.**

C'est donc vers les institutions sociales qu'il faudrait se tourner pour conclure cette recherche, leur laissant le dernier mot selon la logique des pouvoirs : l'analyste analyse et le décideur décide. Et on les interrogera sur leur perception et leur adhésion aux tendances psycho-sociales prospectives diagnostiquées et mesurées dans ces travaux, pour déceler quels sont les Axes de l'évolution qui se trouvent en *Consonance*, en *Résonance* ou en *Dissonance* avec les modes de pensée des institutions et des pouvoirs sociaux [1].

Les institutions peuvent être interrogées dans leur langage formel : lois, règlements, décrets, discours, pratiques, expériences, prises de positions, recherches... ou à

1. Voir l'exposé de ces concepts opérationnels de pondération prospective dans *Pour une prospective sociale*, IIIe partie, chap. 2 et 3.

travers les hommes qui les composent, dans leur statut d'experts, de savants, d'informateurs et de décideurs : ils incarnent mieux la pesanteur et le dynamisme des organisations dont ils sont les agents et dont ils portent collectivement les principes généraux et les pratiques quotidiennes.

**La Prospective Sociale n'est pas l'affaire des seuls sociologues ou chercheurs**; tous les responsables institutionnels et leaders d'opinion ont ou auront le pouvoir d'intervenir sur son avènement, à leur place, dans leur langage, avec leurs convictions personnelles, mais toujours investis d'un savoir et d'un pouvoir que leur confère l'institution. Car la prospective prévue n'advient jamais. Notre ambition ici n'est pas de prédiction ni de pronostic, mais de diagnostic : et le diagnostic délivré peut, on le sait, changer lui-même le cours des choses. Connaître les voies préférentielles de la Prospective Sociale, c'est déjà vouloir et peut-être pouvoir la maîtriser plutôt que de s'y abandonner.

**Maîtriser la Prospective, c'est d'abord l'accepter comme éventualité,** reconnaître que l'opinion publique n'est pas un corps mort abandonné aux seules influences institutionnelles, mais le lieu et la matière de la culture en mouvement, dynamique et sensible partenaire d'évolution. Ce livre a l'ambition de démontrer aux responsables de toutes natures que le mouvement existe aussi en dehors d'eux, et de les appeler à l'observer.

**Maîtriser la Prospective, c'est donc adopter une posture d'écoute du corps social,** disponible et rigoureuse à la fois; c'est faire taire un instant les a-priori, les stéréotypes, les utopies et les objectifs partisans pour diagnostiquer cette mutation silencieuse en gestation dans la vie quotidienne. Un second ouvrage sera consacré aux propositions théoriques et méthodologiques que fondent 7 années de recherches au CCA : *Pour une Prospective Sociale, théories et techniques.*

**Maîtriser la Prospective, c'est enfin y répondre,** car elle ne désigne ni une fatalité ni un sens de l'Histoire prédéterminé, mais une virtualité, souvent à multiples options, ouverte aux influences et aux initiatives. Ce livre se veut une photographie, la plus objective possible, sans parti-pris a-priori ni jugement a-posteriori : à chaque lecteur d'y réagir et de s'orienter dans le courant de cette prospective encore prête au modelage...

POSTFACE

# La prospective des styles de vie... réflexion critique sur les sciences humaines

*Qu'est-ce que la recherche sinon la subversion interne à une discipline ? le contraire même de la commémoration dévote, de la filiation respectueuse et de la replication fidèle...*

*C'est dans cet esprit qu'est proposé cet ouvrage : contre les analyses atomistes qui ne livrent de l'Homme qu'une image éclatée, contre des sondages qui, sous couvert d'écoute, le réduisent au simulacre normalisé, contre le déterminisme accumulateur et rétrospectif de modèles qui nient son pouvoir désirant.* ***La Prospective des Styles de Vie*** *est à la fois le constat de carences théoriques et pratiques dans les sciences sociales et le projet ambitieux de les atténuer par une étude unifiée de l'homme rendu à sa parole et à son désir.*

*Cette recherche s'est nourrie au sérail des sciences humaines, a emprunté ses concepts à la psychologie comme à la sociologie, les a enrichi de pratiques, de l'ethnographie aux frontières des mathématiques, et les a soumis à l'épreuve du marketing, cet enfant bâtard de Freud et de l'ordinateur.*

*Mais les chercheurs ici revendiquent la liberté de transgression, d'emprunt et d'amalgame inter-disciplinaire, la liberté d'invention conceptuelle et la liberté de critique. Car c'est d'une analyse critique des sciences sociales, de leur épistémologie et de leur pratique qu'est né leur projet.*

*Au-delà de propositions de concepts opératoires, de méthodes pratiques d'application, au-delà du compte rendu d'informations et des résultats,* ***ce manifeste pour une Prospective Sociale se veut une proposition subversive de retrouver l'individu dans son intégrité d'être et de sujet social, et de rendre la parole à son désir porteur du futur, contre les sciences de l'homme simulacre et de l'homme atomisé.***

RÉUNIFIER L'INDIVIDU

*Savoir si « l'homme essentiel » Est ? mais « l'individu », dont il est question ici, naît de cette interrogation constante qu'écrase un poids existentiel de chair et repousse une réalité référentielle de matière. Naît de l'angoisse de n'être point et du désir d'être plus, l'individu nomme* **vie** *la trace diachronique de ce combat incertain. Naît de l'absolu besoin d'être soi et de l'absolue nécessité d'exister aux autres, l'individu nomme* **mode de vie** *l'ombre fantasmatique de ce combat douteux. Naît de l'exubérance pulsionnelle anarchique et de l'information conformante, l'individu nomme* **mode de pensée** *l'écho confus de ce combat pervers.*

*Ainsi donnent acte d'existence à l'individu d'aujourd'hui les sciences humaines, dans le bruit et la fureur d'une bataille entre le chaos et l'ordre, le hasard et la nécessité, où il n'est guère que le faire-valoir de leur dialectique. Ayant désarmé au placard des accessoires métaphysiques et des rebuts spéculatifs « l'homme essentiel », décalque de la divinité, comme elle pivot et source de toute autre existence, maître et dénominateur des choses, l'avènement de l'individu est celui d'une vacuité condamnée à perpétuité à se nommer et à voir au vent de l'histoire son identité s'effacer.*

***Car il n'est pour l'individu, homme nouveau nu et vide, d'existence hors la nomination :*** *sacrement générateur qu'il ne peut exercer sur lui-même, n'existant toujours pas, et doit projeter sur les mots et les choses dont il modèle sa propre icône. Sciences humaines et sociales constituent et instituent la liturgie de ce baptême, dont les canons multiples et les rites magiques manifestent combien il est urgent d'exister, qu'importe si c'est par la mathématique ou le cri primal, le Qi ou la libido, la norme ou la folie. La quête d'un être mythique n'y a pas disparu, mais s'est condamnée à l'échec en toute connaissance de cause, instituant le postulat de l'éphémère ici et maintenant. Le psychologue, le sociologue se vouent à l'observation de l'insaisissable et à la description d'existences éphémères, déjà différentes avant que d'être inscrites au livre du savoir.* ***De cet épuisement à suivre les mutations polymorphes de l'individu, a germé le projet prospectif d'anticiper sur elles :*** *diagnostic, pronostic et prévision manifestent un refus de cette angoisse existentielle et un espoir de prémunition contre les incertains enfants du hasard, du souffle utopique de la science-fiction jusqu'à la caricature du modèle mathématique de futurologie.*

*Peut-être fut-il plus facile de gloser sur le sexe des anges qu'aujourd'hui de faire profession de nommer l'individu dans la variance même de ses modes d'existence.... Et les sciences psycho-sociologiques encourent à quelque titre la critique de s'instituer interprétateurs d'ombres dont elles sont projectionniste, grand prêtre de leur vérité et gardien de leur orthodoxie, en un grand jeu où les poupées prétendent à la vie. Au mur de la caverne, le théâtre d'ombres a pour fonction de détourner tout à la fois de l'aventure et de l'angoisse de l'entropie extérieure. Il y a du simulacre en toute modélisation et normalisation de l'individu; il y a de la conformation en toute information sur ses modes de pensées et de vie. Il y a de l'aliénation en toute description typologique et plus encore en toute structure explicative.*

*Mais comment échapper au simulacre si ce n'est en le purifiant jusqu'au symbole? Il est enrichissant pour* ***une recherche d'église*** *en ses cénacles de s'interroger sur le sens et la portée de la fondation des sciences humaines; il est facile à* ***une recherche de robe*** *d'en déchirer les oripaux pour montrer du doigt le squelette; il est plus difficile à* ***la recherche d'épée*** *confrontée à l'action, de s'en passer, faute de mieux.* ***Qu'est-ce qu'une science sinon le langage de plus pratique et économique, en un temps et une culture, de saisie du réel?*** *La caricature et la simplification en sont la règle, la normalisation et la conformation en sont les effets, comme en tout langage, production, perpétuation et défense d'une culture. Les sciences sociales qui ambitionnent de porter un regard sur la culture n'y échappent pas et deviennent le regard de cette propre culture. Mais ce regard, fût-il myope et autoritaire, n'en reste pas moins un œil, donc une voie d'interrogation. Et l'on n'a guère encore trouvé le moyen d'échapper aux pièges de la parole scientifique, sinon en remplaçant le simulacre par un autre.*

*C'est dans le cadre des sciences humaines et sociales que vient se situer cet ouvrage, reprenant leur projet de définir l'individu en sa complexité et dans la mouvance de ses existences pour une pratique sociale.* ***On y reprend alors les termes de Styles de Vie comme mode d'appréhension de l'individu, dans la dialectique du désir et de la culture, de l'être et de l'exister.*** *Simulacre, certes, normalisation réductrice, oui, simplification conformiste aussi, mais aujourd'hui approche la plus riche et la plus ouverte de la psychosociologie. Et si l'on défend ici le recours aux sciences humaines, ce n'est point comme à une religion ou une science, mais une pratique dont les postures et les méthodes offrent des occasions de voir, sentir, comprendre, et d'agir.*

*Il y aurait quelque danger pour le chercheur à se cloîtrer dans le silence et l'immobilisme, de peur de donner naissance à quelque concept, symbole vite récupéré comme simulacre du réel. Nulle science, certes, ne peut se targuer de représenter le monde tel qu'il est; la parole définissante est, ipso facto, dénaturante, dévitalisante; la structure explicative est à coup sûr conformante. Mais la recherche ne saurait échapper à cette prise de risque que constitue la nomination de l'individu et de ses rapports au réel.*

***Qui sont, aujourd'hui, cet individu et/ou ces masses,*** *substituts expérimentaux de l'homme et idoles modernes, après le premier âge d'or des sciences humaines? L'individu n'est plus. Ou plutôt il est éclaté en une trinité sainte dont les rites schismatiques adorent concurremment les débris émasculés. L'individu, chacun et tous donc, n'est pas un mais trois : il vote, il parle, il consomme. Et l'électeur n'est pas le consommateur non plus que le discoureur : chacun représente une identité fragmentaire que les pratiques sociologiques ont consacré, quand bien même l'université commémore encore son principe unitaire mythique. Parti à la recherche du « phénomène Individu », les sociologues se sont laissés distraire par les anecdotes de son existence, pris au piège de la multidimensionnalité qu'ils avaient inventé.*

*Le sondage est la cathédrale la plus ancienne élevée à la gloire de l'individu et au culte de son existence sociale en masses, la plus notable et la plus institutionnelle. Mais les chapelles s'y sont spécialisées et y ont perdu de vue le but commun.*

***L'Individu vote.*** *C'est l'acte politique qui est défini comme mode existentiel majeur justifiant d'une place dans le monde. On le définit donc de son vote, ou plutôt de son vote virtuel et intentionnel : non de ses convictions ou options, mais d'un choix forcé et comportemental. Première vision parcellaire de l'individu, rat dans le labyrinthe behavioriste aux couloirs étiquetés et aux choix impératifs des fameux sondages électoraux.*

***L'individu parle.*** *Ou plutôt il opine au sondage d'opinion qui parle en son lieu et place. Sentences déjà rédigées, attitudes déjà codifiées, opinions stéréotypées, paroles industrialisées et souhaits standardisés, l'opiniométrie ne risque guère de trouver d'autre portrait que celui qu'elle s'est mitonné. Ayant opiné, que reste-t-il de l'individu? Une atomisation de réponses, échantillons de carottages, soigneusement isolés les uns des autres, de crainte qu'en les réunissant ils ne deviennent vivants et qu'en renaisse un phénix sauvage. Ainsi chacun y viendra chercher le beau pourcentage chimiquement pur et psychologiquement stérile, fragment momifié d'une vie suspendue qui sera du plus bel effet comme ornement de thèse ou d'antithèse mais jamais de synthèse...*

***L'individu consomme.*** *Le sondage encore, mais d'une autre chapelle, le nommera donc par la panoplie d'objets et d'images dont il s'entoure pour mieux dissimuler sa nudité et son absence. C'est en cette approche du marketing cependant, si réductrice soit-elle, que se manifeste le plus tôt quelque intérêt pour le vécu de la personne sous son masque d'individu et quelque finesse dans la synthèse et l'interprétation de ses conduites. Nous y avons trouvé, pour notre part, la matière et la stimulation à ce projet unificateur.*

*Rien ne témoigne mieux de* ***l'éclatement du concept même d'individu en simulacres partiels et incoordonnés*** *que les kilomètres de listing d'ordinateur où s'affichent en bataillons serrés les mouches statistiques dont aucun plan de bataille n'éclaire l'objectif. Les sondages ont perdu de vue leur but de définition de l'individu et n'y contribuent plus qu'en un kaléidoscope anarchique. Mais n'est-ce pas l'intérêt de la techno-structure de dissimuler soigneusement le squelette structurant une identité finalisée des personnes sous les projections partielles et partiales d'anecdotes éphémères? Fumeroles de magiciens, les sondages ont détourné la pratique sociologique de son propos : comprendre et expliquer, et désarment ceux qui voudraient encore se livrer à la poursuite du Sens.*

*Projet ambitieux que de réunifier l'individu en une définition synthétique et explicative, sans se cacher cependant la convention inévitable de cette codi-*

*fication culturelle, réductrice de la réalité sociale et travestie du vécu psychologique... C'est en ce sens qu'on propose ici* ***une exploration des Styles de vie comme la meilleure définition unificatrice de l'individu dans son être au monde, la plus respectueuse du sens de cet avénement du désir à la culture et la plus économique à la fois pour l'intelligence de l'histoire des existences.***

*On n'y échappera pas complètement aux pièges des modélisations, des mesures et des sondages, mais on leur imposera du moins de prendre en compte le sens du désir, d'opérer la synthèse de toutes les facettes existentielles de l'individu et de soumettre leurs simulacres mathématiques à l'interprétation, pour transgresser au mieux l'Individu objet.*

*Aux sondages et panels qui séparent prudemment le yaourt, le Parti Communiste, la pilule, les week-end, Europe-I et l'argent, on peut opposer des enquêtes restituant le maximum des composantes de la vie. Car le Style de Vie, mode d'existence face au monde et aux autres, c'est cela : amalgame souvent paradoxal de pratiques, de conduites et d'attitudes dont les gardiens de l'ordre préfèrent ignorer les relations. Il faut donc transgresser l'atomisation des informations psychosociales (élevée en dogme sous prétexte de pertinence méthodologique, d'économie ou de pratique technique) vers une multidimensionnalité des variables définissant l'individu en ses multiples facettes. Cette volonté est déjà perçue comme transgressive et inquiète les professionnels du « chaque chose à sa place » qui préfèrent y soupçonner quelque machiavélique machination au service d'obscurs desseins. Mais il n'est question que d'* ***assumer la diversité logique de l'existence;*** *et si cela est subversif, c'est par l'invitation à rechercher un sens derrière les faciles nomenclatures parcellaires.*

*Aux enquêtes qui, sous couvert d'objectivité, se gardent de toute synthèse et explication et limitent leurs ambitions soumises au collage associationniste de feuilles comptables, nous opposons la volonté de synthèse et la liberté d'interprétation. La trieuse et l'ordinateur ne sont pas un progrès s'ils réduisent le sociologue à un mutisme inoffensif : il ne lui reste alors pour tout rôle qu'à découper selon les pointillés préétablis les listing, question par question, avec des ciseaux qui ressemblent fort à ceux de la censure. Comme il est rassurant de mesurer que « d'une part » 63 % des Parisiens refusent les tours de l'urbanisme moderne, que « d'autre part » 45 % voudraient trouver des loisirs dans leur quartier, que « par ailleurs » 75 % souhaitent réduire les temps de transports et que « aussi » 67 % voudraient pouvoir consacrer plus d'argent à l'aménagement de leur foyer, et de s'en tenir là... Mais quel désir s'exprime derrière ces réponses volontairement limitées?*

***L'enquête psychosociologique n'est pas un butinage dilettant ni une observation à responsabilité limitée, mais l'exercice d'un pouvoir explicatif que le chercheur doit assumer.*** *Il ne suffit pas d'emmagasiner des informations multi-expériencielles sur toutes les facettes des modes d'être-au-monde des individus, si ce n'est que pour les aligner sagement en colonnes et les classer* *en tiroirs étanches. Il faut mettre en rapport ces informations, découvrir la synthèse qu'ils composent et en révéler les significations par l'interprétation. L'informatique et l'interprétation peuvent s'allier* ***à la poursuite de la structure et du sens de Styles de Vie explicatifs.***

*Aux sondages statiques de l'ici et maintenant, conservateurs des structures, des modèles et des stéréotypes du passé, on peut opposer des procédures prospectives, ouvertes aux déséquilibres du présent, aux tendances et aux utopies d'avenir. Aux accumulations rétrospectives, respectueuses des évolutions anciennes et reproductrices des schémas d'évolution domestiqués, on répond par* ***le diagnostic des courants naissants et des mutations originales.*** *Si le psychosociologue peut justifier d'un rôle social, est-ce comme conservateur du musée des stéréotypes ou explorateur de l'entropie?*

*Quel est finalement le statut et le rôle des sciences de l'homme et de la société? Interrogées aujourd'hui de toutes parts sur leur implication politique et culturelle, elles doivent* ***choisir entre se faire les gardiens de la norme ou les révélateurs du sens.*** *Il est à craindre qu'elles ne soient actuellement figées dans une paralysie intermédiaire, préférant camoufler sous les fastes de la sophistication technologique leur impuissance intellectuelle, aux risques de l'interprétation.*

*Dépossédé de son corps par la médecine, de son désir par la psychiatrie, de son intelligence par les tests, de son existence par les sondages, il ne reste que débris épars de l'individu, que la spécialisation des disciplines a dispersés aux quatre coins des sciences. Notre culture trouverait-elle sa sécurité à briser l'unité de l'homme et à en disperser les débris, comme elle fit jadis des sorciers? Segmentation et objectivation des analyses sont des modes de négation du sens : la recherche d'un simulacre de l'humanité se perd dans un simulacre de la recherche elle-même; et que reste-t-il alors du pouvoir supposé manipulateur de ces études lorsqu'il s'asphyxie d'informations dénuées de sens?*

***Par la recherche sur les Styles de Vie, par ses concepts et ses méthodes, nous prenons ici le parti d'une*** *psycho-sociologie synthétique, explicative et prospective,* ***ouverte a toutes les dimensions existentielles des individus et fondée sur leur dynamisme désirant.***

### Rendre la parole au désir

*La psycho-sociologie prend ses racines dans une conception implicite de l'****individu-objet****, dénué de toute capacité de s'exprimer, d'imaginer et de désirer. Caricaturée mais radicalement mise en œuvre dans les sondages depuis Gallup, elle ne laisse à ses objets sociaux, les personnes, que l'opportunité de refléter plus ou moins fidèlement, intensément et quantitativement, les stéréotypes culturels; elle leur laisse la liberté d'entrer dans l'une des cases que la techno-structure a définies et se contente de les définir par les seules variables descriptives socio-démographiques et économiques.*

***L'individu ne parlerait pas?*** *Consommateur, électeur, objet social, il n'appartient pas à l'élite du discours rationnel, logique, cohérent, d'autant plus que ses états culturels sont modestes : comment saurait-il exprimer seul des opinions structurées, des attitudes complexes, et plus encore des besoins et des motivations profondes? Aussi la tentation est-elle grande pour les chercheurs de se substituer au public et de lui mettre dans la bouche « les mots qu'il faut »; ainsi apparaissent les batteries d'attitudes, de jugements et d'opinions standardisés qui formulent en lieu et place des personnes leurs sentiments. Par là même la techno-structure se justifie de s'épargner les contraintes de l'écoute, les difficultés de l'analyse et la dangereuse exploration du désir. L'individu est un mineur, le sociologue parle pour lui; heureux homme à qui le seul effort demandé est d'opiner et de signer d'une croix dans la case correspondante...*

***Et pourtant il parle!*** *Du moins l'individu parle-t-il si l'on prend la peine de l'écouter. Les méthodes qualitatives d'études de motivations et attitudes ont ouvert la voie à l'écoute du consommateur, à la suite des techniques non directives dérivées de l'entretien analytique. C'est dans le marketing qu'elles se sont développées et diversifiées, tant le réalisme commerçant a vite saisi les dangers qu'il aurait à se fier au simulacre statistique des panels. Le mutisme est dans la bouche du socio-technocrate. L'individu, les groupes savent parler, longuement et explicitement. Leur parole est subversive car le désir ne connaît pas les limites du raisonnable, l'émotion ne respecte guère les conventions et l'imaginaire individuel ne se moule pas facilement aux stéréotypes sociaux. Mais leur parole est l'autre face du miroir : elle est la matière même de l'expérience sociale, elle est révélatrice de l'être-au-monde des personnes dans leur effort pour exister plus. Par la parole, l'individu se définit lui-même dans la dialectique du désir privé et des contraintes de l'environnement.*

*S'il faut nommer et définir l'individu par son Style de Vie, au risque d'en réduire l'originalité pour la commodité des analyses sociales, c'est dans sa propre parole qu'il faut en rechercher les variables, au plus près du réel vécu. Le désir de la parole existe : il suffit de donner la parole au désir.*

***L'Individu n'imaginerait pas?*** *L'enquête sociologique ne lui demande que ce qu'il fait et ne fait pas, juge bon ou mauvais, pense vrai ou faux, comme s'il n'était qu'un pur esprit dépourvu d'affectivité, de rêve et de désir, incapable de sensibilité. Aucune latitude d'expression ne lui est laissée qu'entre des réponses rationnelles et stéréotypées. Il est rassurant de croire pour le chercheur que l'individu peut être défini dans le même langage et la même logique « éternels », alors même qu'il ne sait pas s'ils ont changé de sens, de valeur symbolique et de charge affective. L'enquête s'affirme conservatrice lorsqu'elle dénie aux sujets sociaux tout pouvoir de création et d'innovation, craignant de voir lui échapper cette partie cachée de l'iceberg en remodelage permanent. Plutôt que de se confronter à l'imaginaire, la sociologie préfère, comme l'autruche, l'ignorer.*

***Et pourtant il rêve!*** *La psychanalyse encore a montré qu'elle richesse affective, imaginaire se cache derrière la sérieuse et digne façade des opinions des comportements et des relations. Le rêve est dans la vie de tous les jours, et chaque acte de cette vie, et derrière chaque rationalisation et chaque stéréotype de ces conduites. Les méthodes de créativité révèlent le potentiel imaginaire de chacun et le désir de création refoulé sous les normes culturelles et censurées par le langage. On y étudie maintenant l'émergence du désir désirant, comme expression de l'être dynamique au monde, non de l'emprisonnement de l'individu dans les normes stéréotypées d'une structure figée, mais son insertion créatrice en mode de vie adapté dans la plastique sociale.*

*Comme l'entretien non directif a rendu la parole à l'individu, des méthodes projectives* [1] *lui rendent aujourd'hui le droit à imaginer, à ressentir, à vivre. Les sciences humaines ont progressivement reconnu l'existence d'un inconscient mais en ont limité l'expression, l'exercice et l'analyse comme exceptionnels et sous contrôle de la raison technocratique. Il faut au contraire enraciner l'interprétation de la réalité sociale et de l'insertion vécue des personnes dans la trame culturelle au cœur de l'imaginaire. On pourra alors nommer l'individu dans son affectivité et le décrire des représentations et valeurs qu'il vit inconsciemment; c'est le reconnaître et l'accepter dans une autre dimension, celle de la vie qui demeure au sein des déterminismes sociaux.*

***L'individu ne désirerait pas?*** *Ce serait aux producteurs, aux politiques, aux dirigeants, aux journalistes et aux publicitaires, et aux psychologues leurs fidèles porte-parole, de désirer à sa place et de lui offrir un choix adapté à ses besoins supposés. Alors le test prend le pas sur l'étude du désir : on vérifie a posteriori si le public se résigne à la loi de l'offre, sans se risquer à affronter le dynamisme de la demande. Le désir est tabou en sociologie : on le magnifie et le sublime sous la forme du « Sens de l'Histoire » animant les masses; on le nie car « les gens ne savent pas ce qu'ils veulent »; on le limite à la vie personnelle comme compensation maniaque antisociale; on le censure, on le caricature et le traque dans le folklore psychiatrique; on l'exorcise et le bannit dans les aberrations géniales de l'Art...*

*Le désir est l'ennemi car il est le changement. Contre les sages évolutions linéaires et accumulatives enracinées dans le passé, il incarne la révolution, la mutation. Le désir écrit l'Histoire à l'envers : le présent n'est pas le point culminant d'un passé, mais le tremplin vers l'avenir, il n'incarne pas la plénitude de l'expérience acquise mais la vacuité d'un être à accomplir. Le désir n'est pas rétrospectif mais prospectif; il ne conforte pas la culture sur son équilibre réussi mais l'interroge sur son devenir incertain; il ne respecte pas le jeu de l'harmonie mais génère l'entropie. Et les sciences humaines, qui ne peuvent plus en nier l'existence sans obscurantisme manifeste, s'appliquent à démontrer qu'il n'agit point sur l'histoire de la culture, si ce n'est médiatisé par des héros et des prophètes au pouvoir.*

1. Cette méthodologie nouvelle, « l'EPSY », est exposée dans *Pour une Prospective Sociale*, I^re^ partie, chap. 1.

***Et pourtant il désire!*** *L'utopie peut être observée et analysée en chaque personne, en chaque groupe social, comme dynamisme en dialectique avec la pesanteur des structures. L'animal social est un animal désirant : le nommer, le décrire et le classifier selon des variables rétrospectives revient à nier ce désir. Si notre conception des Styles de Vie se déclare prospective, au contraire d'autres rétrospectives, c'est parce qu'elle fonde toute définition de l'individu sur les catégories dynamiques de son désir, c'est-à-dire sur les tendances dynamiques, Flux Culturels qui marquent des modes originaux de mutation de la structure sociale sous l'impact des utopies privées. Il faut reconnaître à l'Individu le droit à l'utopie, non comme un rêve compensatoire et une récréation dans son existence sociale, mais comme l'expression normale de son être au monde tourné vers le futur.*

*Il y a, dit-on, quelque ambition à vouloir rendre parole à l'individu, dans l'unité et la plénitude de ses expériences sociales et dans le dynamisme désirant de son insertion culturelle; et il y a, dit-on encore, quelque naïveté à fixer un projet de psychosociologie globale et interprétative principalement fondée sur l'écoute de l'imaginaire, le diagnostic d'utopies et l'interprétation de tendances dialectiques, par des procédures qualitatives.*

*Et pourtant elle existe, cette nouvelle psychosociologie, non comme une chapelle ésotérique mais dans une pratique opérationnelle quotidienne appliquée dans tous les secteurs d'activité. C'est donc d'un projet engagé et d'une ambition déjà réalisée que témoigne cet ouvrage : bilan déjà, mais aussi interrogation sur la pertinence des concepts et la validité des méthodes, et invitation surtout à un progrès critique. N'en resterait-il que ces interrogations sur la finalité et les pratiques des sciences humaines qu'il remplirait son but.*

*Car notre propos se résume simplement : les sciences de l'homme et de la société manqueront à leur raison d'être si elles limitent leur tâche à entretenir et épousseter le simulacre d'un* **individu-objet** *éclaté; et la techno-structure (politique, technique et commerciale) qui les guide s'asphyxiera à trop vouloir atomiser l'information et raréfier le sens.*

***Retrouver l'individu, être social dans son unité désirante, comme un partenaire actif des mutations socio-culturelles, au travers de sa parole rationnelle et imaginaire, de ses conduites et de ses utopies : tel est notre manifeste pour une Prospective Sociale des Styles de Vie.***

*Bernard Cathelat*

# ANNEXE

SOMMAIRE DE L'OUVRAGE A PARAITRE : *Pour une Prospective Sociale*, théories et techniques, par Bernard Cathelat.

Avant-propos : 7 années de recherches.

Introduction : A la conquête d'une prospective sociale.

Première partie : Mode ou révolution? Les Styles de Vie.

1. Des besoins individuels aux Flux Culturels.
2. L'image floue du devenir.
3. Des hommes et des thèses : panorama critique des Styles de Vie dans le monde.

Deuxième partie : Les Styles de Vie : une conception de la culture vivante.

4. Le désir et la culture.
5. Sociogénèse des Styles de Vie.
6. Fonction sociale des Styles de Vie.
7. Les mass media et le changement.

Troisième partie : Des concepts...

8. Le phénomène Styles de Vie.
9. Des Styles de Vie macro-culturels.
10. Des Styles de Vie micro-culturels.

LA COMPOSITION, L'IMPRESSION ET LE BROCHAGE DE CE LIVRE
ONT ÉTÉ EFFECTUÉS PAR FIRMIN-DIDOT S.A.
POUR LE COMPTE DES ÉDITIONS
INTERNATIONALES ALAIN STANKÉ
ACHEVÉ D'IMPRIMER LE 24 OCTOBRE 1977

*Imprimé en France*
**Dépôt légal : 4e trimestre 1977 — N° d'impression : 1477**

# FRANCE - HORIZON 85...

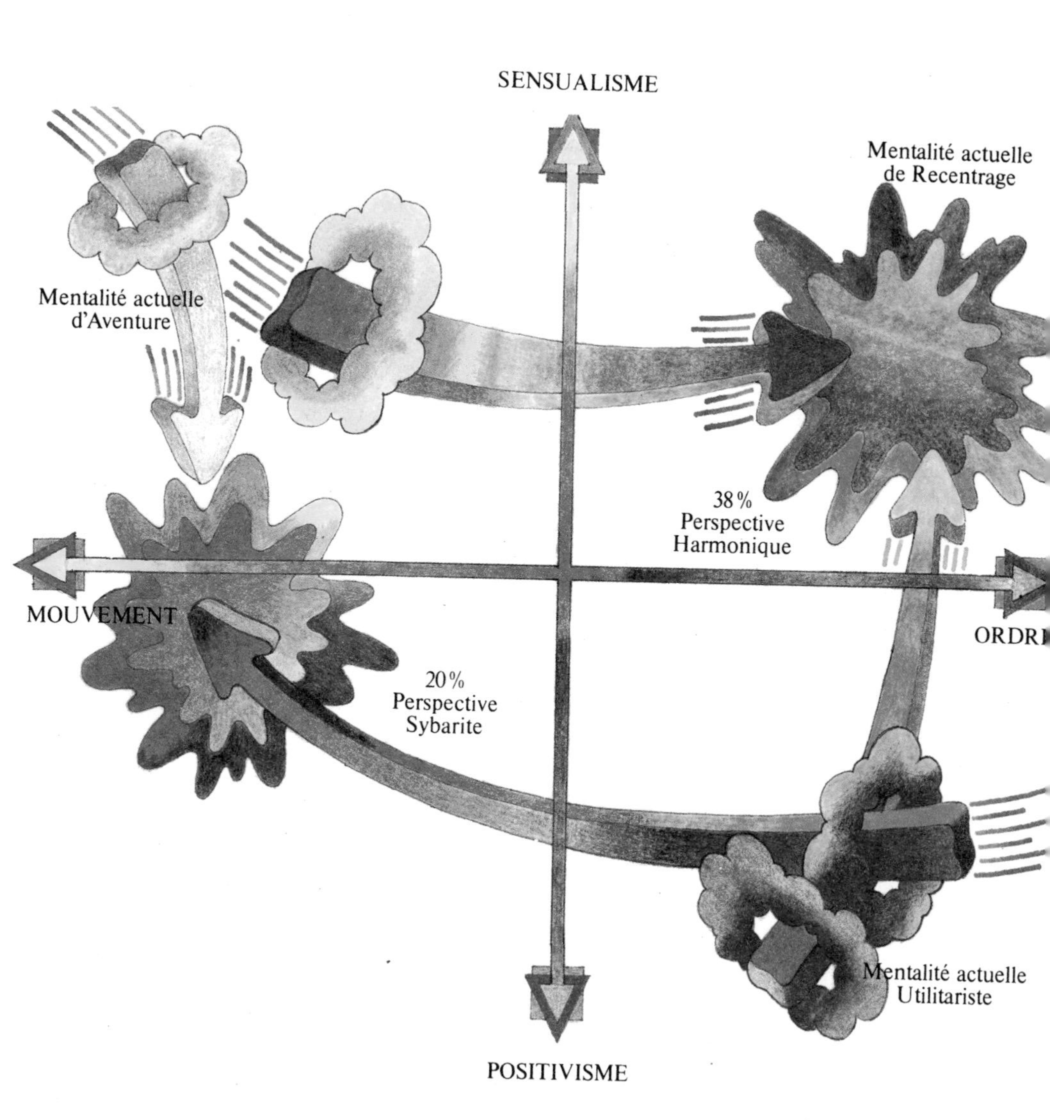


## 2 perspectives

La France n'est pas immobile.

Aujourd'hui déjà se dessinent 2 principaux Axes d'évolution des Styles de Vie en France, qui offrent 2 modèles de société.

Le principal Horizon pour 85 est la Perspective Harmonique: rêve d'une société de paix, de relations humaines, de qualité de vie, de confort... C'est elle qui attire déjà une majorité de Français fatigués et déçus de la course au progrès.

# LES 3 FRANCE...

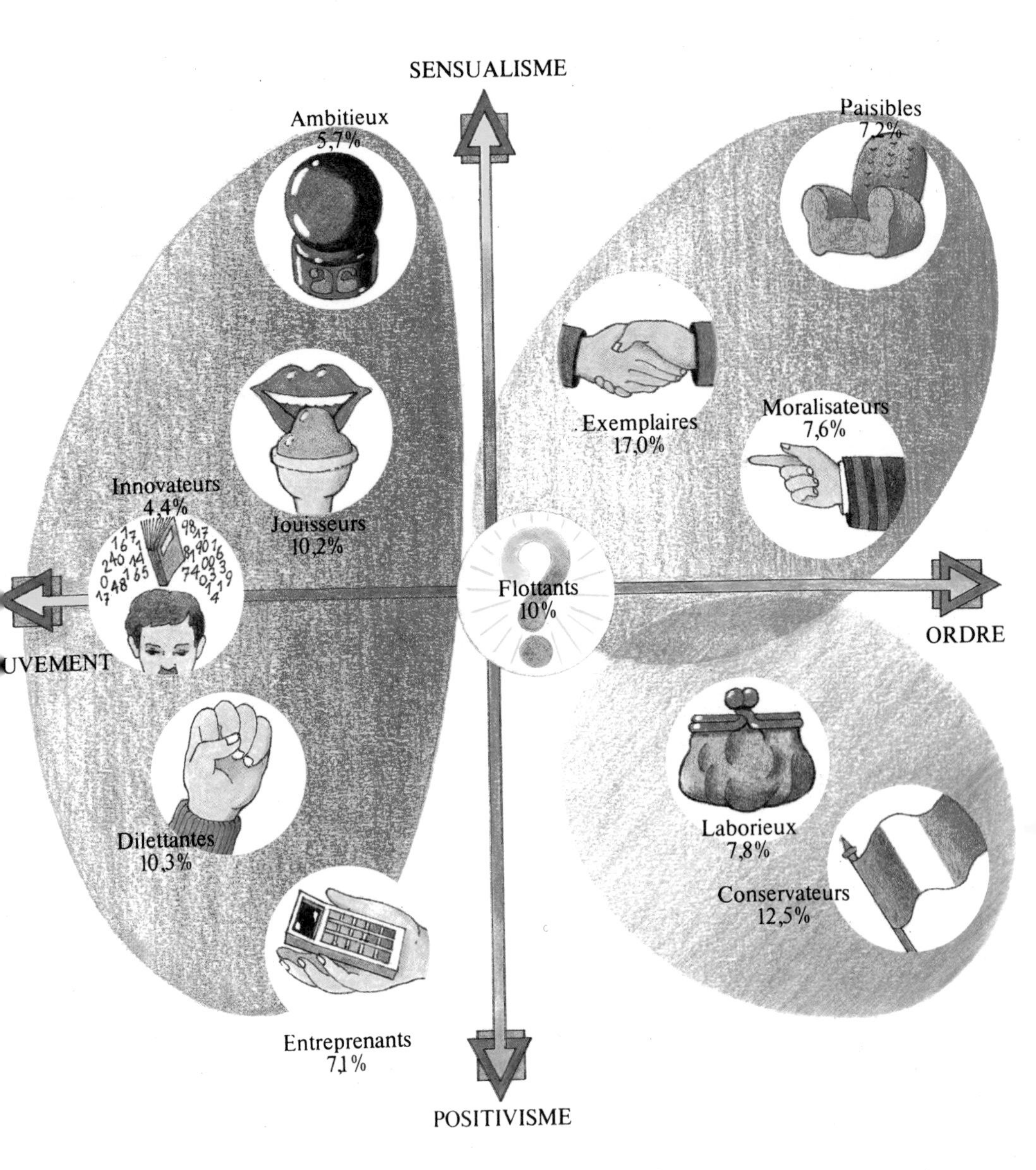


**C'est 11 Styles de Vie pour les Français.**

Le Français moyen n'existe pas: sur cette carte se distinguent 11 portraits robots pour définir les Français au pluriel.

La France n'est pas monolithique: sur cette carte se dessinent 3 régions sociologiques. Ce sont 3 cultures, héritages de l'histoire, classes sociales et communautés de pensée; ce sont 3 modèles de société en concurrence.